Catequesis y derecho en la América colonial
Fronteras borrosas

Roland Schmidt-Riese (ed.)
Con la colaboración de Lucía Rodríguez

Catequesis y derecho en la América colonial

Fronteras borrosas

Roland Schmidt-Riese (ed.)
Con la colaboración de Lucía Rodríguez

Iberoamericana • Vervuert • 2010

© Iberoamericana, Madrid 2010
Amor de Dios, 1 – E-28014 Madrid
Tel.: +34 91 429 35 22
Fax: +34 91 429 53 97
info@iberoamericanalibros.com
www.ibero-americana.net

© Vervuert, 2010
Elisabethenstr. 3-9 – D-60594 Frankfurt am Main
Tel.: +49 69 597 46 17
Fax: +49 69 597 87 43
info@iberoamericanalibros.com
www.ibero-americana.net

ISBN 978-84-8489-368-4 (Iberoamericana)
ISBN 978-3-86527-391-8 (Vervuert)

Depósito Lega: M-2546-2010

Cubierta: Juan Carlos García
Impreso en España por Top Printer Plus S.L.L.
The paper on which this book is printed meets the requirements of ISO 9706

ÍNDICE

III. ENFRENTAMIENTOS

PRESENTACIÓN

En la evangelización de América, los europeos propusieron su propia cosmovisión a los americanos nativos e incluso intentaron obligarlos a asumirla plenamente. Requería esto, según la perspectiva europea, desistir de las cosmovisiones previas, considerarlas inválidas. Para los nativos, sin embargo, tal renuncia debió presentarse como una traición. Desde su punto de vista, las cosmovisiones podían negociarse, sus deidades no se excluían mutuamente, mientras que a los europeos la idea del sincretismo les resultaba difícilmente aceptable.

El medio clave para desterrar las creencias ajenas e implementar las propias era la catequesis, la enseñanza de las verdades, de la historia sagrada y de los ritos cristianos. Se enseñaban las oraciones más importantes, es decir, se enseñaban textos. La evangelización fue un proyecto de enseñanza, alentado por las expectativas humanísticas. Pero los textos, que necesariamente están en una lengua o en otra, antes que enseñarlos hacía falta traducirlos, una primera frontera que había que vigilar.

La traducción, a su vez, era imposible realizarla sin recurrir a informantes nativos. Y para llegar a traducciones logradas hacía falta discutir con ellos, entender por qué preferían unas soluciones sobre otras. Así que los europeos fiaban sus conceptos, sus modos de pensar al entendimiento ajeno. Incluso tenían que relegarlos a un plano secundario para empezar por entender. Los papeles se invertían. Se estaba seguro de lo que se quería decir, pero no de lo que efectivamente se estaba diciendo, y menos aún de lo que entendían los nativos. La conversión se reveló como un asunto difícil.

La evangelización no fue el único proyecto europeo en América. Estuvo imbricada en otro, el de la colonización. Ésta supuso la superposición de las estructuras políticas y administrativas europeas a las tradicionales vigentes hasta la conquista. En este ámbito, la coexistencia de dos sistemas no se excluía de manera tan rotunda como en el religioso. Considerando las numerosas infracciones de leyes que se producían en una sociedad reciente, situada en una frontera cultural y militar abierta, la Corona española procuró, de manera decidida, implementar un sistema jurídico que sirviera al equilibrio social y que, a la vez, no contrariara sus propios intereses. Luego en este ámbito administrativo y político también había que negociar y, de hecho, se negociaba.

La Iglesia disponía de su propio derecho escrito, hasta tal punto elaborado que podía competir con las leyes de la autoridad civil. Por su lado, ésta procuraba definir límites para la actuación eclesiástica y a la vez servirse de las infraestructuras religiosas. En todo caso y en los dos ámbitos, el derecho raras veces imponía fronteras inamovibles. Cuando a unos grupos les interesaba fortificarlas, otros las socavaban invocando el dictado de una situación excepcional. La sociedad colonial, en suma, consistía en excepciones.

Hasta el momento hemos expuesto una visión de conjunto. Europa no se agotaba en un único tipo de agente, ni en un momento determinado ni a lo largo del período colonial. Los pueblos indígenas, diversos en sus culturas y dotados de sus propias tensiones sociales y de diferentes estrategias para hacer frente a los retos técnicos y epistémicos que supuso la invasión europea, eran menos homogéneos aún. Los dominicos no defendían la misma antropología que los franciscanos y éstos defendían otra que la Iglesia metropolitana, por no hablar de los encomenderos. Antropologías aparte, todos podían tener a indígenas encomendados o en situación similar.

Otras líneas de ruptura nacen de la disidencia religiosa y epistémica europea, de eruditos y astrónomos, de protestantes y judaizantes. Y aun otras de los colores de la piel, de las ascendencias ramificadas, del contraste entre agentes femeninos y masculinos, de códigos distintos de los lingüísticos, de las diversas lenguas implicadas en el proceso. Con lo cual no se niega que la ruptura principal se dio entre europeos y americanos nativos, aun cuando de los dos lados no faltaron intentos de entender la situación de forma global.

ESTE VOLUMEN

Los trabajos aquí reunidos analizan legados materiales concretos, esto es, normalmente, textos. Algunos esbozan visiones, en cierta forma, de conjunto. Los textos son de índole diversa, desde actas y documentos municipales, cédulas, informaciones, pareceres, relaciones, textos cronísticos, hagiográficos y de ensayo, pasando por cartas privadas y diarios hasta actas sinodales y conciliares, confesionarios y catecismos. Los textos están, las más de las veces, redactados por europeos y desde una perspectiva europea. Algunas contribuciones intentan restituir voces no europeas en ellos, voces que colaboraron en su constitución. La maquinaria administrativa elaboraba las enunciaciones de agentes que defendían intereses y posiciones específicas, esto formando parte de uno de los dos lados, colonizador o colonizado.

Las disciplinas desde las que los materiales se abordan son igualmente diversas. Participan la lingüística, la historia del arte, la antropología y la historia colonial, profana y eclesiástica, la historia del derecho, la historia científica, la crítica literaria. En algunos estudios, la suerte que corrió determinado grupo social se averigua en las figuras de uno o dos representantes ejemplares. El volumen organiza los trabajos en tres grupos. El primero, "Ciencia, catequesis y conceptos indígenas", comprende trabajos que presentan sistemas de saber y de actuar, europeos y autóctonos, por separado o en interacción. Se estudian ambos lados o se enfoca sólo uno de ellos, generalmente el europeo. Se observan la cuidadosa composición tanto como la descomposición de elementos religiosos de diferente origen en determinadas conformaciones coloniales.

El segundo grupo, "Marco legal", enfoca la legislación eclesiástica indiana, conflictos que surgieron entre ella y la legislación civil así como la variable aplicación del derecho por parte de los protagonistas eclesiásticos y civiles. Es evidente que el derecho canónico fue dotado de validez universal, pero también que había que adaptarlo a las circunstancias regionales. El Concilio de Trento reconoció e incluso agudizó esta tensión. Así, las asambleas eclesiásticas regionales promulgaron las disposiciones que consideraron adecuadas a las condiciones de sus departamentos. Lo mismo ocurre en la administración civil que debía implementar la legislación metropolitana destinada a las colonias. No obstante, en los dos ámbitos, la realidad colonial se resistió, en cierta medida, a estas tentativas.

El tercer grupo, "Enfrentamientos", elige situaciones en las que es patente la actuación indígena o, al menos, la de sujetos no blancos. Aun cuando tal actuación es evidente en sentido histórico, las fuentes raras veces dan acceso directo a las enunciaciones de sujetos arraigados en ámbitos no europeos. Como mucho, las citan. Entonces hace falta desvirtuar el discurso dominante que se les sobrepuso, para estudiar el propio mecanismo de la superposición y para después proceder a rescatar enunciaciones silenciadas.

CIENCIA, CATEQUESIS Y CONCEPTOS INDÍGENAS

Claudia Brosseder ("La ciencia entre la herejía y la adaptación. Astrología natural y talismánica en el Perú colonial, siglos XVI-XVII") investiga la desconcertante incidencia de la magia europea en la sociedad colonial andina, así como los contactos que procuró establecer esta tradición erudita con los chamanes indígenas. Persigue casos en que los más altos representantes del virreinato se vieron involucrados en procesos contra los magos. Cierto apoyo político del que éstos a veces gozaron, no pudo salvarlos de la persecución de parte de la Iglesia oficial, persecución que compartieron con los considerados hechiceros andinos.

Otto Danwerth ("Perfiles de la muerte andina. Ritos funerarios indígenas en concilios y sínodos del Perú colonial, 1549-1684") analiza la percepción eclesiástica de los ritos andinos en torno a la muerte, tal y como se manifiesta en documentos oficiales de los sínodos. No se trata tanto de un asunto de catequesis como de averiguar y vencer los obstáculos que se le opusieron. Como en el mundo andino los ancestros constituían el camino privilegiado para alcanzar la deidad, los ritos mortuorios preocuparon mucho a la Iglesia. No es que la veneración de ancestros e incluso la momificación fueran desconocidas en Europa, pero en los Andes era un asunto distinto. Los muertos requerían un control severo.

Roland Schmidt-Riese y Gabriele Wimböck ("Catecismos pictóricos, ¿imágenes o textos? Comparación del manuscrito Egerton con la escuela de Pedro de Gante") analizan los catecismos pictóricos que se elaboraron con vistas a la evangelización. Las perspectivas lingüística e histórica del arte convergen en el reto de averiguar en qué medida tales notaciones podían de hecho aproximarse a los textos establecidos que representaban. Cuando, de todas formas, es evidente una participación nahua (o mixteca) en la elaboración de estos catecismos, su utilización apunta a situaciones de conversión culturalmente diversas.

Eva Stoll ("Santiago en los Andes. Vicisitudes de los santos en la sociedad colonial") revisa la suerte que corrieron los santos de la Iglesia católica, especialmente Santiago, en los Andes. A base de textos cronísticos de autores españoles, mestizos y andinos averigua el poder que se le atribuía al patrón de España por un lado, y los puntos de convergencia que éste demuestra con Illapa, deidad andina del trueno, por otro. El paralelismo se afirma de manera decidida por parte de los autores andinos, quienes descubren en la referencia a Santiago una explicación de las derrotas incaicas. Entonces, a la Iglesia, el fervor popular por Santiago le resultó sospechoso.

MARCO LEGAL

Hans-Martin Gauger ("Los concilios limenses desde un punto de vista lingüístico") estudia la política lingüística de la Iglesia católica, tal y como se configuró en Europa, para luego cuajar en las decisiones del Concilio de Trento. En el Perú, no es que estas decisiones se desacataran, pero al mismo tiempo el Tercer Concilio Limense persistió en las opciones que los dos concilios anteriores habían favorecido. El autor muestra que procediendo así, la Iglesia peruana se mantuvo fiel a la profunda apreciación del lenguaje propia del cristianismo, que confía en él y considera a las lenguas, al menos en principio, iguales entre sí.

Thomas Duve ("Catequesis y derecho canónico entre el Viejo y el Nuevo Mundo") desarrolla las condiciones de la aplicación del derecho canónico en América, con especial atención a la elaboración de catecismos en lenguas andinas. Insiste en las tensiones entre el derecho escrito y consuetudinario, entre vigencia universal y regional de los decretos, las cuales acompañaron la legislación eclesiástica desde sus orígenes. Trento opuso, con la elaboración del *Catecismo Romano*, el principio universal a la proliferación de soluciones locales, pero incitó a la vez a la adaptación regional del mismo.

Micaela Carrera de la Red ("La correspondencia del obispo Rodrigo de Bastidas, 1526-1567, testimonio sobre el trato de los indios en el Caribe") enfoca la actuación jurídica y social de la Iglesia a través de los escritos privados de un protagonista destacado de la colonización del Caribe, Rodrigo de Bastidas. Constata que éste, aunque obispo, está sólidamente imbricado en las luchas de linajes en Santo Domingo, uno de ellos el de los propios Bastidas, que defienden sus intereses económicos ante la Corona y que incluso orienta la carrera eclesiástica de Rodrigo en función de ellos. Recurre a sus obligaciones de "protector de indios" cuando se trata de contrariar los belzares en Venezuela. Fuera de este caso, parece que no adolecía de escrúpulos humanísticos.

Martha Guzmán ("Los indios en el Caribe colonial a la luz de documentos inéditos") reúne en documentos municipales de La Habana informaciones acerca de diversos grupos indígenas en el Caribe durante el período colonial. Destaca que las Grandes Antillas no habían sido despobladas por completo y que conocían una considerable inmigración de indígenas del continente y de otras islas, llevados como esclavos. Cuando, en teoría, la población autóctona tenía un estatus superior al ilotismo, en la realidad no fue necesariamente así. Por otro lado, hubo indígenas que, a veces aliados a esclavos africanos, consiguieron sustraerse al control colonial y a la catequesis.

Ofelia Huamanchumo de la Cuba ("Dios, juez y parte en las visitas indianas del siglo XVI") estudia la documentación de una visita de administración civil llevada a cabo en una encomienda de Huánuco, en los Andes centrales, en 1549. Como la finalidad de las visitas era la recopilación de informaciones sobre estados de cosas sospechosas de desconformar la ley, la propia documentación que resultó de la visita terminó siendo llamada "visita". En el caso concreto de Huánuco se trataba de averiguar los impuestos cobrados a los indígenas. El proceder vaciló entre controlar al encomendero, al cacique o a la población. Las infracciones de las reglas procesales facilitaron que el primero se saliera sin perjuicio.

Patricia Correa ("Las instituciones eclesiásticas y la administración colonial. Investigación de las actas capitulares de Tucumán") analiza los expedientes que llevaron diversas instituciones y grupos de intereses cuando se trataba la cuestión de trasladar la ciudad de Tucumán, entre 1681 y 1687. Pone en evidencia que el cabildo, en su mayoría favorable al traslado, reinterpreta diligentemente la cédula real que sólo lo permitía en el sentido de que lo ordenaba. Se pidió a los clérigos que favorecieran el traslado, ya que no se les podía exigir. Los clérigos, sin embargo, mantenían sus reservas.

ENFRENTAMIENTOS

Patrícia Martínez i Àlvarez y Elisenda Padrós Wolff ("Úrsula de Dios: la palabra de Dios en el cuerpo propio") estudian la vida de Úrsula de Jesús, negra, primero esclava, luego monja en el convento de Santa Clara de Lima, venerada por las visiones que tuvo. Se basan en tres escritos: en unos apuntes que dictara la propia Úrsula, en escritos redactados después de su muerte por autores masculinos, blancos, que la construyen como un modelo de perfección. La enajenan y desapropian al tiempo que la autorizan. Detalles de la redacción en los pasajes que los textos posteriores copian de los apuntes originales evidencian la sustitución de la divinidad que conoció Úrsula por otra más convencional.

Javier G. Vilaltella ("La historia y los intersticios: don Carlos Ometochtzin, cacique de Texcoco. Estudio de las actas de un proceso inquisitorial") analiza las actas de un proceso promovido en 1539 contra del entonces gobernante de Texcoco por apostasía. Carlos, antiguo alumno de Tlatelolco, fue condenado a muerte y ejecutado en la hoguera el mismo año. A pesar de que un reconocimiento de las acusaciones le hubiera salvado, él las niega todas. Esta actitud pudiera deberse, según el autor, a que rechaza la exclusividad de la apostasía que se le imputa porque para él, no hay exclusividad. No la entiende ni quiere entenderla.

Rosa H. Yáñez Rosales ("Las relaciones de Tenamaztle y Pantécatl. Autoría marginal en Xalisco, siglo XVI") procura rescatar las voces de dos líderes indígenas del occidente de México Francisco Tenamaztle y Francisco Pantécatl, el primero destacado comandante en la sublevación indígena de 1541, conocida como la guerra del Mixtón, el segundo resignado aliado del poder colonial, contemporáneos los dos. Sus voces se hallan en dos textos de autoría oficial ajena, elaborados el uno por Bartolomé de Las Casas y el otro por Antonio Tello, cronista franciscano del siglo XVII. Las Casas reescribe la relación de Tenamaztle con vistas a defender a quien, en 1555, sigue acusado y preso en Valladolid. Tello cita a Pantécatl e incluye detalles que difícilmente hubiera podido inventarse.

José Luis Iturrioz Leza ("La frontera religiosa: el contacto de los huicholes con la cultura occidental a través del análisis diacrónico de los préstamos léxicos desde el siglo XVI") averigua la profundidad temporal de los préstamos léxicos que el huichol tomó del español desde la conquista hasta el presente. Los huicholes han mantenido una actitud de negociación y respeto frente a los invasores, pero al mismo tiempo de defensa celosa de su soberanía, territorial y cultural. Cosa que no les ha impedido integrar elementos de la cultura mestiza y cristiana en sus procederes, tanto en lo profano como en lo religioso. Las estrategias de integración fonológica de los préstamos permiten trazar una cronología léxica que equivale a una crónica del contacto cultural.

Primeras versiones de estos trabajos fueron presentadas en una sección del XV Congreso de la Asociación de Hispanistas Alemanes que tuvo lugar en Bremen, del 1 al 4 de marzo de 2005, organizada por Wulf Oesterreicher y por mí. La propuesta surgió en el marco del área de investigación interdisciplinaria "Pluralización y autoridad en la Temprana Edad Moderna, siglos XVI al XVII", propiciada por la DFG y ubicada en la Universidad de Munich (SFB

573). Varios de los proyectos integrados en esta entidad contribuyeron al trabajo de sección. El SFB 573, además, apoyó generosamente la realización del presente volumen.

Algún tiempo ha pasado ya desde aquel encuentro. El proceso de edición ha sido intenso, a veces doloroso, pero invariablemente coronado por el éxito textual. El recuerdo del encuentro en Bremen, internacional e interdisciplinario, marcado por discusiones animadas y sin reservas, facilitó estas tareas. En no pocos casos creó relaciones de trabajo que perduran y rozan con la amistad.

Eichstätt, octubre de 2009

ABREVIATURAS BIBLIOGRÁFICAS

AGI	Archivo General de Indias
AGN	Archivo General de la Nación
AGS	Archivo General de Simancas
AHILA	Asociación de Historiadores Latinoamericanistas
AHN	Archivo Histórico Nacional
ALFAL	Asociación de Lingüística y Filología de América Latina
ANS	Archivo de la Nación, Santiago de Chile
BAC	Biblioteca de Autores Cristianos
BAE	Biblioteca de Autores Españoles
CIDOC	Centro Intercultural de Documentación
CIESAS	Centro de Investigaciones y Estudios Superiores en Antropología Social
Conaculta	Consejo Nacional para la Cultura y las Artes
CSIC	Consejo Superior de Investigaciones Científicas
DEE	Domus Editoria Europaea
DRAE	Diccionario de la Real Academia Española
EUNSA	Ediciones Universidad de Navarra Sociedad Anónima
IEP	Instituto de Estudios Peruanos
IIP	Instituto Indigenista Peruano
IJAH	Instituto Jalisciense de Antropología e Historia
INAH	Instituto Nacional de Antropología e Historia
INI	Instituto Nacional Indigenista
UCA	Pontificia Universidad Católica Argentina
UCMM	Universidad Católica Madre y Maestra
UNAM	Universidad Nacional Autónoma de México

I. Ciencia, catequesis y conceptos indígenas

La ciencia entre la herejía y la adaptación. Astrología natural y talismánica en el Perú colonial, siglos XVI-XVII[*]

Claudia Brosseder (Múnich)

En estos últimos años, los estudios coloniales han tenido un auge nunca visto y han despertado interés entre los académicos a nivel mundial, especialmente entre los de América del Norte. Sin embargo, el mundo del Perú colonial aún está lleno de lagunas que esperan ser colmadas.[1] Una de estas lagunas se da en el caso de la astrología, objeto del presente estudio.

Según el historiador Irving Leonard, las circunstancias políticas fueron difíciles para los científicos en el Nuevo Mundo. En particular, Leonard demuestra que Diego de Peralta, un astrónomo y científico excepcionalmente dotado que trabajaba en Lima en el siglo XVIII nunca pudo desarrollar sus habilidades científicas debido al autoritario clima teológico que reinaba en dicha ciudad. En efecto, Peralta describió Lima como "purgatorio para los astrónomos" (Leonard 1967: 424).

Diego de Peralta podría estar en lo cierto respecto al siglo XVIII. No obstante, con referencia a la astrología del período anterior, su punto de vista no debe eclipsar el desarrollo de las ciencias naturales en el Perú, que nunca fue unidimensional. Existen indicios de que en los siglos XVI y XVII, estudiosos europeos practicaron en Lima la ciencia rechazada por las autoridades eclesiásticas. Me refiero a la magia europea erudita, especialmente a la astrología talismánica.[2] En el presente ensayo demostraré que la astrología a fines del siglo XVI y principios del siglo XVII en el Perú debe ser comprendida perfilándola contra la compleja interacción entre la idolatría indígena, la autoridad eclesiástica y el poder político. Esta 'mezcla' de instituciones se debe desen-

[*] Agradezco a Rosi Blume (Cuzco) su traducción al español de este texto y a Lucía Rodríguez (Guadalajara/Munich) sus comentarios a las primeras versiones del mismo.
[1] Cf. Salazar-Soler (1997: 269-299; 2000: 345-375), Suárez (1996: 312-319).
[2] La magia erudita, en contraste con las prácticas mágicas populares, estuvo ampliamente difundida durante la Edad Media europea y más allá. Los magos especializados siguieron la tradición judeo-cabalística, hermética, neoplatónica y aristotélica. Cf. entre otros Walker (1958), Grafton/Idel (2001).

marañar para ver hasta qué punto se pueden evaluar las circunstancias políticas que en los siglos XVI y XVII convirtieron el Perú en un 'purgatorio para los
astrónomos'.

1. LA ASTROLOGÍA TALISMÁNICA Y LA VIDA AMOROSA DE UN VIRREY

La muerte repentina del segundo virrey del Perú, don Diego López de Zúñiga
y Velasco, conde de Nieva, el 19 de febrero de 1564, causó gran agitación en la
audiencia de Lima.[3] Fue hallado muerto en la calle Trapitos, calle de los ropa-
vejeros. Los rumores sobre su muerte se propagaron inmediatamente. ¿Había
sido asesinado o murió de apoplejía? La misteriosa muerte, nada menos que en
un callejón poco apropiado, generó gran cantidad de chismes en las aún
improvisadas calles de la ciudad. En 1564 Lima ya tenía treinta años de antigüedad, pero seguía siendo una ciudad emergente. Habían transcurrido diez
años desde el final de la guerra civil, y Carlos V recién había otorgado a Lima
el privilegio de crear una universidad. En la segunda mitad del siglo XVI, la
orden dominicana, que controlaba la universidad que más tarde se conocería
como de San Marcos, era la orden religiosa más importante de la ciudad.

El primer arzobispo de Lima, Fray Jerónimo de Loaysa (1489-1576), celebró
el Primer Concilio de Lima entre 1551 y 1553. En 1564 se estaban iniciando
los preparativos para el Segundo Concilio. Pero, de acuerdo con los obispos y
políticos que reportaban sus informes a España, la ciudad parecía hundirse en el
caos, a pesar de todos los esfuerzos para establecer el orden.[4] La súbita muerte
del conde sólo aumentó este enredo. Fue Lope García de Castro, que llegó a
Lima a comienzos de noviembre de 1564, quien empezó a restablecer el orden
en la audiencia de Lima y a reanudar la rutina cotidiana de la política. Inició las
negociaciones con los caciques para reorganizar las estructuras políticas del Perú,
estableciendo los corregimientos. Por ejemplo, durante su reinado, hasta 1569,
Enrique Garcés descubrió las minas de azogue de Huancavelica.

La causa de la muerte del conde de Nieva nunca fue determinada.[5] Su
sucesor, nombrado oficialmente, el gobernador Lope García de Castro, había
sido enviado por Felipe II mientras el conde aún estaba vivo para investigar

---

[3] Cf. las anotaciones de Mendiburu (1933: 345-350) sobre don Diego y sobre Lope García de Castro en los volúmenes respectivos.

[4] Cf. Medina (1956: I, 31 ss.).

[5] Cf. Schäfer (2003: 11, 43 ss.), Montoro (1991: 222 ss.), Ortiz de Zúñiga (1967/1972).

sus escándalos, pero no ha quedado ningún documento procedente de tal investigación. En 1594, el dominico Reginaldo de Lizárraga escribió que el conde había muerto de apoplejía.[6] Otros cronistas contemporáneos no mencionan su suerte en absoluto. Guamán Poma de Ayala habla sólo de sus "obras sagradas".[7] Mendiburu, el biógrafo peruano del siglo XIX, no descarta la posibilidad de un asesinato, deduciendo que, estando comprometidos no pocos nobles de la ciudad, no era deseable resolver el caso. Aparte de las especulaciones sobre la muerte del conde, los materiales de archivo revelan otro hecho más: el conde de Nieva había estado comprometido en amoríos con mujeres de la alta sociedad.[8]

Aunque la muerte del conde no siguió siendo recordada en los trámites políticos de finales de 1564, el arzobispo de Lima, fray Jerónimo de Loaysa, trató una vez más su conducta moral poco ortodoxa, aun cuando fuera sólo de manera indirecta. Concluido el Concilio de Trento, Loaysa aparentemente se sintió obligado a restaurar el orden en su arquidiócesis. Hacia finales de 1564, en su capacidad de arzobispo de Lima, convocó a Pedro Sarmiento de Gamboa (1532-1592), navegante renombrado ya por aquel entonces.[9] Sarmiento de Gamboa había sido amigo del conde de Nieva y le había pronosticado astrológicamente el día de su muerte (Cf. Pietschmann 1964: 34 ss.). De acuerdo con la escasa información que tenemos, Sarmiento de Gamboa había frecuentado al conde a menudo. Una sirvienta de la casa, llamada Payta, demandó a Sarmiento de Gamboa ante el arzobispo, acusándolo de poseer una tinta que podía lograr que las mujeres se enamoraran de inmediato de su dueño. Esta noticia suscitó el interés del arzobispo. Cuando Sarmiento fue interrogado confesó haber discutido el tema con la sirvienta, pero sostuvo no poseer semejante tinta. Sólo habría escuchado hablar de ella cuando salió de España en 1555.

---

[6] Cf. Lizárraga (1986), Hanke (1977: I, 201).

[7] Guamán Poma de Ayala (1987: II, 478).

[8] Esto se puede deducir de una carta a Felipe II. Cf. Hanke (1977: I, 200): "En realidad, [el conde] era tan notorio por sus amoríos, que se supo de ellos en España, y fueron la razón para que se emitiera la cédula real del 27 de febrero de 1563, tal vez la única de este tipo en toda la historia del virreinato. 'Yo porque acá se ha tenido relación que en lo que toca a la autoridad de vuestra persona y cargo, hay necesidad que viváis con más recatamiento que hasta aquí, mucho os encargo que así lo tengáis y hagáis consideración a oficio que tenéis y a lo que en él representáis'".

[9] AHN Inquisición (leg. 1650, 1), Medina (1952: I, 309-338).

Esta confesión fue el comienzo del caso Sarmiento. En el curso del interrogatorio llevado a cabo en el palacio arzobispal de Lima, Loaysa presentó como pruebas tres objetos con la intención de que Sarmiento de Gamboa diese cuenta de ellos: tres anillos. Sarmiento, capitán y futuro cronista, no puede invalidar estas pruebas tan fácilmente como pudo hacerlo con los rumores sobre la tinta de amor. Se le exige una explicación sobre los objetos mágicos que posee. En cuanto a los anillos, admite el reo que llevan grabados cartas astrológicas así como ciertos nombres y signos, llamados caracteres. Dice que el grabado en uno de los anillos empieza diciendo *hic anulus* (este anillo [...]) y en el segundo *benedicente* (bendiciendo [...]). El tercer anillo lleva el signo del planeta Marte, que otorgaba a su portador fortaleza, coraje y suerte. Sarmiento reafirma que los nombres no están escritos en latín, sino en letras caldeas. Los signos están registrados, además, en dos cuadernillos de pergamino, que Sarmiento de Gamboa tiene que enseñar al arzobispo. Éstos constan de siete páginas manuscritas el primero, y el segundo, que explica la forma y apariencia de los anillos, de sólo dos páginas.

Aunque los cuadernos que contienen los signos astrológicos, nombres y letras no están incluidos en los registros inquisitoriales la formación europea de la magia erudita hace posible adivinar su apariencia y función. Los anillos pertenecieron a la magia talismánica y astrológica, conocida, por ejemplo, por un escrito titulado *Picatrix*. En 1256 este texto fue traducido al latín por Alfonso X el Sabio, rey de Castilla. Las letras descritas por Sarmiento como "caldeas" son en realidad escritura cuneiforme, tomadas del alfabeto caldeo, y como tales, dotadas de virtudes mágicas especiales, según Agrippa von Nettesheim, el más conocido mago del Renacimiento, cuya fama repercutió incluso en España.[10] En su *De occulta philosophia libri III*, publicado por primera vez en 1533, defendió que el alfabeto caldeo era como la cábala hebrea, en la que las letras correspondían a números, y adquirieron de este modo poderes sobrenaturales.

Los caldeos, a quienes hoy en día identificamos como arameos, específicamente los babilónicos, fueron muy estimados entre los antiguos y en los círculos neoplatónicos. Sabemos que Sarmiento de Gamboa se familiarizó con las matemáticas y la astrología siendo estudiante en Alcalá de Henares. La magia astrológica y talismánica floreció en la Europa del Renacimiento. En

---

[10] Agrippa von Nettesheim (1970: 310 ss.).

Italia fue particularmente la obra de Marsilio Ficino *De vita triplici* (1489) la que inspiró la moda de la astrología talismánica (Ficino 1989: 437). España al contrario se orientaba por la rica tradición mágica islámica. Toledo, por ejemplo, fue uno de los hervideros de las ciencias astrológicas y mágicas.[11]

A lo largo de la interrogación se reveló que los dos folletos efectivamente pertenecieron a Sarmiento de Gamboa. Para disgusto del arzobispo, los había entregado al conde de Nieva y a su hijo, Juan de Velazco, para que los pudieran usar y fabricar los anillos mágicos. Según Sarmiento de Gamboa, los anillos tenían el poder de despertar el amor de una mujer por un hombre, y conceder suerte en las batallas. Entonces ¿era posible que el conde de Nieva, de cuya vida amorosa se rumoreó hasta en la corte de Felipe II, debiera su atractivo a los anillos mágicos que había hecho confeccionar en función de las indicaciones recibidas de Sarmiento? ¿Era ésta la sospecha del arzobispo fray Jerónimo de Loaysa? No se sabe. Lo que sí sabemos por el testamento de Loaysa, es que el arzobispo curiosamente se quedó con los anillos y los preservó.[12]

Sarmiento enfatizó repetidamente que, antes de entregar los manuscritos al conde de Nieva y a su hijo, había solicitado consejo a un dominico, fray Francisco de la Cruz, correligionario del arzobispo, que era entonces profesor de teología de la Universidad de San Marcos (cf. Medina 1956: I, 63-115). José de Acosta describió a Fray Francisco de la Cruz como el "oráculo de Lima" (cf. Del Río 1606: 360-362). Sarmiento declaró que Francisco de la Cruz le había dado anuencia de poseer dicho texto y pasárselo al conde porque contenía puros signos, "según las regulas naturales",[13] que sólo podían usarse para lograr efectos naturales. Cuando el arzobispo inició el primer juicio contra Sarmiento, nadie podía sospechar que, en los años 1570, fray Francisco de la Cruz se convertiría en una de las más prominentes victimas del recién establecido Oficio de la Inquisición en Lima, aunque esto no fue debido a temas de magia, sino a cuestiones de herejía y al delicado tema del exorcismo.

---

[11] Thorndike (1958: VII, 323-337), Waxman (1916: 325-463), Caro Baroja (1992).

[12] Colección Vargas Ugarte, Archivo de la Universidad Ruiz de Montoya, Lima, *Ynventario de los bienes del Señor Don Geronimo de Loaisa*, 1575, fol. 253v: "dos anillos de oro y uno de plata con letras y figuras". Estos dos anillos de oro y uno de plata son evidentemente los de Sarmiento o del virrey.

[13] AHN Inquisición (leg. 1650, sin paginación).

En su función como supervisor del comportamiento según las directrices de la Iglesia, Loaysa no admitió que los signos de Sarmiento fueran naturales. Al parecer supuso que Sarmiento intentaría usar los anillos y los signos astrológicos para someter la voluntad de su prójimo.[14] Una posición similar había sido defendida por el teólogo español Sepúlveda (1498-1573) en su *De fato et libero arbitrio* (1526), y confirmada en el recién concluido Concilio de Trento. La bula del papa Pío IV *Dominici gregis custodiae*, emitida el 24 de marzo de 1564, y que poco después llegó al Nuevo Mundo,[15] ordenaba: "Los obispos deberían de asegurarse que nadie poseyera libros cuyos contenidos estuvieran relacionados con la astrología 'judiciaria' y que predijeran suerte, desgracia o acontecimientos que dependían netamente de la propia voluntad humana".[16] Los escritos sobre navegación, agricultura y medicina estaban exentos de esta prohibición. Las decisiones previas de la Iglesia fueron casi literalmente repetidas. En apariencia, el arzobispo de Lima quiso cumplir de manera estricta, en su diócesis peruana, con las instrucciones emitidas en Europa.

Además, acusó a Sarmiento de Gamboa de usar los signos astrológicos de los anillos para comunicarse con los demonios. La sospecha del arzobispo nos cae de sorpresa. En su *Summa contra gentiles*, Tomás de Aquino (2001: cap. 105, 125-129) había explicado que sólo los demonios malignos podían leer los signos en los talismanes, y en el siglo XVI, los más famosos críticos de la astrología judicial y de su subcategoría la astrología talismánica concordaron con él. En la España de comienzos del siglo XVI, el debate sobre la astrología judicial removió las convicciones de muchos estudiosos. En 1538, Pedro Sánchez Ciruelo, un matemático, en su *Reprobación de las supersticiones y hechicerías* desaprobó la "falsa astrología" (1978: 57) y la comunicación con los demonios. Tenía noticia de que Toledo y Salamanca eran lugares donde las artes mágicas eran practicadas excesivamente. Martín de Castañega, ya en 1529, había refutado la astrología talismánica en su *Tratado de las supersticio-*

---

[14] Loaysa no da ninguna indicación de las razones de su opinión. Los argumentos en contra de la astrología mencionados aquí fueron comunes en la doctrina católica desde la época de los padres de la Iglesia. Cf. Flint (1991), Riedinger (1956).

[15] En los archivos de los dominicos en Lima se encuentran todas las bulas del siglo XVI. Cf. también Armas Medina (1953: 233 ss.). El 28 de febrero de 1565, los decretos oficiales del Concilio de Trento fueron publicados en Lima.

[16] Denzinger (1991: n°. 1859). Traducción de la autora.

nes y hechicerías. En la segunda mitad del siglo XVI la Inquisición lanzó por toda España una extensa campaña en contra de la astrología judicial y talismánica. Los astrólogos que utilizaron su arte con propósitos no medicinales o "no naturales", esto es, empleando talismanes con caracteres planetarios o de otro tipo, eran procesados, incluso en Andalucía.[17] Con eso y todo, España no se libró de los astrólogos judiciales. Felipe II mostró un serio interés por las artes mágicas relacionadas con la astrología (Atienza 1998) y en universidades como la de Salamanca, por ejemplo, la astrología y las virtudes de los planetas se enseñaron durante todo el siglo XVI.[18] Además, en la corte de Felipe IV se redactaron horóscopos (Caro Baroja 1992: II, 190).

Mientras que España estaba debatiendo el tema de la astrología judicial, también lo hacía el Perú colonial a fines del siglo XVI. El arzobispo Loaysa obviamente había decidido tratar duramente a la astrología talismánica. El 2 de febrero de 1564, sentenció a quien fue el primer astrólogo prominente en el Perú al exilio. Sarmiento fue detenido en el convento dominico en Lima. Fue ordenado a escuchar una misa *de levi* y a renunciar al demonio, antes de que partiera. Conformó. El 24 de mayo de 1565, Sarmiento renunció a sus prácticas heréticas y asistió a la misa como se le había exigido. Sin embargo, pocos días después y por razones aún desconocidas, el arzobispo levantó, o más bien modificó la orden de dejar el país (cf. Medina 1952: I, 329). Resolvió que Sarmiento debía permanecer en el Perú, pero fuera de la ciudad de Lima. A finales de la década, Sarmiento se fue a vivir a Cuzco.

Como los especialistas de la historia peruana bien saben, este no fue el final de la carrera de Sarmiento de Gamboa. El virrey Toledo (1569-1581) necesitó especialistas bien formados para sus investigaciones históricas sobre el pasado andino, intentando probar la supuesta tiranía de los Incas. Sarmiento colaboró con el virrey en este empeño. Toledo lo empleó con éxito como historiógrafo y también como teniente en su lucha contra el último Inca, Tupac Amaru, en 1572-1573. El resultado de esta cooperación se puede apreciar en la valiosa historia que Sarmiento confeccionó sobre la época de los Incas, la cual en 1572 dedicó al virrey. En esta obra, Sarmiento se ocupó fundamentalmente del imperialismo político y religioso de los Incas y menos de los descubrimientos astronómicos de los gobernantes del Tahuantinsuyo.

---

[17] Gracia Boix (1991: 386 ss.), Caro Baroja (1992: II, 188 ss.), Henningsen (1980).

[18] *Estatutos de la Universidad de Salamanca* (1984: 128, 144). Respecto a un cambio de percepción, véase los artículos de 1594 en Alejo Montes (1990: 142).

Sólo en un punto parece traslucir el propio interés de Sarmiento por todo lo perteneciente a la magia: en su historia sobre Antarqui. De acuerdo con Sarmiento de Gamboa (1907: 135), Antarqui fue el nigromante de Topac Inca, quien era capaz de volar por los aires. Parece que Sarmiento, en su retrato de Antarqui como el "cortesano" de Topac Inca Yupanqui, reconoció su propia relación con el virrey conde de Nieva como un consejero en asuntos de política y de amoríos. Sin embargo, ésta es otra historia.

La reputación de la cual gozaba Sarmiento bajo la tutela de Toledo, no impidió que las autoridades de la Inquisición reabrieran el expediente de Sarmiento por prácticas heréticas el 25 de enero de 1569.[19] En esta ocasión, fue Antonio Gutiérrez de Ulloa (1571-1597) quien en la instrucción de una residencia contra el dominico fray Francisco de la Cruz acusó a Sarmiento de Gamboa por segunda vez. Los cargos en contra de Sarmiento no eran nada comparables con las acusaciones imputadas a fray Francisco de la Cruz. Debido a sus herejías y sus exorcismos ilícitos, éste terminó quemado en la hoguera. Esta vez, Sarmiento –por estar involucrado en algunos exorcismos– tuvo que enfrentar como nueva sentencia de la Arquidiócesis el exilio definitivo: "destierro de este arzobispado". Esta sentencia sin embargo no fue suficiente para determinar el destino de Sarmiento, dadas las conexiones con las altas esferas políticas de que disponía. En cambio, Sarmiento partió en una expedición para fortalecer el estrecho de Magallanes. El resto de su historia es bien conocida. Los viajes le aseguraron fama de notable historiador de los Incas y la de gran navegante de América en el siglo XVI.

Sarmiento de Gamboa había practicado la magia talismánica hasta el año 1560, lo cual era común en los círculos académicos de la Europa del Renacimiento. Esta ciencia, no obstante, era cada vez más despreciada en los países católicos, por temor a los pactos con los demonios.[20] Tomás de Aquino, Martín de Castañega, Pedro Sánchez Ciruelo y el Concilio de Trento suministraron los fundamentos ideológicos para las acusaciones contra Sarmiento señalando su uso ilícito de la astrología talismánica en 1564. Estas prácticas también pudieron tener algún papel en su segundo juicio, aunque en éste, el tema predominante parece haber sido el exorcismo.

---

[19] La obra clásica sobre la historia de la Inquisición en Lima sigue siendo Medina (1956); más reciente, Millar Carvacho (1998).

[20] Cf. Cervantes (1994: 32). Particularmente los dominicos estaban influenciados por la creencia en demonios.

Para el siglo XVII, que exploraremos a partir de ahora, los autores europeos como Benito Pereira (1620: 212-298), Franciscus Toletus (1985: 3 ss.), y en particular Martín del Río (1606) se convirtieron en las autoridades más importantes en la campaña contra la astrología iniciada por la Iglesia peruana, que no se contentaba con descubrir cadenas causales naturales. En 1599, fue especialmente el dominico Martín del Río quien con su *Disquisitionum magicarum* estableció los estándares para la evaluación de la magia demoníaca en el Nuevo Mundo.[21] Del Río rechaza la magia talismánica porque la considera demoníaca y diabólica. Luego, intenta diferenciar entre los talismanes mágicos diabólicos y los buenos amuletos cristianos. Su único criterio para distinguir entre los amuletos cristianos y los talismanes mágicos es la autoridad eclesiástica. Así, se refiere a un conflicto latente en el seno de la Iglesia católica, a saber, el contraste entre la comprensión cristiana ortodoxa de la imagen y el concepto que la Iglesia clasifica como diabólico y mágico.[22] Este conflicto ha estallado una y otra vez, desde los tiempos de los padres de la Iglesia, y fue reavivado por los luteranos y los calvinistas, en razón de su actitud hacia la veneración de imágenes (cf. Flint 1991, Bredekamp 1995).

Pero lo que nos interesa es el hecho de que la Iglesia peruana estaba determinada a asegurar que nadie cruzara la línea entre la astrología legítima y natural, por un lado, y la astrología demoníaca y talismánica, por otro. Los astrólogos peruanos posteriores a Sarmiento de Gamboa, parecieron atenerse enteramente a estas instrucciones.

2. OFICIALMENTE, UNO PRETENDE SER PIADOSO

En su *Corónica moralizada* de 1639, publicada paralelamente en Lima y en Barcelona, fray Antonio de la Calancha describe la afortunada constelación bajo la cual Pizarro pudo fundar la ciudad de Lima. Esboza un horóscopo de este asentamiento en la orilla del océano Pacífico, entusiasmado por las estrellas favorables a la ciudad, reflejadas en su belleza, la gracia y la piedad de sus habitantes. Ninguna otra ciudad, continúa diciendo, tiene más órdenes reli-

---

[21] Casi todas las bibliotecas de las órdenes religiosas en el Perú tienen las primeras ediciones de la obra de Del Río: la biblioteca de los Jesuitas en Cuzco, la biblioteca de la Recoleta en Arequipa, la biblioteca de los Dominicos en Lima.

[22] Un resumen muy útil se halla en Walker (1958: 178-185).

giosas, de ambos sexos. Lo único que dice sobre el lejano Cuzco es que está bajo la influencia maligna de Saturno, lo que incita a sus habitantes a realizar ceremonias supersticiosas. Por tanto, según Calancha (1639: 499), Lima estaba astrológicamente predispuesta a ser piadosa.

Observando la relación de Calancha con la astrología y con otros libros sobre el tema publicados en Lima en el siglo XVII, es notorio que éstos tratan sólo la 'astrología natural'. En los círculos del conde de Alba de Aliste y del conde de Salvatierra, aparecieron dos ediciones que propagaban una astrología que se puede clasificar como 'piadosa'. Éstos fueron los primeros libros sobre astronomía y astrología impresos en Lima. Los tres autores nacieron en España.

En el Perú, las instituciones educativas coloniales integraban la astrología en los *curricula* sólo gradualmente.[23] Por ejemplo, el dominico Lizárraga, en su informe de un viaje al Perú, escribe que en 1594 no se enseñaba astrología en la Universidad de San Marcos. No es hasta cincuenta años después cuando Antonio de León Pinelo (1591-1660), quien estudió en San Marcos, nos informa que la astronomía y, por ende, la base de la astrología fue enseñada inspirada en los estatutos de Salamanca.[24] Asegura este autor que las ciencias en el Nuevo Mundo de modo alguno estaban menos avanzadas que en Europa. Empleando metáforas brillantes, Pinelo trata de disipar con mucho esfuerzo el veredicto de Justus Lipsius quien sostuvo que la barbarie regía en el Nuevo Mundo. Sin embargo, no debe olvidarse que en 1629 la Inquisición de Lima emitió un *Edicto para astrólogos judiciarios, quirománticos, hechiceros y los demás deste género* que prohibía toda "astrología judicial".[25]

El colegio jesuita de San Pablo de Lima, la otra gran institución académica de la América del Sur, estuvo organizado a base de la *Ratio Studiorum*, en la cual fueron señalados los fundamentos filosóficos naturales de Aristóteles sobre la influencia de las estrellas en los elementos de la tierra (1968: 334 ss.). Por ello, podemos asumir que en el siglo XVII, la astronomía se enseñaba en los términos del *De generatione et corruptione* y la *Física* de Aristóteles (Martin 1968: 97 ss.). Además, encontramos manuales de astrología en el catálogo de la

---

[23] Sólo se puede conjeturar qué clase de astrología enseñaron los jesuitas y dominicos en Cuzco. En las universidades más importantes del Perú, no pude encontrar información sobre cómo se enseñaba la astrología en el período.

[24] Fuertes Herreros (1984 [1529]), León Pinelo (1949), Vargas Ugarte (1953: I, 337 ss.).

[25] AHN Inquisición (lib. 1040, 84-86).

biblioteca de la Universidad de San Pablo, y Bernabé Cobo, un discípulo del colegio de San Pablo, fue un observador entusiasta del firmamento del sur.[26]

No se puede determinar si se enseñó astrología en la carrera de medicina y hasta qué punto. En la historia de la ciencia en el Perú, es evidente que durante largo tiempo, los médicos no fueron formados en el Virreinato. Los médicos y los misionarios que tuvieron conocimientos de esta ciencia vinieron todos de Europa (Lastres 1951: 97 ss.). Por lo tanto, el Segundo Concilio de Lima (1567) fue forzado a licenciar a los 'herbolarios' indígenas, con la estipulación de que ellos habían renunciado a los ritos supersticiosos.[27] La primera cátedra de medicina en la Universidad de San Marcos no fue instituida hasta 1634 (Calancha 1921). Aún en el siglo XVIII, se escuchaban reclamos sobre la carencia de médicos preparados en el Perú. Los eruditos que residían en Lima estaban preocupados de que esta escasez ofrecía oportunidades a los curanderos indígenas y a todo tipo de charlatanes.[28] En 1660, Juan de Figueroa buscó paliar la falta de orientación en la medicina con su *Opuscula de astrología en medecina*. Su obra fue examinada por la Inquisición en Lima, juzgada católica, se le acrecentó un prefacio y pasó a la imprenta.

Juan de Figueroa fue regidor, alguacil y familiar de la Inquisición. No fue clérigo y trabajó como médico. Su más alta aspiración fue curar utilizando la astrología natural, sin recurrir a los talismanes, es decir, fue defensor de una astrología que tomara ventaja de las propiedades de los planetas en el proceso de curación –por ejemplo, esperando una constelación favorable para una terapia determinada–. El libro de Figueroa se asemeja a un libro de texto de escuela, registrando las constelaciones más importantes para el tratamiento de fiebres y otras enfermedades de la época. Figueroa había recopilado un sinfín de constelaciones planetarias propicias de los libros europeos más importantes, como el *De vita triplici* de Marsilio Ficino, *Aforismi astrologici* de Cardano, *Quadripartitum* de Tolomeo, Hipócrates, y Galeno. Enfatiza con persistencia la 'naturalidad' de la astrología y el libre albedrío del hombre. No se compromete ni con la astrología talismánica de Ficino, ni con la tradición hermética. Los principios naturalistas de su pensamiento los debe a

---

[26] AHN Clero-Jesuitas (lib. 363, 390) y Cobo (1964).

[27] Cf. Vargas Ugarte (1951: I, 213, Constitutio 210).

[28] Archivo de la Universidad de San Marcos, Lima, documento nº. 14 (Lima, 10 de abril de 1619, *Estado de la universidad que manda pedir el virrey príncipe de Esquilache*, 1619, sin paginación.

Aristóteles, Galeno e Hipócrates. En su entendimiento de una astrología natural legítima, evidentemente sigue el *Disquisitionum magicarum* de Martín del Río (1606: I, iii, 9), quien consideró a la astrología natural como la única forma legítima de esta ciencia.

Figueroa incluyó una sección sobre la influencia de las constelaciones sobre la 'naturaleza criolla'. Es evidente que concibió su medicina astrológica para los criollos y no para los indígenas. Finalmente, añade el horóscopo de Felipe II, alabándolo por haber enviado, con el virrey, al conde de Alba de Aliste, un hombre capaz de glorificar el Imperio español. De acuerdo con Figueroa (1660: fol. 348v), en 1643 una conjunción en Acuario había vaticinado esto. Éste es el único pasaje en su libro en el que la realidad de Sudamérica tiene algún impacto en la interpretación de la tradición europea. En el tratamiento de las enfermedades la realidad en la que vivió no cobró la menor importancia. El programa presentado corresponde al estándar europeo. Luego, el autor aclara que adhiere estrictamente a la tradición europea de la así llamada astrología natural, sin hacerse sospechoso de simpatizar con la magia de la tradición de un *Picatrix*, Agrippa von Nettesheim, o Paracelso, quienes propusieron usar talismanes para dirigir los efectos de las *virtutes* planetarias hacia el mundo sublunar.

Otro libro cuyo autor fue cuidadoso en mantenerse al interior de los límites de la ortodoxia es el *Tratado de cometas* de Ruiz Lozano. Ruiz Lozano, quien enseñó matemáticas en la Academia Náutica, establecida en 1657, escribió sobre la esencia y la aparición de cometas, pronosticando un posible cambio en el gobierno. Como experimentado comandante marino, estaba suficientemente familiarizado con la astronomía y la astrología. Advirtió sobre futuros terremotos, sin precisar la fecha. Sus observaciones del cometa de 1665 son de gran importancia, pero claramente podemos discernir su sobria perspectiva aristotélica, carente de entusiasmo por la teratología (Suárez 1996). Tanto Figeroa como Lozano, trataron por todos los medios de sacar adelante una astrología no sospechosa, basada por completo en los principios de la filosofía natural.

3. RESISTENCIA SECRETA EN EL SIGLO XVIII

Un caso inquisitorial indica que Figueroa y Lozano no fueron los únicos astrólogos que vivieron y trabajaron en el Perú. Por lo menos hay uno más, desconocido hasta el momento. Los documentos lo identifican como Camillo Leonardo, cuyo manuscrito *Tratado de piedras*, traducido al español, ha permanecido desapercibido en los archivos inquisitoriales peruanos que se encuentran en el Archivo Nacional de Chile.[29] El traductor anónimo del original, que es de principios del siglo XVII, supo exactamente cómo adaptar sus 'curiosos' intereses a las ideas de la Inquisición. Sin embargo, esto no impidió que la traducción fuera confiscada. Podemos deducir del libro que el traductor estaba familiarizado con la tradición europea de la magia hermética y neoplatónica, y con una variación de la magia 'curiosa' practicada a principios del siglo XVII en los círculos jesuitas. El traductor debió de vivir a principios del siglo XVII, porque tenía una idea muy peculiar de la *Laterna mágica*. Entre los ingenieros este artefacto había estado de moda ya en el siglo XV, pero tuvo su apogeo en la primera mitad del XVII (cf. Battisti 1984).

Los académicos italianos como Della Porta estaban fascinados por los efectos luminosos producidos por ciertos trucos ópticos, capaces de infundir miedo y terror en la audiencia.[30] El traductor del tratado de Camillo Leonardo tenía además la intención de efectuar un truco 'curioso', cualquiera que sea su audiencia. Dice que dio instrucciones para construir una lámpara, utilizando muchos elementos extraños. Esta lámpara le permitía trasladar a su audiencia hacia un mundo de fantasía: por medio de una lámpara hecha con los ojos de buitres y peces, remojados durante siete días en un vaso con aceite, los espectadores, al ser alumbrados, debían tener la impresión de que se asomaban ángeles, que un gran río pasaba cerca de ellos o que estaban presenciando una sangrienta corrida de toros.[31]

El mismo traductor llamó a estos efectos luminosos simplemente trucos efectistas. Declara que su tratado visa algo muy distinto: presentar recetas

---

[29] ANS *Fondo Varios*, vol. 33 (Camillo Leonardo, *Tratado de piedras*, sin paginación). Para el original cf. De Bellis (1985).

[30] Giambattista della Porta (1618), luego Athanasius Kircher (1671: 768 ss.) y Caspar Schott (1677).

[31] ANS *Fondo Varios*, vol. 33, sin paginación, por ejemplo: "Luz que haze parezer a los que alumbra angeles. Toma los ojos de un buytre que lo ayan muerto a palos, y los ojos de qualquier pescado, desmenuzalos todos, y ponlo en un vaso de vidrio por siete dias, despues echales un poco de azeyte, y alumbras con el en una lampara verde y [...] diere su reflejo parezen Angeles". Véase también: "Luz curiosa para hazer parezer que entra un toro en una sala". En este efecto luminoso que termina con una corrida de toros, el ejecutor uso cuarenta orejas y diez corazones de toro.

astrológico-talismánicas en la tradición hermética, que ya habían fascinado a
Marsilio Ficino. Los signos planetarios supuestamente eran tallados sobre piedras especiales para hacer que las personas tuvieran mejor salud, y fueran más
felices y valientes. Los talismanes podían proteger contra las mordeduras de
serpiente o dar al usuario el poder de esclavizar a otras personas. La imagen de
una tórtola sobre una piedra engastada en plomo podía proteger a un trabaja-
dor en una hacienda contra la calumnia.[32] Todo el catálogo de consejos útiles
respecto a los efectos de la magia natural demuestra que el traductor modificó
ligeramente la tradición europea, adaptándola a la realidad y a las necesidades
de sus lectores. Toma en cuenta las constelaciones del firmamento del sur; las
imágenes del barco, el perro de caza, Hércules, la gallina (conocida en la
actualidad como tucán), la liebre, etc., que debían estar talladas en varias piedras para dotar a los usuarios de talismanes con las respectivas *virtutes*.

En comparación con las publicaciones oficiales de Juan de Figueroa y de
Ruiz Lozano, las cuales vimos anteriormente, este tratado debe de haber parecido claramente 'herético'. A modo del folleto de Sarmiento de Gamboa, el
traductor de Camillo Leonardo propone una astrología que sostiene que los
signos pintados o tallados, cartas, nombres y caracteres son capaces de transmitir los efectos de los planetas o constelaciones estelares. Ésta fue una des-
viación ilícita de la doctrina oficial de la Iglesia y por ello, la Inquisición se
sintió autorizada a confiscar por lo menos el folleto y probablemente a su
autor también, aunque esto no lo sabemos.

4. Hablando con los demonios

La astrología talismánica, en especial en el Perú, pero también en México[33],
no solamente afectó a los eclesiásticos en tanto que seguidores ortodoxos de
los estatutos tridentinos y de concilios previos, sino que también tocó en un
punto delicado a la propia Iglesia peruana, a saber, en su preocupación por
contrarrestar la idolatría indígena. Ambos aspectos, la actitud de la Iglesia

---

[32] ANS *Fondo Varios*, vol. 33, sin paginación: "La Ymagen de la tortola marina esculpida
en piedra de toque (Taurus), se engasta en Plomo traiendose consigo no podra ser ofendido de
ninguno, [...] de los viejos y de los señores de la tierra".
[33] Está en preparación un artículo mío sobre la astrología tal y como se presenta en casos
de la Inquisición en México.

hacia la astrología talismánica y su visión de la idolatría indígena, deben ser entendidos como un complejo y por lo tanto deben leerse en conjunto. Volvamos al siglo XVI, específicamente a la segunda mitad del mismo.

Ya en 1540, fray Jerónimo de Loaysa, primer arzobispo de Lima, trató de erradicar la idolatría entre la población nativa.[34] La mayoría de los primeros cronistas, interesados en asuntos indígenas, empezando por Cieza de León (2000), Polo de Ondegardo (1916) y Cristóbal de Molina el Cuzqueño (1989), habían observado cuidadosamente las prácticas y creencias idólatras entre los nativos y consideraron a los 'hechiceros' como los principales promotores del mal en asuntos de idolatría (MacCormack 1991). Las primeras medidas en contra de los 'hechiceros' indígenas fueron tomadas en el Primer Concilio de Lima en 1551. Sin que se definiese el término, fue considerado hechicero cualquier sacerdote indígena que adorase a las huacas antiguas, a los dioses andinos, realizase ritos supersticiosos e hiciese ofrendas a los dioses falsos, etc., en suma, que tratase con el demonio. Cieza de León (2000: 176) comparó a los hechiceros con los gentiles romanos, por ejemplo, con las vestales, y Polo de Ondegardo (1916: 15) los comparó con los sacerdotes moriscos realizando ritos diabólicos. Entre todas estas observaciones, regionalmente diversificadas y oscilantes, los primeros cronistas concordaron en asumir un mismo tópico central: los 'hechiceros' andinos estaban adquiriendo y realizando sus artes con ayuda de los demonios. Esta definición era inherente al termino 'hechiceros' tal y como lo definió Pedro Sánchez Ciruelo en su libro de referencia considerado estándar.[35] Los supuestos 'sacerdotes del demonio' serían castigados según el Primer Concilio de Lima con cincuenta azotes y corte de pelo la primera vez, y cien azotes y diez días de cárcel la segunda. El Segundo Concilio, igualmente convocado por Loaysa, fue el primero que tomara en cuenta los decretos del Concilio de Trento, aplicándolos a la realidad peruana. En cuanto a los 'hechiceros' indígenas, introduce una sutileza teórica: diferencia entre "hechiceros" —quienes se apoyen netamente en su

---

[34] AGI *Lima* 300, Loaysa, *Instrucción de la horden que se ha de tener en las Doctrinas de los naturales*, 1549. Una investigación útil de los actos de Loaysa es provista por Vargas Ugarte (1953: I, 250 ss., 317 ss.). La descripción de Ugarte es característica del arzobispo: "El Arzobispo, a quien por derecho competía el oficio de Inquisidor, vio, con satisfacción suya, el establecimiento del Santo Tribunal en Lima".

[35] Cf. Sánchez Ciruelo (1978: 42-44): "Hechicerias: quiere dezir hechuras vanas: y que ninguna virtud natural tienen para hazer aquellas cosas a que se las aplican".

experiencia como curanderos– y "otros hechiceros" –quienes según la opinión española recurren a la ayuda de demonios y practican rituales supersticiosos.[36]

El Concilio distingue claramente entre el herbolario bueno que sólo cura con hierbas, de otro maligno y supersticioso que realiza ritos condenados por la Iglesia. Así, se emplea una distinción sutil que puede haber provenido de la lectura del tratado de Sánchez Ciruelo, quien distingue entre la magia natural y la demoníaca.[37] Aparentemente, las autoridades eclesiásticas peruanas tenían presente el discurso europeo sobre la astrología talismánica de principios del siglo XVI cuando trataban de la idolatría indígena. No fue tema de debate todavía en las discusiones del Segundo Concilio si esta distinción era del todo aplicable a los rituales andinos. Sólo más tarde, el mercedario Martín de Murúa (1986: 418), quien de manera minuciosa buscó ajustarse a la forma oficial de interpretar a los 'hechiceros', admitió que no había encontrado casi ningún herbolario puro. Pero en 1564, esta distinción fue considerada válida con vistas a la realidad andina. La Iglesia concibió así un herbolario 'sin más', que no conversara con demonios, del mismo modo exactamente que concibió un astrólogo natural 'sin más', que dejara de recurrir a la astrología talismánica para comunicarse con los demonios.

Es evidente que la Iglesia temía que integrantes de su 'rebaño' –ya fueran indios o españoles– pudieran estar conversando con los demonios. Y fue precisamente este temor el que moldeó el enfoque de la Iglesia, tanto hacia los 'hechiceros' como hacia los astrólogos talismánicos. Hasta en el trato que recibían, ya sea de cárcel o de destierro, la suerte de un 'hechicero' y de un astrólogo talismánico pudo ser la misma. Por consiguiente, si analizamos los casos acusatorios de estudiosos europeos que practicaban la astrología talismánica perfilándola contra la realidad indígena, ambas tendencias adquieren una relevancia nueva. Por un lado, la experiencia de la herética astrología 'demoníaca' y la magia europea explica por qué la Iglesia, en el Segundo Concilio de Lima, introdujo la distinción entre herbolarios 'naturales' y supersti-

---

[36] Cf. Vargas Ugarte (1951: I, 213): "[…] nos vero intelligentes posse huiusmodi medicos curandis infirmitatibus multum prodesse, si tamen superstitiones et daemonum invocationes resecentur, mandamus, sancta Synodo coniudicante, indorum parochis, ut quos dictae artis empiricos repererint, admoneant ab omni cavere superstitione et veneficio".

[37] Por ejemplo, Sánchez Ciruelo (1978: 52) distingue, por un lado, entre el conocimiento adquirido por medios naturales a través de la experiencia y, por otro lado, el conocimiento sobre el futuro y los secretos guardados que sólo puede ser otorgado por el diablo.

ciosos. Por otro, la experiencia de la Iglesia con las practicas religiosas indígenas, creencias y la supuesta adoración a los demonios explica la precipitada acción en contra de un prominente representante de la astrología talismánica, no obstante que fuera muy honrado por las autoridades políticas.

La Iglesia debió temer las consecuencias de un 'conversador con los demonios' salido de su propio seno. En el caso de Sarmiento, la persecución no fue sólo una cuestión de autoridad de la Iglesia sobre la pureza de la ciencia y la religión, sino también una cuestión del poder político en el Perú colonial temprano. Fue el interés que mostró el conde de Nieva por el arte de Sarmiento lo que le concedió a éste su proximidad al poder político. Y fue la evaluación que el virrey Toledo hizo de Sarmiento como insustituible en sus reformas políticas la que lo salvaguardó del largo brazo de la Iglesia. El hecho de que Sarmiento compartiera de alguna manera la misma suerte que un 'hechicero' indígena, no era algo que el virrey Toledo estuviera dispuesto a aceptar. En el Tercer Concilio de Lima la información sobre los 'hechiceros' había aumentado considerablemente. No obstante, el estereotipo del 'hechicero' que conversaba con los demonios no perdió nada de su vigor y eficacia.

La suerte de los 'hechiceros' indígenas se tornó peor aún en una época posterior. Las campañas de extirpación por los afanosos visitadores menudearon para encontrar a todos los 'hechiceros' que estaban dispersos por los Andes. Su destino requeriría una narrativa mucho más extensa. Los 'hechiceros' indígenas y los astrólogos talismánicos eran juzgados bajo los mismos estándares, ambos fueron forzados –por las primeras medidas del siglo XVI ya tomadas en su contra– a retirarse y procurar refugio en la clandestinidad. Hicieron esto ante la ira de la Iglesia peruana, que persiguió a los 'hechiceros' indígenas hasta finales del siglo XVIII y comienzos del XIX, si no, incluso hasta hoy. Después de algunas adaptaciones, su arte sobrevivió y permanece vigoroso aún en el Perú moderno.

Sin embargo, los astrólogos talismánicos parecen haberse rendido mucho antes, tal vez debido a la creciente crítica de la astrología en la Europa de finales del siglo XVII. Desaparecen de los documentos, publicados o no, a finales de tal siglo. Lo que quedó de ellos en el Perú fueron los astrólogos piadosos a quienes conocimos. Ellos pretendieron no saber nada de astrología talismánica o la consideraron sólo una vana ilusión del Renacimiento. Nosotros no podemos determinar esto. Hoy en día, la astrología talismánica figura sólo en algunos folletos que los vendedores ambulantes ofrecen en Lima y en Cuzco con el objetivo de ganar algunos soles.

Las autoridades eclesiásticas en la Lima de los siglos XVI y XVII y en otros lugares intentaron, de hecho, instaurar, tanto para los 'hechiceros' indígenas como para los astrólogos talismánicos aquel purgatorio que Diego de Peralta había observado. El número de víctimas indígenas que sufrieron tal 'purgatorio' fue mucho mayor que el puñado de astrólogos talismánicos que, a pesar de sus aflicciones individuales, incluso obtuvieron honra y fama.

BIBLIOGRAFÍA

Fuentes editadas

AGRIPPA VON NETTESHEIM, Heinrich Cornelius (1970): *De occulta philosophia libri tres*, prólogo de Richard H. Popkin, en *Opera*, vol. 1. Hildesheim/New York: Olms. [Reimpresión de Lyon: s. d. (1600).]

CALANCHA, Fray Antonio de la (1639): *Crónica moralizada del Orden de San Agustín en el Perú, con sucesos egenplares* (sic) *en esta monarquía.* 2 vols. Barcelona: s. e.

— (1995): *Historia de la Universidad de San Marcos hasta el 15 de Julio de 1647.* Introducción, selección, notas y bibliografía por Juan Eduardo Morón Orellana. Lima: Universidad Nacional Mayor de San Marcos.

CIEZA DE LEÓN, Pedro (2000): *La crónica del Perú. Primera Parte*, edición de Manual Ballesteros Gaibrois. Madrid: Dastin.

COBO, Bernabé (1964): *Historia del Nuevo Mundo*, 2 vols., edición de Francisco Mateos, en *Obras.* Madrid: Atlas.

DENZINGER, Heinrich (1991): *Enchiridion symbolorum definitionum et declarationum de rebus fidei et morum*, edición de Peter Hünermann. Freiburg: Herder.

FICINO, Marsilio (1989): *Three Books of Life*, edición crítica y traducción con anotaciones por Carol V. Kaske. Binghamton, NY: Renaissance Society of America.

FIGUEROA, Juan de (1660): *Opuscula de astrología en medecina, y de los terminos, y partes de la astronomia necessarias para el uso della.* Lima: s. e.

FUERTES HERREROS, José Luis (1984 [1529]) (ed.): *Estatutos de la Universidad de Salamanca.* Salamanca: Universidad de Salamanca.

GUAMÁN POMA DE AYALA, Felipe (1987 [1615]): *Nueva crónica y buen gobierno*, 3 vols., ed. por John V. Murra, Rolena Adorno y Jorge L. Urioste. Madrid: Historia 16.

KIRCHER, Athanasius (1671): *Ars magna lucis et umbrae in X libros digesta.* Amsterdam: s. e.

LEÓN PINELO, Antonio de (1949): *Semblanza de la Universidad de San Marcos*, traducido del latín por Luis Antonio Eguiguren. Lima: s. e.

LIZÁRRAGA, Reginaldo de (1986): *Descripción del Perú, Tucumán, Río de la Plata y Chile*, edición de Ignacio Ballesteros. Madrid: Historia 16.

MOLINA, Cristóbal de (1989): *Relación de las fabulas y ritos de los Incas*, en Cristóbal de Molina/Cristóbal de Albornoz, *Fábulas y mitos de los incas*, edición de Henrique Urbano y Pierre Duviols. Madrid: Historia 16.

MURÚA, Martín de (1986): *Historia general del Perú*, edición de Manuel Ballesteros Gaibrois. Madrid: Historia 16.

PEREIRA, Benito (1620): "Adversus fallaces et superstitiosas artes, id est: De magia, de observatione somniorum, et de divinatione astrologica libri tres", en *Opera theologica quotquot extant omnia. Nunc primum in Germania ornatius et emendatius coniunctim in lucem edita*. Colonia: s. e.

PACHTLER, Gerog Michael SJ (ed.) (1968): *Ratio Studiorum et Institutiones Scholastica Societatis Jesu Per Germaniam Olim Vigentes Collectae Concinnatae Dilucidatae a G.M. Pachtler. Tomus Ii: Ratio Studiorum Ann. 1586. 1599. 1887*. Berlin: Hofmann.

POLO DE ONDEGARDO, Juan (1916-1917): "De los errores y supersticiones de los indios, sacadas del tratado y averiguación que hizo el Licenciado Polo", en *Informaciones acerca de la religión y gobierno de los Incas*. Edición seguida de las instrucciones de los Concilios de Lima, notas biográficas y concordancias de los textos por Horacio H. Urteaga. Lima: Sanmartín.

PORTA, Giambattista della (1618): *Magia naturalis*. Frankfurt a.M.: s. e.

RÍO, Martín Antonio del (1606): *Disquisitionum magicarum libri sex. In tres tomos partiti*. Maguncia: s. e.

SÁNCHEZ CIRUELO, Pedro (1978). *Reprobación de las supersticiones y hechicerías*, edición de Alva V. Ebersole. Valencia: Albatros.

SARMIENTO DE GAMBOA, Pedro (1907): *History of the Incas*, edición de Sir Clements Markham. Oxford: Oxford University Press.

SCHOTT, Kaspar (1677): *Magia optica*. Bamberg: s. e.

THOMAS AQUINAS (2001): *Summa contra gentiles*, vol. 3, pars 2, lib. III, cap. 84-163, edición y traducción de Karl Allgaier. Darmstadt: Wissenschaftliche Buchgesellschaft.

TOLETUS, Franciscus (1985): *Opera omnia philosophica, IV: Commentaria in octo libros Aristotelis de physica auscultatione, V: Commentaria in libros Aristotelis de generatione et corruptione*. Hildesheim/New York: Olms.

Estudios

ALEJO MONTES, Francisco Javier (1990): *La reforma de la Universidad de Salamanca a finales del siglo XVI. Los estatutos de 1594*. Salamanca: Universidad de Salamanca.

ARMAS MEDINA, Fernando de (1953): *Cristianización del Perú (1532-1600)*. Sevilla: Escuela de Estudios Hispano-Americanos.

ATIENZA, Juan G. (1998): *La cara oculta de Felipe II*. Barcelona: Martínez Roca.

BATTISTI, Eugenio/SACCARO, Giuseppe (1984): *Le macchine cifrate di Giovanni Fontana*. Milano: Arcadia Edizioni.

BELLIS, Carla de (1985): "Astri, gemme e arti medicho-magiche nello 'Speculum lapidum' di Camillo Leonardi", en Gianfranco Formichetti (ed.), *Il mago, il cosmo, il teatro degli astri*. Roma: Bulzoni, pp. 67-105.

BREDEKAMP, Horst (1995): *Repräsentation und Bildmagie der Renaissance als Formproblem*. München: Carl Friedrich von Siemens Stiftung.

CARO BAROJA, Julio (1992): *Vidas mágicas e Inquisición*. 2 vols. Madrid: Istmo.

CERVANTES, Fernando (1994): *The Devil in the New World. The Impact of Diabolism in New Spain*. New Haven: Yale University Press.

FLINT, Valerie (1991): *The rise of magic in early medieval Europe*. Princeton: Princeton University Press.

GRACIA BOIX, Rafael (1991): *Brujas y hechiceras en Andalucía*. Córdoba: Real Academia de Ciencias, Bellas Letras y Nobles Artes de Córdoba.

GRAFTON, Anthony/IDEL, Moshe (eds.) (2001): *Der Magus. Seine Ursprünge und seine Geschichte in verschiedenen Kulturen*. Berlin: Akademie Verlag.

HANKE, Lewis (1977): *Guía de las fuentes en el Archivo General de Indias para el estudio de la administración virreinal española en México y en el Perú 1535-1700*. 3 vols. Köln/Wien: Böhlau.

HENNINGSEN, Gustav 1980. *The Witches' Advocate. Basque Witchcraft and the Spanish Inquisition (1609-1614)*. Reno: Nevada University Press.

LASTRES, Juan (1951): *Historia de la medicina peruana*. 3 vols. Lima: Santa María.

LEONARD, Irving A. (1967): "A great savant of colonial Peru: Don Pedro de Peralta", en Lewis Hanke (ed.), *History of Latin American civilization. Sources and interpretations*. vol. 1: *The colonial experience*. Boston: Little/Brown, pp. 420-428.

MACCORMACK, Sabine (1991): *Religion in the Andes. Vision and Imagination in Early Colonial Peru*. Princeton: Princeton University Press.

MARTIN, Luis (1968): *The Intellectual Conquest of Peru. The Jesuit College of San Pablo, 1568-1767*. New York: Fordham University Press.

MEDINA, José Toribio (²1952): *Historia del tribunal del Santo Oficio de la Inquisición en Chile*. Santiago de Chile: Fondo Histórico y Bibliográfico José Toribio Medina.

— (²1956): *Historia del tribunal de la Inquisición de Lima*. 2 vols. Santiago de Chile: Fondo Histórico y Bibliográfico José Toribio Medina.

MENDIBURU, Manuel de (1933): *Diccionario Histórico-Biográfico del Perú*. Lima: s. e.

MILLAR CARVACHO, René C. (1998): *Inquisición y sociedad en el virreinato peruano. Estudios sobre el tribunal de la inquisición de Lima*. Lima/Santiago de Chile: Instituto Riva-Agüero/Pontificia Universidad Católica del Perú/Instituto de Historia/Universidad Católica de Chile.

MONTORO, José (1991): *Virreyes españoles en América. Relación de virreinatos y biografía de los virreyes españoles en América.* Barcelona: Editorial Mitre.

ORTIZ DE ZÚÑIGA, Íñigo (1967-1972): *Visita de la provincia de León de Huanuco en 1562.* 2 vols., edición de John V. Murra. Huanuco: Universidad Nacional Hermilio Valdizán.

PIETSCHMANN, Richard (^{2}1964): *La "Historia Indica" de Pedro Sarmiento de Gamboa,* nota preliminar de Alberto Tauro, traducción española de Federico Schwab, revisada por Ernesto More. Lima: Universidad Nacional Mayor de San Marcos.

RIEDINGER, Utto (1956): *Die Heilige Schrift im Kampf der griechischen Kirche gegen die Astrologie, von Origenes bis Johannes von Damaskus.* Innsbruck: Wagner.

SALAZAR-SOLER, Carmen (1997): "Álvaro Alonso Barba. Teorías de la antigüedad, alquimia y creencias prehispánicas en las ciencias de la tierra en el nuevo mundo", en Berta Ares Queija/Serge Gruzinski (eds.), *Entre dos mundos. Fronteras culturales y agentes mediadores.* Sevilla: Escuela de Estudios Hispano-Americanos/CSIC, pp. 269-299.

— (2000): "Plinio historiador de entonces, profeta de ahora. La Antigüedad y las ciencias de la tierra en el virreinato del Perú, siglo XVI e inicios del XVII", en Karl Kohut/Sonia V. Rose (eds.), *La formación de la cultura virreinal,* vol. 1: *La etapa inicial.* Madrid/Frankfurt a.M.: Iberoamericana/Vervuert, pp. 345-375.

SCHÄFER, Ernesto (2003): *El Consejo Real y Supremo de Las Indias.* 2 vols. Valladolid/Madrid: Junta de Castilla y León-Consejería de Educación y Cultura/Marcial Pons.

SUÁREZ, Margarita (1996): "Ciencia, ficción e imaginario colectivo: la interpretación de los cielos en el Perú colonial", en Moisés Lemlij/Luis Millones (eds.), *Historia, memoria y ficción.* Lima: Seminario Interdisciplinario de Estudios Andinos, pp. 312-319.

THORNDIKE, Lynn 1958. "Discussion of magic in Portugal and Spain", en *A History of Magic and Experimental Science.* New York: Columbia University Press, vol. 7, pp. 323-337.

VARGAS UGARTE, Rubén (1953-1962): *Historia de la iglesia en el Perú.* 5 vols. Lima: Santa María.

— (1951-1954): *Concilios limenses (1551-1772).* 3 vols. Lima: Santa María.

WALKER, Daniel Pickering (1958): *Spiritual and Demonic Magic. From Ficino to Campanella.* London: Warburg Institute/University of London.

WAXMAN, Samuel M. (1916): "Chapters on magic in Spanish literature", en *Revue Hispanique* 38, pp. 325-463.

PERFILES DE LA MUERTE ANDINA.
RITOS FUNERARIOS INDÍGENAS EN CONCILIOS Y SÍNODOS DEL PERÚ COLONIAL (1549-1684)[1]

Otto Danwerth (Hamburgo)

> Destos indios así baptizados e instruidos se entiende lo que dicen algunos concilios celebrados en Lima, de que desenterraban los difuntos, sacándolos de las iglesias y llevándolos al monte, de que hacían sus antiguos supersticiones y sacrificios y males, etc., mas no se entiende de los de agora, que están del todo olvidados de lo antiguo, y si hay uno o dos que sean apóstatas, ¿qué maravilla, pues en la Europa vemos reinos enteros apóstatas, y en Italia y en España no falta quien haya dejado la fee católica?
>
> Jesuita anónimo (1590-1594)

En vísperas de la conquista del Imperio incaico, las actitudes acerca de la muerte tenían una importancia trascendental tanto para las etnias andinas como para los habitantes de la Península Ibérica. Para entender mejor la interacción de ambas culturas de la muerte en los Andes, habría que estudiar los distintos niveles de encuentro y desencuentro en el transcurso de la temprana época colonial. Nuestra contribución se acercará a este dominio mediante textos del derecho canónico colonial. Hemos elegido concilios y sínodos peruanos como fuentes principales para analizar ritos funerarios andinos en el discurso eclesiástico de los siglos XVI y XVII.

Antes de investigar los perfiles rituales de la muerte andina en la legislación eclesiástica del Perú colonial, se esbozarán una versión de la muerte andina prehispánica y el modelo católico de la muerte como telón de fondo. En la parte central analizaremos la percepción 'etnográfica' de estos ritos de paso y las prohibiciones pertinentes en las constituciones de concilios y sínodos entre 1549 y 1684. Trataremos de dar seguimiento a cómo los eclesiásticos delimi-

---

[1] Quisiera agradecer a Wiebke von Deylen y Sabine Panzram sus sugerencias críticas a una versión preliminar del texto y a Thomas Duve las recomendaciones bibliográficas.

taron los contornos de la muerte indígena. ¿Se pueden o no identificar límites rigurosos? ¿Podemos o no comprobar cambios de la percepción y de la catequesis tanatológica en el transcurso de este casi siglo y medio? ¿Se habían logrado controlar los rituales de la muerte andina a fines del siglo XVII?

Para contestar a estas preguntas, nos centraremos en los ritos funerarios. Las actitudes mentales, como los conceptos del más allá, se consideran sólo de forma marginal, porque constituyen un universo propio. Con todo, el final del artículo estará dedicado a un aspecto del otro mundo que es de suma importancia para el conjunto ritual: la 'invención' del purgatorio para los indígenas.

LA MUERTE ANDINA SEGÚN LAS CRÓNICAS COLONIALES

A pesar de la variedad regional y las formas heterogéneas de religiosidad prehispánica, hay muchos rasgos fundamentales que las distintas capas sociales compartían considerando sus actitudes ante la muerte: miembros de la élite cuzqueña, curacas (élites locales), tributarios (*hatun runakuna*) e 'indios comunes' (*runakuna*).[2] Arriaga (1621: 66-67) describe la fase central de los ritos funerarios que los *runakuna* practicaban desde tiempos incaicos hasta principios del siglo XVII en algunas regiones andinas:

> Hacen el Pacaricuc, que es velar toda la noche, cantando endechas con voz muy lastimosa [...] cierran la puerta por donde sacaron al difunto y no se sirven más de ella. Esparcen en algunas partes harina de maíz o de quinua por la casa para ver, como ellos dicen, si vuelve el difunto por las pisadas que ha de dejar señaladas en la harina. [...] El Pacaricuc suele durar cinco días, en los cuales ayunan, no comiendo sal ni agí, sino maíz blanco y carne, y juegan el juego que llaman la pisca [...] y al cabo de estos cinco días van a lavar la ropa que dejó el difunto al río.

Al *pacaricuc* siguen el traslado del difunto a su lugar post mórtem y el propio entierro. Un año después se termina el ciclo ceremonial.

La muerte misma no fue concebida como el fin de la vida sino como el tránsito a otro estado, como un proceso (Salomon 1995: 328-329). Según

---

[2] La siguiente síntesis se basa en cronistas coloniales. Cf. Salomon 1995, Negro 1996, Danwerth (2002: 237-248).

algunos cronistas, la muerte ocurría porque la o las almas habían abandonado el cuerpo.[3] Después de una noche, cinco días o un año terminaría el difícil viaje del alma hacia el más allá que se llamaba Zamayhaci ("casa de descanso"), Upaymarca ("tierra de los mudos") o Pacarina ("lugar de procedencia").

El complejo principio de la reciprocidad andina (*ayni*) rigió la relación entre los vivos y los muertos. La frontera entre los dos mundos, el *ukha pacha* ("mundo de abajo") y el *kay pacha* ("el aquí y ahora"), no era considerada un límite fijo, sino una esfera de influencia mutua que se podía cruzar en ambas direcciones. La función de los muertos para la vida se puede ilustrar en el campo de la agricultura, ya que la fertilidad estaba vinculada estrechamente al mundo de los muertos.

Tanto los *runakuna* como los Incas cuidaban los difuntos pues creían en una vida postmortal de los cuerpos. Así las momias reales de los Incas (*illapas*) participaban en rituales del ciclo anual y servían de oráculos (Kaulicke 1998). Ancestros que legitimaban la descendencia de un linaje (*ayllu*) fueron sepultados y adorados en *machayes* (campos de muertos), *chullpas* (torres) o en *pucullos* (casas de muertos). También la gente común trataba de sepultar a los muertos de manera que se evitara el contacto con la tierra: sea en cuevas de la sierra, sea en el desierto costeño. Las momias recibían ofrendas y un ajuar para la vida de ultratumba, por ejemplo vestidos, comida (cuyes, coca, maíz), bebida (chicha), cerámica y herramientas.[4]

El cuerpo seco de un ancestro era considerado una *huaca*, un ser sagrado. En quechua, tal cadáver se llamó *mallqui*, una palabra que al mismo tiempo significa árbol. Hubo distintas categorías de muertos, dependiendo del estatus del difunto: muertos 'normales' (*aya*), difuntos de la élite, ancestros y momias incaicas. Periódicamente la momia de un ancestro era vestida de nuevo, llevada en procesiones y recibía sacrificios.

Muy pocos cronistas informan de una ceremonia cíclica en memoria de los difuntos prehispánicos.[5] Guamán Poma de Ayala (1615: I, 256 [1987: 249]) escribe que, en tiempos incaicos, noviembre era el "mes en el cual los difuntos se solían llevar en procesiones" (Aya Marcay Quilla). Este detalle ilustra probablemente la intención del cronista indígena de subrayar las ana-

---

[3] El concepto cristiano de alma y de su inmortalidad no correspondían exactamente a aquellas nociones. Cf. Estenssoro Fuchs (2003: 121-122).

[4] Cf. Polo de Ondegardo (1559: 460-461), Álvarez (1588: 90-91, 114-116).

[5] Cf. Anónimo de Huarochirí (ca. 1598: cap. 28, fol. 98r-v [1967: 153-156]).

logías entre los sistemas religiosos prehispánico y cristiano. De todas maneras, se muestra una relación estrecha entre el regreso de los muertos y el principio de la época de las lluvias. En tiempos coloniales, esta fecha se correspondió con la de Todos los Santos.

EL MODELO CATÓLICO DE LA BUENA MUERTE

El ideal de la muerte católica se refleja en los *artes moriendi*, género literario de gran difusión durante los siglos XVI y XVII en muchas regiones españolas (Martínez Gil 1993, Eire 1995). La 'buena muerte' se caracterizaba por una preparación adecuada y otros requisitos más: testar, confesar y recibir los últimos sacramentos, a saber, el viático y la extremaunción. La muerte fue concebida como el tránsito hacia una vida eterna. Mientras que el alma se enfrenta a un juicio individual, el juicio final se efectúa después de la resurrección de los muertos.

Después de la muerte, el cuerpo del difunto era amortajado y llevado desde su casa a la iglesia. Dependiendo de la posición socioeconómica del difunto, se enterraba dentro de la iglesia o en el camposanto, en general un día después del fallecimiento. Los parientes ofrecían misas y otros sufragios por el alma. En la topografía del más allá se destacaba el purgatorio como un 'tercer lugar' entre cielo e infierno. Esta 'invención' del siglo XIII fue de suma importancia para el control eclesiástico de la relación entre vivos y muertos, que se manifestaba en la devoción a las almas. Muchos concilios y sínodos españoles describieron las ofrendas del día de Todos los Santos (el 1 de noviembre) y del siguiente día de Todas las Almas como 'ritos paganos'.

El sistema tanatológico católico se caracterizaba también por el concepto del cuerpo incorrupto de seres humanos 'extraordinarios'. Así los cuerpos postmortales de algunos santos y santas, papas y obispos fueron conservados antes del entierro. Las hagiografías de aquel entonces a menudo elogiaban el estado 'perfecto' del cadáver y su apariencia 'vital'. Tales actitudes y la veneración de reliquias conformaban un verdadero culto mortuorio.

LA MUERTE INDÍGENA HASTA MEDIADOS DEL SIGLO XVI

Desde la conquista (1532-1533) hasta mediados del siglo XVI, los rituales mortuorios andinos no llamaron la atención a los españoles residentes en los

Andes. El interés que las tumbas prehispánicas despertaron fue económico: las sepulturas se saqueaban (huaquería). Además, varios procesos mencionan sepulturas antiguas como marcas y límites territoriales.[6]

Sólo a partir de la pacificación del virreinato peruano en la década de 1550, ciertos eclesiásticos se ocuparon con más detenimiento de la 'conversión' de los cristianos nuevos. Entonces sí el culto mortuario de los incas llamó la atención de los españoles. Especialmente la presencia pública de los Incas momificados causó un gran asombro. Polo de Ondegardo, que era corregidor del Cuzco en 1559, encontró varias momias incaicas que presentó en su casa. El licenciado fue uno de los más agudos observadores de la cultura andina.[7] Alude a la 'necropompa', es decir, el suicidio/homicidio público de personas para que acompañasen a un recién fallecido al más allá. También remite al sacrificio de niños para el Sapan Inca con fines de purificación y poder (*capac hucha*).[8]

Obviamente en algunas regiones la 'necropompa' siguió practicándose hasta el Primer Concilio de Lima (1551).[9] Otra costumbre funeraria prehispánica practicada hasta entonces era la Purucaya. Algunos cronistas españoles la describieron como "cabo de año" que se celebraba doce meses después del fallecimiento de una persona.[10] Más importante que las costumbres incaicas y la necropompa de las élites locales fueron otros ritos, como las ofrendas, las cuales continuaban practicándose en tiempos coloniales y se vieron reflejados en el derecho canónico peruano.

---

[6] Cf. Danwerth 2001. En un caso (*Sepultura-límite* 1675), "unas sepolturas antiguas" marcaron la frontera geográfica de una chacra (área de cultivo) de trigo en la provincia cuzqueña de Quispiqanchis en 1675.

[7] Duviols (1977: 123-124). La influencia de los escritos 'etnográficos' de Polo se manifiesta en el Segundo y Tercer Concilio de Lima. Cf. Polo de Ondegardo 1559, *Doctrina Christiana* (1584-85: 253-283), Duviols (1977: 116).

[8] En comparación con otros cronistas, Polo de Ondegardo (1559: 461, 469, 474-476) exagera las cifras de los niños involucrados: "hasta cantidad de doscientos niños de cuatro años hasta diez. Más porque ya esto ha cesado del todo no hay que hacer más mención de ello". Estas cifras provocaron réplicas de parte de cronistas 'proincáicos' como la del Jesuita Anónimo (1590-94: 53-56, 61). Cf. Araníbar 1969-1970, Duviols 1976, Ramos (2005: 456-457).

[9] CL-I (1551-52: const. 25 [Naturales], 20-21), Loayza (1549: 147).

[10] Duviols (1977: 111). Ramos (2005: 458-459). Betanzos relata que la *purucaya* ocurrió en 1550, un año después de la muerte de Paullo Inca. Aunque fue sepultado "como buen cristiano" su ceremonia de cabo de año era tal vez la última manifestación de cultura funeraria incaica.

CONCILIOS PROVINCIALES Y SÍNODOS LOCALES DEL PERÚ COLONIAL

En este apartado, revisaremos brevemente los primeros concilios provinciales peruanos.[11] Ya en 1545, Jerónimo de Loayza, obispo de Lima desde 1543, había escrito el primer conjunto sistemático de normas para la evangelización, aprobado en 1549, la *Instrucción de la horden que se a de tener en la doctrina de los naturales*.[12] En 1551-1552 tuvo lugar el Primer Concilio Limense convocado por el mismo Loayza, entonces ya arzobispo. El Segundo Concilio de Lima (1567-1568) ordenó la aplicación de las normas del Concilio Tridentino (1545-1563) y añadió otras innovadoras, entre ellas trece disposiciones anti-idolátricas.[13] El Tercer Concilio Limense (1582.1583), presidido por el nuevo arzobispo Toribio de Mogrovejo, abrogó las actas del Primer Concilio, pero confirmó todas las constituciones del Segundo.[14]

Además de la legislación, el Tercer Concilio decretó la impresión de los primeros materiales catequéticos oficiales.[15] El catecismo único (en castellano, quechua y aymara), la *Doctrina Cristiana y catecismo para instrucción de los indios* se publicó en 1584, un año más tarde siguió el *Confesionario para los curas de indios* que incluye tres complementos anti-idolátricos, entre ellos el de Polo de Ondegardo (1559). Bajo el título *Tercero Cathecismo y exposición de la doctrina christiana por sermones* (1585) se publicó un sermonario trilingüe. Estos instrumentos pastorales fueron preparados por un equipo de catequistas y traductores bajo la dirección del jesuita José de Acosta. En 1588 Acosta publicó un manual de teología pastoral indígena (*De Procuranda Indorum Salute*), cuyo manuscrito ya estaba terminado en

---

[11] Edición completa en Vargas Ugarte (1951-1954). Cf. Armas Medina (1953: 229-241), Vargas Ugarte (1954), Tineo (1990), García y García (1992), Saranyana (1999: 118-180).

[12] Loayza (1549). Cf. Saranyana (1999: 120-124, cita 119).

[13] Por ejemplo CL-II (1567-68, const. 122 [Indios], 257). Cf. Aparicio (1972: 224-226). Edición de la versión latina completa en Vargas Ugarte (1951: I, 95-223), un sumario en castellano (1951: I, 225-57).

[14] CL-III (1582-83: act. II, cap. 1-2, pp. 122-123; act. V, cap. 1, pp. 222-223). El Tercer Concilio permaneció vigente hasta 1899 (García y García 1986: 204).

[15] Edición de las constituciones en Vargas Ugarte (1951: I, 259-375), Lisi 1990. Edición de los complementos pastorales en *Doctrina Christiana* 1584-1585, Durán (1982a; 1990: 418-741).

1575-1576. Las huellas de este texto se detectan en las normas y complementos del Tercer Concilio.[16]

Durante la época colonial se celebraron seis concilios provinciales en Lima, pero ninguno obtuvo la trascendencia del segundo y del tercero. Después de los tres primeros siguieron el cuarto (1591), el quinto (1601), ambos de escasa relevancia[17] y, ya en tiempos borbónicos, el sexto (1772-1773).[18] Además de los concilios se han consultado sínodos diocesanos que son más numerosos y menos estudiados.[19] En los Andes hay gran variedad: desde Quito en el norte pasando por Cuzco y Arequipa en el sur hasta Charcas en el Alto Perú (hoy Bolivia). Los sínodos más relevantes se celebraron hasta la década de 1680. Por ello, el presente artículo escoge como marco temporal los años entre 1549 (fecha de la *Instrucción* de Loayza) y 1684 (año del Segundo Sínodo Diocesano de Arequipa).[20]

La exigencia de celebrar concilios y sínodos con cierta frecuencia muchas veces no se cumplió en la realidad.[21] Los documentos de las asambleas definen las normas canónicas tanto para españoles como para indígenas. Las constituciones de los primeros dos concilios tratan ambas 'repúblicas' por separado. En el tercero se integran en un único cuerpo decretal. Mostrando los límites de lo permitido, las disposiciones conciliares y sinodales amonestan el control de la religiosidad y denuncian abusos. El hecho de que ciertas

---

[16] Cf. García y García (1986: 205-226), Lisi (1990: 57-83), MacCormack (1991: 249-280). Además de misionólogo, Acosta destacó como autor de obras 'antropológicas' como la *Historia natural y moral de las Indias* (1590).

[17] Vargas Ugarte (1951: I, 377-388, 389-397). Cf. Saranyana (1999: 171).

[18] Vargas Ugarte (1952: II). Cf. Aparicio (1972: 236-237), Pietschmann (1984: 34-35).

[19] Cf. García y García (1992: 180). No hay uniformidad en la organización de las normas sinodales. En general, se dictaron en castellano, con la excepción de CS Charcas 1629, dictada en latín.

[20] La diócesis de Lima, creada en 1541, fue elevada a archidiócesis en 1546. En el siglo XVI tuvo diez sufragáneas: Cuzco, Quito, Panamá, Nicaragua, Popayán, Charcas, Santiago de Chile, Concepción, Paraguay y Tucumán. Seleccionamos sínodos de los siguientes obispados: Lima, Quito, Loja, Trujillo, Cuzco, Arequipa, Guamanga, La Paz y Charcas (La Plata).

[21] Según el concilio tridentino los concilios provinciales se celebrarían cada tres años, según Pío V (1570), cada cinco; a partir de 1583 (Gregorio XIII), cada siete y a partir de 1610 (Paulo XII), cada doce años. Los sínodos diocesanos se celebrarían desde el Concilio IV Lateranense (1215) y según el concilio tridentino cada año; a partir de 1572, cada dos años. Cf. Specker (1953: 47, 53), Aparicio (1972: 223-224). Felipe II [1597: fols. 4v-5r] manifiesta los intereses reales en este ámbito.

normas se repetían en varias asambleas consecutivas indica que éstas no se cumplían (García y García 1992: 184).

Entre los sínodos destaca el de Lima de 1613, porque sustituye los múltiples sínodos limenses anteriores. Es importante además porque reglamentó las visitas de extirpación de idolatrías que se llevaron a cabo en el arzobispado de Lima de 1609 a 1622 y otra vez a partir de 1648.[22] Antes de 1609 se pueden distinguir los siguientes períodos: a la primera evangelización, desde la conquista (1532-1533) hasta aproximadamente 1565, sigue una fase caracterizada por múltiples cambios, tanto políticos como religiosos. Entre 1565 y 1582 se celebró el Segundo Concilio, llegaron al Perú el virrey Francisco de Toledo y los jesuitas. Sobre esta base se construye, a partir del Tercer Concilio (1582-1583), la 'ortodoxia colonial', en vigor hasta el siglo XVIII (Estenssoro Fuchs 2003: 7-9).

PERFILES DE LA MUERTE INDÍGENA EN CONCILIOS Y SÍNODOS

Los intentos de describir y restringir las costumbres paganas en concilios y sínodos se dirigían desde el principio contra abusos relacionados con la muerte indígena.[23] La *Instrucción* de Loayza (1549) ya había subrayado la destrucción de objetos paganos y la refutación de la idolatría como métodos misionales. Menciona especialmente el culto a los muertos que también domina el Primer Concilio.[24] El Segundo Concilio opinó que entre los 'ritos diabólicos' destacaban "mill zerimonias en los entierros de sus difuntos".[25] En las próximas páginas se analizará la legislación eclesiástica para indígenas siguiendo los ritos de paso en el modelo cristiano. En general, las costumbres funerarias aparecen como aberraciones del modelo católico. Aunque la finalidad princi-

---

[22] CS Lima (1613/1636: 1613, pp. 38-42). Cf. Duviols (2003: 25-26; 1977), Griffiths 1996, Mills 1997.

[23] Martini 1995 resume la legislación canónica y real pertinente para Hispanoamérica. Para el caso peruano cf. Martínez de Codes 1990, Negro 1996 y Ramos (2005: 459-460). Hemos calculado cuántas constituciones se ocupan de asuntos tanatológicos en los tres primeros concilios. Los porcentajes son, para el Primer Concilio: indios 10,0% (4 de 40), españoles 13,4% (11 de 82); para el Segundo: indios 8,2% (10 de 122), españoles 9,1% (12 de 132); para el Tercero (que no separa ambos grupos): indios 2,5% (3 de 119), españoles 1,7% (2 de 119).

[24] Loayza (1549: 147). Cf. Duviols (1977: 98), Martínez de Codes (1990: 528).

[25] CL-II (1567-68: const. 105 [Indios], 254).

pal de las fuentes canónicas no era etnográfica, nos brindan informaciones útiles para la reconstrucción de la práctica funeraria colonial: además del contenido etnográfico y del nivel normativo, las disposiciones muestran las infracciones de este modelo tanto por indígenas como por españoles.

TESTAMENTOS

Un requisito necesario para la "buena muerte" española era la redacción de un testamento. En el Primer Concilio se encuentran disposiciones pertinentes sólo para españoles.[26] Las normas canónicas del segundo y del tercer concilio y de varios sínodos indican que algunos curas solían forzar a los indígenas enfermos a que mandasen misas u obras pías en su testamento para apropiarse de sus bienes. Estaba prohibido cobrar por la administración de los sacramentos.[27]

En 1575 el virrey Toledo había tratado de fomentar la práctica testamentaria castellana para indios. Para este efecto se publicó un testamento 'modelo' para principiantes.[28] Entre los testadores indígenas, especialmente en las ciudades, se encuentran nobles incaicos y curacas pero también artesanos, indios comunes y pobres. Así, más que la última voluntad de los indígenas se reflejan los últimos sacramentos en la legislación canónica.

VIÁTICO Y EXTREMAUNCIÓN

En el discurso eclesiástico, tanto en la península como en las Indias, el protagonista más importante al lado del moribundo no era el médico sino el cura, que llevaba 'medicinas espirituales'.[29] Según el Primer Concilio, los indios

---

[26] CL-I (1551-52: const. 48, 52, 71-73 [Españoles], 65-69, 82-83).

[27] CL-II (1567-68: const. 10, 26 [Indios], 242-244, cf. const. 95, 107-108 [Españoles], 236-238). CL-III (1582-83: act. II, cap. 39, pp. 152-153). Los herederos de indios que murieron *ab intestato* pero con bienes debían hacer decir seis y, para caciques, cuarenta misas. Cf. CS Trujillo ([1623]: fol. 17r-v), CS La Paz (1638: p. 17).

[28] Ordenanza XXVI (Arequipa, 6 de noviembre de 1575), en Toledo (1569-81: 322-327). Cf. Martini (1995: 928-933).

[29] En la legislación eclesiástica raras veces aparecen médicos. Según CL-III (1582-83: act. III, cap. 39, p. 193), su función más importante era "llamar la atención a los enfermos al

como "gente nueva en la fe" en general no podían recibir ni la eucaristía ni el viático, sino solamente el bautismo, la penitencia y el matrimonio.[30] A partir del Segundo Concilio esta actitud cambió radicalmente:

> que no se deniegue el viático a los indios que están para morir teniendo la disposición que se rrequiere, y para recebir el sacramento podrán llevarlos a la iglesia, o si esto no pudiere ser sin mucho detrimento, aderecéseles su posada y llevéseles el sacramento con la decencia que ser pueda.[31]

Otro auxilio espiritual que se debía administrar a indios o negros a partir de 1567 era el sacramento de la extremaunción para defenderles "en esta situación extrema de las asechanzas del demonio y de los hechiceros ministros del diablo".[32] El Tercer Concilio renovó estas disposiciones con palabras aún más severas. Añadió que "debe bastar cualquier testimonio de fe y penitencia" como señal de contrición. En estas condiciones los párrocos tenían que administrar ambos sacramentos de balde a tales "personas miserables" siempre que fuera necesario.[33]

Uno de los motivos de la repetición normativa era que los últimos auxilios se negaban sistemáticamente por los curas entre 1567 y 1582. Otra razón fue la presión de José de Acosta, coautor de las actas del Tercer Concilio. Como lo deja claro en *De Procuranda Indorum Salute*, el jesuita no estaba de acuerdo con la legislación excluyente de 1552 acerca de la eucaristía y del viático para indígenas bautizados.[34] Sin embargo, no abogaba por una actitud liberal en cuanto al bautismo de los indios en peligro de muerte. Mientras

---

comienzo del tratamiento acerca de la medicina espiritual de la confesión". Cf. CS Lima (1613/1636: 1613, pp. 200-201), CS Arequipa ([1638]: fol. 43r: "Los medicos y ciruxanos amonesten a sus enfermos que reciuan los sacramentos y si no lo hicieren, al tercero dia no los bueluan a visitar"), CS Arequipa (1684: p. 27), CS Guamanga (1629: p. 109), CS La Paz (1638: p. 74).

[30] CL-I (1551-52: const. 14 [Naturales], 114-15). Cf. García y García (1984: 174-175).
[31] CL-II (1567-68: const. 59 [Indios], 248). Cf. CS Lima (1582-1606: 1588, pp. 115-116), CS Charcas (1629: pp. 100-101).
[32] CL-II (1567-68: const. 75 [Indios], 249, const. 28 [Españoles], 228). Cf. CS Quito (1570: p. 363), CS Cusco (1591-1601: 1591, p. 44), CS Arequipa (1684: pp. 39-43).
[33] CL-III (1582-83: act. II, cap. 19, 28, 38, pp. 136-137, 144-145, 152-153). Cf. CS Cusco (1591-1601: 1591, p. 42).
[34] Acosta (1588: I, 212-213). Cf. Armas Medina (1953: 334-335), Martini (1995: 925-926), Estenssoro Fuchs (2003: 188-193).

que el concilio de 1552 había ordenado "[c]ómo los enfermos y los viejos pueden ser baptizados, aunque no sepan la doctrina", el Tercer Concilio dispone que a "los muy viejos y ziegos [...] se les enseñe la sustancia de la dotrina" antes del bautismo, sacramento irreversible.[35] En términos semejantes, Acosta (1588: II, 416-419) sostiene que "al partir de esta vida, hecha la debida confesión al sacerdote, no se les prive del viático necesario".

Además dedica un capítulo entero a la extremaunción de indios bautizados, que hasta entonces no fue considerado sacramento de necesidad para la salvación.[36] Repite los argumentos alegados con respecto al viático. En su opinión, los decretos pertinentes del Segundo Concilio Limense y del Tridentino están "tan descuidados que casi se tiene por sacrilegio, cuando alguien se le ocurre ungir a un enfermo indio".[37]

Los padres de familias u otras "personas cuydadosas" tendrían que avisar al cura cuando una persona a su cargo estuviere enferma "sin aguardar a que el enfermo llegue a tanto extremo que no entienda o no sepa el Sacramento que recive". Los párrocos "con sobrepelliz, estola y lumbre" o sus sustitutos debían asistir a los agonizantes en las casas o chozas de los indios.[38] A pesar de la disposición citada del Segundo Concilio, la gran mayoría de los sínodos posteriores prohibió llevar los moribundos a las iglesias.[39]

De hecho se observan múltiples infracciones, así que la gran mayoría de los indígenas murió sin haber recibido los últimos sacramentos. Muchos curas no cumplieron las constituciones conciliares "escusándose con vanas escusas".[40] No sería adecuado echar la culpa de ello solamente a los doctrineros, como lo hace Acosta, que tiene una estimación muy optimista acerca de

---

[35] CL-I (1551-52: const. 5 [Naturales]: 10), CL-II (1567-68: const. 33-34 [Indios], 244-245).

[36] Según Martini (1995: 925). Cf. Armas Medina (1953: 337). El catecismo mayor del Tercer Concilio declara al contrario que, excepción hecha del matrimonio y orden sacerdotal, los demás cinco sacramentos (bautismo, confirmación, comunión, penitencia y extrema unción), "son de necesidad" (*Doctrina Christiana* 1584-85: 129).

[37] Acosta (1588: II, 448-453). Cf. el sermón XVII de la *Doctrina Christiana* (1584-85: 537-548).

[38] CS Guamanga (1629: p. 21). Sobre las visitas de los enfermos cf. CS Quito (1570: p. 337), CS La Paz (1638: pp. 10-11), CS Arequipa ([1638]: fol. 45r), CS Guamanga ([1677]: fol. 66v).

[39] CL-II (1567-68: const. 59 [Indios], 248), CS Cusco (1591-1601: 1591, pp. 44-45), CS Guamanga (1629: p. 36), CS Guamanga ([1677]: fol. 58r-v), CS Arequipa (1684: p. 85).

[40] CS Lima (1613-1636 1613 50). Cf. Martini (1995: 922).

la voluntad indígena.[41] Otros documentos de la misma época muestran que los indios también emplearon estrategias para evitar la extremaunción y el viático.[42]

AMORTAJAMIENTO Y ENTIERRO

Después de la muerte, el cuerpo debía ser arreglado para el velorio. Sólo un complemento 'etnográfico' del Tercer Concilio se refiere a estos ritos: sacar los dientes, cortar cabellos y uñas "para hacer diversas hechicerías". Pelo y uñas fueron llamados "alimento de las almas" y representaban la personalidad del difunto.[43] Era común esconder plata, comida y ropa nueva dentro de la mortaja. El Sínodo de Quito (1570) lo prohibe y ordena que el cura apunte el fallecido en un libro parroquial de difuntos. Un ayudante laico debe observar el amortajamiento para impedir los mencionados abusos.[44]

> Y el sacerdote o español que allí estuviere no permita que lloren al difunto antes que lo entierren, a lo más, más de un día. Y al tiempo que lo enterraren descubran el rostro del difunto para ver si es él o otro en su lugar. Y no permitan que le echen más ropa de la necesaria para envolver el cuerpo; ni después de enterrado permita echar sobre el cuerpo comida ni bebida ni otra cosa alguna.[45]

En vez de celebrar el *pacaricuc* durante cinco días, el entierro debía tener lugar a más tardar 24 horas después de la muerte.[46]

---

[41] Acosta (1588: I, 212-213): "la mayor parte de ellos, ante el miedo de la muerte, mandan llamar en seguida al sacerdote, piden instantemente que se persone, confiesan con dolor y sinceridad sus pecados, dan grandes muestras de fe y arrepentimiento".

[42] Cf. Álvarez (1588: 257-266).

[43] Durán (1982a: 450). Cf. Álvarez (1588: 116), Negro (1996: 137), Salomon (1995: 330). En tiempos prehispánicos, una figura pequeña (*guauqui*) que representaba al Inca contenía uñas y cabello suyos.

[44] CS Quito (1570: p. 348-349), CS Lima (1582-1606: 1586, p. 85), CS La Paz (1638: pp. 14-15). Cf. Specker (1953: 222-223), Negro (1996: 135).

[45] CL-I (1551-52: const. 25 [Naturales], 20-21). Cf. CL-II (1567-68: const. 102 [Indios], 253).

[46] CS Lima (1613-1636: 1613, pp. 134-135) prescribe un mínimo de doce horas entre fallecimiento y entierro.

LUGARES DE ENTIERRO Y SUSTRACCIÓN DE CUERPOS

En cuanto al lugar de entierro, el Primer Concilio Limense distingue entre indios cristianos e infieles. Mientras los primeros principalmente deben sepultarse, como los españoles, en la iglesia o en el cementerio, a los no bautizados se les señala un sitio especial que se iba a vigilar.[47] Decreta: "si algún cristiano se mandare enterrar fuera de la iglesia o cementerio, [...] el cuerpo del dicho sea sacado y quemado públicamente".[48]

El lugar concreto del entierro para un indígena bautizado dependía de su procedencia. Si los indios eran naturales del pueblo donde ocurrió la muerte, tenían generalmente el derecho a sepultarse en las iglesias. El cementerio era designado para indios forasteros.[49] En las ciudades de españoles, sin embargo, parece haber sido corriente negar a los indígenas sepultura en las iglesias principales. El Sínodo de Lima de 1613 ordena que "dentro de esta Santa Iglesia no se entierren Negros, ni Mulatos, ni Indios, sino sólo en los Cementerios, y lugares que para ello se han señalado".[50] Estas reglas no se refieren a indios principales o curacas, que recibían un trato privilegiado. La *Instrucción* (1549) del arzobispo Loayza, el primer y el segundo concilio encargaron a los curas cuidar de que los curacas cristianos fueran enterrados en las iglesias.[51]

Los sínodos mencionan otros lugares inaceptables para sepulturas de indios bautizados. El Sínodo de Loja (1596) reprende que "los yndios tienen de costumbre, en las çiudades de españoles, llevar los difuntos secretamente a los monasterios de rreligiosos, sin la solemnidad acostumbrada, dexandolos en los çimenterios a rriezgo de que los coman perros". El Sínodo de Arequipa (1638) prohibe que "los dueños y señores de viñas y chacras suelen enterrar a

---

[47] CL-I (1551-52: const. 25 [Naturales], 20-21), CL-II (1567-68: const. [Indios] 102, 105-106, 253-254), CS Lima (1582-1606: 1590, p. 128). CS Lima (1613-1636: 1613, pp. 138-139) incluye una larga lista de personas excluidas de sepultura eclesiástica: entre otros, "infieles, paganos, judíos, y hereges, y sus fautores", suicidas "estando en su juicio", "los que mueren, corriendo Toros" o "los Idólatras, y ministros del demonio". Cf. CS Guamanga ([1677]: fols. 94v-95r).

[48] CL-I (1551-52: const. 25 [Naturales], 20-21). Cf. Duviols (1977: 98-99).

[49] Cf. CS Quito/Loja (1594-1596: 1594, p. 109), CS Arequipa ([1638]: fol. 53r-v), Martini (1995: 939-945).

[50] CS Lima (1613-1636: 1613, p. 135). Cf. CS Trujillo ([1623]: fol. 19r), CS Guamanga ([1677]: fol. 92r).

[51] Loayza (1549: 147). Cf. Martini (1995: 945).

sus esclavos y a los yndios, yanaconas y mitayos en el campo o quando menos en las capillas particulares que tienen en ella".[52]

Al igual que en la España del Antiguo Régimen, las iglesias y cementerios de los Andes no se respetaron como lugares sagrados. A menudo eran escenarios profanos para negocios, comidas, juegos, representaciones o cualquier "ayuntamiento de gente".[53] Según el derecho canónico, no se debían llevar ningunos derechos por los entierros necesarios y las sepulturas de indios naturales.[54] Las excepciones a esta regla se refieren a curacas, a indios que residían en pueblos de españoles y a indios forasteros que tenían que pagar para sus entierros.[55] Los derechos eclesiásticos, documentados en aranceles que variaban de diócesis a diócesis, se fijaron "conforme a la qualidad del difunto"; los pobres debían enterrarse de balde.[56]

Obviamente muchos clérigos cobraron demasiado por entierros o vendieron sepulturas, tanto a indios como a españoles.[57] Abusos similares se documentan en litigios contra curas y frailes por llevar derechos dobles de entierro. Además, hubo enfrentamientos entre clérigos regulares y seglares o entre iglesias y hospitales por el derecho de dar sepultura a difuntos indígenas.[58] Otra 'lucha por los cuerpos' mencionada en los concilios fue considerada uno de los más grandes obstáculos para la conversión: la sustracción de cadáveres.

Desde la *Instrucción* de Loayza (1549), varias constituciones conciliares y sinodales exhortaron el control de los lugares sagrados: los doctrineros debían evitar que tanto los indígenas bautizados, enterrados en la iglesia y el campo

---

[52] CS Quito/Loja (1594-1596: 1596, pp. 184-185), CS Arequipa ([1638]: fols. 52r-53r), CS Guamanga ([1677]: fol. 93r).
[53] CL-I (1551-52: const. 27 [Españoles], 52), CL-II (1567-68: const. 36, 39, 42 [Españoles], 229). Cf. CS Lima 1613-1636: 1613, pp. 149-151), CS La Paz (1638: pp. 51-52), CS Guamanga ([1677]: fol. 40v), CS Arequipa (1684: p. 139), Martini (1995: 940).
[54] CL-III (1582-83: act. II, cap. 38, pp. 152-153), CS Lima (1582-1606: 1592, p. 144). Cf. Martini (1995: 935).
[55] Cf. CS Lima (1613-1636: 1613, p. 137), CS Quito (1570: p. 329, 363), CS Guamanga (1629: p. 78), CS Arequipa ([1638]: fol. 53r-v).
[56] CL-I (1551-52: const. 70 [Españoles], 81-82), CS Lima (1613-1636: 1613, pp. 129-140, 223-231), CS Trujillo ([1623]: fol. 18r). Aranceles en CS Cusco (1591-1601: 1591, pp. 70-72), CS Quito/Loja (1594/1596: 1596, pp. 198-202), CS Arequipa ([1638]: fols. 53v-54v).
[57] CL-I (1551-52: const. 42 [Españoles], 61-62), CL-II (1567-68: const. 30 [Españoles], 228). Cf. Martini (1995: 936-938).
[58] Cf. CS Lima (1613-1636: 1613, pp. 136-137), CS Guamanga ([1677]: fols. 92v-93r, 97r-v).

santo, como los no bautizados, sepultados en "lugar público", fuesen sacados y trasladados a los *machayes*. Entre los delitos funerarios denunciados en el Primer Concilio destaca la sustracción de cadáveres de los lugares sagrados. En 1567 se añade que el cura puede privar al cuerpo de la sepultura eclesiástica si el difunto había ordenado en su última voluntad el deseo de ser enterrado fuera de los lugares cristianos.[59] La innovación tanatológica más llamativa del Segundo Concilio se refiere a la inviolabilidad de las sepulturas:

> que ninguno se atreva a desenterrar los cuerpos de los indios difuntos, aunque sean infieles, ni a desbaratar sus sepulturas renovando los obispos en sus diócesis por precepto deste sígnodo [*sic*] el decreto de Clemente tercio que pone pena de excomunión a las pertubadores de sepulturas si alguno con atrevimiento indevido desenterrare los dexare a los perros y aves los coman incurran en excomunión latae sententiae y en pena de cient pesos.[60]

Esta constitución no se dirige en primer lugar contra el abuso cometido por indígenas sino –como explica la versión latina– contra el pillaje de sepulturas prehispánicas: en otras palabras, prohibe la huaquería a cualquier persona.[61] El Tercer Concilio no contiene ninguna disposición canónica nueva al respecto. Remite al Segundo Concilio y dedica algunos párrafos de sus instrucciones a esta superstición.[62]

Arriaga (1621: 67) resume cómo algunos indígenas explicaron la sustracción de los difuntos: "dicen que es cuyaspa, por el amor que les tienen, porque dicen que los muertos están en la iglesia con mucha pena, apretados con tierra, y que en el campo, como están al aire y no enterrados, están con más descanso". Para lograr tales desentierros los indios tenían que eludir la vigilancia de los curas y de otros españoles, engañarles o aprovecharse de las iglesias sin cerraduras.[63] Además del control de los cementerios hubo otras reacciones

---

[59] CL-I (1551-52: const. 25 [Naturales], 20-21), CL-II (1567-68: const. 102 [Indios], 253). Cf. Duviols (1977: 98-99, 128), Martini (1995: 944-945).

[60] CL-II (1567-68: const. 113 [Indios], 255, en latín 216-217). Cf. CS Lima (1582-1606, 1604, p. 229).

[61] Cf. Martínez Codes (1990: 535). A pesar de esta sanción canónica, el derecho civil reglamentó la licitud de tales saqueos, cf. Danwerth 2001. Sobre la práctica de esconder los muertos para que no se hallasen por huaqueros, cf. Álvarez (1588: 95).

[62] Durán (1982a: 450, 456), cf. CS Charcas ([1629]: p. 126).

[63] Cf. Álvarez (1588: 114-115), Martini (1995: 941-942), Gose (2003: 158-163).

por las autoridades. El virrey Toledo (1569-1581) trató de asentar a los indígenas, que vivían dispersos, en reducciones. Estos pueblos nuevos eran situados lejos de los antiguos centros rituales y de los campos de difuntos (*machayes*) pero también de las iglesias en los pueblos viejos. Para trasladar los huesos de las iglesias viejas abandonadas hacía falta "expresa licencia".[64]

Las medidas de las autoridades no siempre consiguieron sus metas. El desentierro de cadáveres se convirtió en un lugar común sinodal. Así, el Sínodo de Lima (1636) no trata de la idolatría salvo en una constitución: "Para que los Curas, y Vicarios pongan mucho cuydado, en que los Indios no desentierren de las Iglesias los cuerpos de sus difuntos, para llevarlos à sus Malquis [*sic*], y sepulturas antiguas".[65]

Una de las ofensas más documentadas en las campañas de extirpación de idolatrías era la adoración de ancestros momificados que se habían sustraído de iglesias y cementerios. Una vez encontrados por los visitadores, los cuerpos secos fueron incinerados y las cenizas dispersadas en ríos o escondidas de otra manera.[66] En los interrogatorios de los procesos se encuentran largas listas de *mallquis* y sus nombres propios. Los ritos funerarios ocultos son documentados allí: el traslado del cadáver al *machay*, múltiples ofrendas, el velorio con bailes, el *pacaricuc* y la conmemoración cíclica de las momias.[67]

---

[64] CS Cusco (1591-1601: 1591, p. 49), CS Lima (1582-1606: 1585, p. 36), CS Lima (1613-1636: 1613, pp. 85, 139). Sobre las reducciones, Gose (2003: 147-157). Traslados de españoles a nuevas iglesias se tratan en CS Guamanga (1629: pp. 77-78), CS Guamanga ([1677]: fol. 96r), CS La Paz (1638: p. 48). Ramos (2005: 467-469) menciona traslados de curacas difuntos de las ciudades a sus pueblos originarios.

[65] CS Lima (1613-1636: 1636, p. 274). Llama la atención el empleo de una palabra equivocada: *malquis* (momias) en vez de *machayes* (cementerios antiguos). Cf. también CS Guamanga ([1677]: fol. 93r-v).

[66] Cf. Duviols 2003, Estenssero Fuchs (2003: 67). Aunque los antepasados prehispánicos paganos fueron condenados al infierno a partir de CL-I (1551-52: const. 38 [Naturales], 29), algunos indios pidieron, a principios del siglo XVIII, que sus momias fueran bautizadas (Gose 2003: 157-166).

[67] Cf. Doyle 1988, Martini (1995: 944-945), Negro (1996: 135-138). Hasta finales del siglo XVIII se practicaban ritos mortuorios prehispánicos. En Andagua, cerca de Arequipa, se adoraban todavía en 1750 momias de ancestros. En Cochabamba (década de 1780) los cuerpos de recién fallecidos fueron exhumados de los cementerios para luego enterrarlos por segunda vez en la iglesia. La ceremonia fue llevada a cabo con la participación de un cura (Danwerth 2002: 247).

CONMEMORACIÓN DE LAS ÁNIMAS Y OFRENDAS

Menos palpables que el tratamiento de los cuerpos de difuntos eran los conceptos mentales que acompañaron a los ritos funerarios. Como vimos arriba, algunos cronistas hablaron de almas o ánimas de los difuntos que iban al más allá. Aunque las fuentes no comparan explícitamente los sistemas católico y andino en cuanto a la comunicación entre vivos y muertos, observamos analogías antropológicas: la frontera entre ambos mundos no era una linde cerrada, sino más bien un campo cuasi osmótico de intercambios. Tanto en las regiones españolas como en los Andes se nota la presencia de los difuntos en la vida cotidiana y la responsabilidad de los vivos para el bienestar de los muertos (Barriga 1992: 81).

El Concilio Tridentino (1545-1563) intensificó la devoción a las almas del purgatorio. Los creyentes iban a manifestar el recuerdo de sus parientes difuntos a través de misas de almas, ofrendas y obras pías. Estas actividades podían reducir el tiempo que las ánimas pasaban en el purgatorio. Las fomentadas cofradías de las ánimas se dirigieron al conjunto de los difuntos. Al mismo tiempo, la creencia en la actuación de almas (y espíritus) en el mundo de los vivos seguía vigente.

Los sínodos tanto de la Península Ibérica como de los Andes denunciaban aberraciones paganas del modelo católico y amonestaban el control de la religiosidad popular practicada con ocasión de Todos los Santos.[68] La finalidad de las ofrendas y rituales para la memoria de las almas era parecida en ambas poblaciones rurales. La coincidencia temporal de la fiesta católica de Todos Santos y de rituales prehispánicos de memoria creó la posibilidad de una superposición de ritos a principios del mes de noviembre.[69]

Ya el Primer Concilio había mencionado ofrendas, también para los difuntos.[70] Pero sólo el Segundo Concilio define la doctrina posterior: "que en las ofrendas por los difuntos, especialmente el día de las ánimas, después

---

[68] También simplemente Todos Santos; cf. CS Quito (1570: p. 335), CS Lima (1613-1636: 1613, p. 112), CS La Paz (1638: p. 35).

[69] Cf. Danwerth (2002: 236, 246), Duviols (2003: 23). Sobre España, Martínez Gil (1993: 503-510).

[70] CL-I (1551-52: const. 26 [Naturales], 22): "coca o agua [probablemente <açua>, i.e. 'chicha'], o cuyes, o mollo, o sebo, o sangre".

de todos santos, no se permitan a los indios ofrecer cosas cocidas o asadas ni se dé ocasión para su error, que piensan que las ánimas comen de aquello".[71]

Es decir, los eclesiásticos prohibieron tales comidas para impedir las creencias de que las almas de los difuntos las consumieran. Admitieron otras ofrendas a condición de que los indios las dieron voluntariamente y a la manera de católicos cristianos.[72] Sin embargo, como se desprende de los sínodos andinos, tampoco los españoles cumplían su supuesto rol ejemplar:

> se amoneste al pueblo al traer sus ofrendas a la yglesia por bivos y difuntos, mas no por eso se aprueve el poner en las sepulturas carneros o rreses bivas y costales de trigo sino pan y bino y cera y esotras [sic] cosas que pueden caussar embarazo e indecencia, se pueden poner en el cimenterio o imbiarse a casa del cura.[73]

Otros sínodos exhortaron a los españoles a no poner "costales de paja o botijas de agua" en vez de trigo y vino.[74] Algunos curas (interinos) solían anticipar el oficio "para aprovecharse de la ofrenda".[75]

Mientras que las constituciones del Tercer Concilio no mencionan la conmemoración indígena de los muertos explícitamente, las instrucciones complementarias se refieren a las costumbres de Todos los Santos. Además de las ofrendas puestas en el día del entierro, la *Instrucción contra las ceremonias* trata de los aniversarios, la visita de las almas y las ofrendas secretas:

> Creen también que las ánimas de los difuntos andan vagas y solitarias por este mundo padeciendo hambre, sed, frío, calor y cansancio; y que las cabezas de los difuntos, o sus fantasmas andan visitando los parientes, u otras personas, en señal que han de morir [...]. Por este respeto de creer que las ánimas tienen hambre, o sed u otros trabajos, ofrecen en las sepulturas chicha y cosas de comer y

---

[71] CL-II (1567-68: const. 106 [indios], 254). Cf. Duviols (1977: 128).

[72] Cf. CS Quito (1570: p. 355), CS Lima (1613/1636: 1613, p. 144), CS Cusco (1591/1601: 1601, p. 68), CS Guamanga (1629: pp. 30-31), CS Arequipa (1684: pp. 77-78). CS Trujillo ([1623]: fol. 21r) habla de curas "encerrando en la Yglesia los Yndios" hasta que se les dieren las oblaciones.

[73] CL-II (1567-68: const. 52 [Españoles], 230-231).

[74] CS Lima (1582-1606: 1602, p. 204): "Las oblaciones de los difuntos no sean fingidas y supuestas". Cf. CS Lima 1613/1636: 1613, pp. 139-140, 1636, p. 275), CS Guamanga (1629: p. 77), CS Guamanga ([1677]: fol. 96v).

[75] Cf. CS Lima (1613-1636: 1613, p. 145), CS Trujillo ([1623]: fol. 21v), CS Guamanga (1629: p. 81), CS Arequipa (1684: pp. 78-81), CS La Paz (1638: pp. 21-22).

guisados, plata, ropa, lana y otras cosas para que aprovechen a los difuntos; y para esto tienen tan especial cuidado de hacer sus aniversarios. Y las mismas ofrendas que hacen en las iglesias a uso de cristianos, las enderezan munchos indios e indias en sus intenciones a lo que usaron sus antepasados (Durán 1982a: 450).

La memoria de los difuntos constituye el último aspecto de nuestro recorrido por las costumbres funerarias. Además de la perspectiva ritual, en las constituciones canónicas peruanas y más aún en las obras pastorales del Tercer Concilio se refleja la preocupación por la instrucción tanatológica de los indígenas. En vez de discutir exhaustivamente la muerte y el más allá, el último capítulo elige un asunto central: la 'invención' del purgatorio para los indígenas.

LA 'INVENCIÓN' DEL PURGATORIO EN LA CATEQUESIS TANATOLÓGICA

Para la enseñanza de los principios básicos del dogma cristiano a los indígenas, las actitudes acerca de la muerte y la topografía del más allá resultaron ser esenciales. La *Instrucción* de Loayza, los concilios limenses y, mucho menos, los sínodos trataron de fomentar una educación tanatológica católica. En ella se pueden apreciar los siguientes temas repetidos una y otra vez: el dualismo cuerpo y alma, las concepciones del más allá, la escatología y el concepto del pecado. Todos estos aspectos se encuentran ya en el núcleo de futuras obras de catequesis:

> en la doctrina [...] haciéndoles entender cómo con la muerte las almas se apartan de los cuerpos y, de los que han sido buenos cristianos, van sus almas a la gloria donde no tienen hambre ni sed sino verdadero y eterno descanso y hartura, viendo y gozando de Dios; y, las almas de los que han sido malos van al infierno, declarándoles algo de las penas que allí tienen y para siempre han de padecer y, que los cuerpos como claramente conocen y ven, se corrompen y terminan en tierra y polvo (Loayza 1549: 147).

Hasta el Tercer Concilio Limense, la topografía de la eternidad presentada a los indígenas era dualista: consistió solamente en cielo e infierno. Es evidente la falta de un tercer lugar.[76] El Concilio de Trento había fomentado las creen-

---

[76] CL-I (1551-52: const. 38 [Naturales], 29). Sobre lo siguiente, Estenssoro Fuchs (2003: 64-71, 563-581).

cias en el purgatorio. A pesar de la aplicación de las normas tridentinas en el Segundo Concilio, tampoco en 1567-1568 se encuentra el purgatorio en las constituciones para indios.[77] Aunque la 'invención' del purgatorio para los indígenas se debe al Tercer Concilio, no se menciona en sus constituciones sino en los textos pastorales complementarios.

Sólo al final del catecismo mayor aparece el tercer lugar por vez primera.[78] A través de dos "ayudas a bien morir" o exhortaciones un indígena moribundo iba a obtener la salvación en la última hora de su vida. La exhortación breve termina con una oración para que Dios lleve el ánima al "lugar de descanso".[79] En la exhortación más larga se especifica aquella concepción del más allá poniendo énfasis en el infierno sin hacer referencia al purgatorio. Es decir, estos textos conservan la versión dualista del más allá que el catecismo mayor ya había superado.

Entre los poco numerosos textos catequéticos sobre el tercer lugar, destaca el sermón XXX sobre los novísimos, es decir, las cuatro últimas situaciones del hombre (muerte, juicio, infierno y gloria). Explica que bastan "algunos peccados chiquitos que llamamos veniales" para pasar al purgatorio, donde el ánima está en pena "hasta salir purgada y limpia de todas sus culpas". El autor lo compara con un horno de minero (*guayra*). Después aclara cómo los vivos pueden socorrer a estas ánimas con "oraciones y limosnas y buenas obras, y sobre todo con las missas que dizen por ellas". Otro sufragio consiste en "offrecer limosnas [...] de trigo, o carneros o cera, o otras cosas. No porque desto coma el anima del diffunto, no digays, ni ymagineys tal, que es gran necedad, y desatino pensar tal cosa" (*Doctrina Christiana* 1584-1585: 740-747).

Solamente los sínodos posteriores al Tercer Concilio Limense propagan sufragios oficiales por las almas indígenas del purgatorio: "Los curas de indios tendrán particular cuidado en que los muchachos de la doctrina anden de noche rezando por las ánimas del Purgatorio por las calles en voz alta, para que todos lo oigan".[80] Otra medida era el fomento de cofradías de indios.

---

[77] Sin embargo, el mismo concilio mandó para la población española que se diga "misa de requiem por las ánimas de purgatorio", CL-II (1567-68: const. 70 [Españoles], 233).

[78] *Doctrina Christiana* (1584-85: 153-154). Cf. el dibujo en Guamán Poma de Ayala (1615: II, 831 [893], en el apéndice).

[79] *Doctrina Christiana* (1584-85: 285-289, 290-303). Cf. Acosta (1588: II, pp. 244-247), Dedenbach-Salazar Sáenz/Meyer 2005.

[80] CS Lima (1582-1606, 1588: 119). Cf. CS Arequipa (1684: 77, 80), CS Guamanga (1629: 38-39), CS La Paz (1638: 59).

Sermón de un cura (Guamán Poma II, 609/651).

Estas congregaciones debían enseñar el concepto de la buena muerte y de la escatología a los indios.[81]

El último sermón, el XXXI, describe el juicio final, la condenación de los malos, la salvación de los buenos y la resurrección de los hombres en "su propia carne". Subraya la integridad y la identidad corporal de cada persona: "no le faltara vn poluito de la vña, ni del cabello [...] y de alli saldra todo el dia del juyzio. Assi que todos resucitaremos certissimamente aquel dia, con estos mismos cuerpos, y con estos ojos, y con estas manos, y con estos huessos" (*Doctrina Christiana* 1584-1585: 768). Este argumento central de la catequesis escatológica cristiana podría invitar a los oyentes a interpretaciones ambiguas: explícitamente menciona uñas y cabello que fueron considerados señas andinas de identidad.

Todos los sermones del *Tercero cathecismo* tratan de demostrar a su audiencia indígena la superioridad de la religión católica y la nulidad de la idolatría.[82] Es casi imposible conocer la recepción de los sermones en la audiencia indígena. Mas hay un dibujo de Guamán Poma de Ayala que muestra a un cura predicando mientras muchos indígenas están durmiendo.[83]

CONCLUSIONES

Solamente a mediados del siglo XVI la muerte andina como fenómeno religioso llamó la atención de los españoles. Los concilios y sínodos consultados para averiguar cómo los eclesiásticos percibieron este conjunto ritual se dividen en tres tipos de textos: constituciones normativas y, en el Tercer Concilio, además, complementos anti-idolátricos e instrumentos pastorales. Aunque su fin principal no fue producir etnografía sino controlar la religiosidad y denunciar abusos, estas fuentes han servido para reconstruir una imagen compleja de la muerte andina en tiempos coloniales. Las constituciones canónicas brindan informaciones en tres niveles: acerca de la percepción etnográfica, la prescripción católica y los conflictos coloniales.

---

[81] CS Cusco (1591-1601: 67-68) se queja de una "muchedumbre de cofradías".

[82] *Doctrina Christiana* (1584-85: 580, 548, 732). Cf. Estenssoro Fuchs (2003: 255-261).

[83] Cf. el dibujo de un cura predicador en Guamán Poma de Ayala (1615: II, 609 [651], en el apéndice), CS Quito (1570: 331) para reacciones parecidas entre los españoles: "nos consta que muchos cristianos no saben ni entienden la dicha doctrina cristiana".

Mes de noviembre (Guamán Poma I, 256/249).

Resumimos cómo la percepción de los ritos funerarios andinos y la cate-quesis tanatológica cambió entre la *Instrucción* de Loayza (1549) y el Tercer Concilio Limense (1582-1583). La *Instrucción* y el concilio de 1551-1552 son primeros sumarios de evangelización sistemática: subrayan la refutación de la idolatría. Las normas del Primer Concilio para naturales mencionan aspectos sueltos: ponen de relieve el culto a los muertos y la sustracción de difuntos, pero todavía faltan asuntos esenciales. En comparación con la esca-sez de descripciones etnográficas del Primer Concilio, el Segundo Concilio (1567-1568) contiene la base etnográfica para futuras asambleas y añade nuevas informaciones contra la idolatría. Al mismo tiempo, ofrece la posibili-dad de hacer un testamento y de recibir el viático y la extremaunción que antes habían sido negados a los indígenas. El Tercer Concilio (1584-1585) confirma el segundo. Añade complementos 'etnográficos' de cronistas como Polo de Ondegardo. Gracias a la actuación de Acosta, el Tercer Concilio subraya la necesidad de administrar los últimos sacramentos a indígenas penitentes. Este concilio, cuya composición ya no distingue entre indios y españoles como los anteriores concilios lo habían hecho, intensifica la ten-dencia integradora admitiendo los indígenas bautizados al purgatorio. Basa-dos en los concilios, los sínodos consultados muestran las peculiaridades regionales del tratamiento de la muerte.

La catequesis de la muerte se basó en la percepción de los ritos funerarios indígenas. En general, los documentos canónicos, especialmente a partir del Segundo Concilio, contienen descripciones tanatológicas adecuadas aunque no completas. Los autores de los concilios y sínodos tomaron como base una concepción rígida de unidades religiosas que se enfrentaron: la cristiana y la indígena, esta última compuesta por indios bautizados e infieles. Ya detalla-mos los intentos catequéticos de incorporar los indios bautizados a la iglesia. En la perspectiva eclesiástica, los curas debían estar atentos a que los "cristia-nos nuevos" no recaigan en los ritos paganos considerados idolátricos. Por eso las fuentes dictan normas de control, y múltiples restricciones de las cos-tumbres funerarias: desde el amortajamiento y velorio pasando por el lugar de entierro hasta la memoria del difunto.

A pesar de la descripción correcta y rigurosa de los ritos celebrados en pre-sencia de los cuerpos muertos, también se muestran algunas fronteras borro-sas en los perfiles de la muerte andina. En comparación con las crónicas, observamos en los concilios y sínodos algunas lagunas que se refieren a fun-ciones y términos (quechuas) de ritos o conceptos (alma, más allá, cosmolo-

Ánima en el purgatorio (Guamán Poma II, 831/893).

gía). En general, los ritos funerarios 'públicos' se controlaron más fácilmente que el imaginario. Algunas advertencias como la vigilancia de iglesias y cementerios contra la sustracción de cadáveres se repetían a menudo en la legislación hasta convertirse en un tópico sinodal como se desprende del epígrafe. Aunque los eclesiásticos pensaron haber logrado su tarea evangelizadora a fines del siglo XVI, el rebrote de idolatrías a partir de 1609 en el arzobispado de Lima representa una cesura. En algunos pueblos andinos continuaron la práctica funeraria andina y celebraciones con cadáveres momificados hasta fines del siglo XVIII. En este sentido no se consiguió el control prescrito.

Pero en la vida cotidiana de las ciudades la gran mayoría indígena, tanto las élites como los indios del común, aceptaba los nuevos ritos de la muerte: desde hacer el testamento hasta los entierros y las sepulturas. Para este ámbito, concilios y sínodos incluyeron normas contra los abusos cometidos por curas y otros españoles: enriquecerse de testamentos, no administrar los sacramentos, cobrar demasiado por entierros y luchar por los cuerpos indígenas. También en las ciudades los aspectos mentales fueron menos controlables: los conceptos del más allá y las creencias. Los ritos que reflejan la relación entre vivos y muertos son mencionados en las fuentes eclesiásticas pero sus descripciones son poco nítidas. Aunque las supuestas funciones de la conmemoración y de las ofrendas fueron distintas en los sistemas andino y católico –alimentos para los cuerpos difuntos *versus* sufragios para las ánimas del purgatorio– hubo analogías y similitudes que permitieron una superposición de creencias (por ejemplo la coincidencia en cuanto a la fecha en noviembre, la reciprocidad y la interdependencia de vivos y muertos). En la perspectiva de los eclesiásticos contemporáneos estos paralelismos no siempre eran evidentes.

Los ritos mortuorios indígenas oscilan entre dos puntos extremos: la apropiación del nuevo modelo católico y su incumplimiento. Resulta que el tratamiento canónico de los ritos funerarios indígenas no refleja solamente idolatría y resistencia. También indica caminos posibles para integrar la población indígena en las prácticas católicas, aunque no en todas (como el sacerdocio). Los indígenas no eran víctimas pasivas sino que tomaron parte activa en la nueva vida religiosa: rechazando, aceptando o reinterpretando las nuevas prácticas y creencias cristianas.[84] Para investigar la historia cultural y social de

---

[84] Cf. Decoster (2002), Estenssoro Fuchs (2003).

estas interacciones en el ámbito local, los resultados de la catequesis y las actitudes indígenas frente a la muerte en ciudades y doctrinas habría que ir más allá de la letra de la legislación canónica.

ABREVIATURAS

CL   Concilio Limense
CS   Constituciones Sinodales

BIBLIOGRAFÍA

ACOSTA, José de SJ (1984-1987 [1588]): *De Procuranda Indorum Salute*. 2 vols., editado por Luciano Pereña *et al*. Madrid: CSIC.

ÁLVAREZ, Bartolomé (1998 [1588]): *De las costumbres y conversión de los indios del Perú. Memorial a Felipe II*, editado por María del Carmen Martín Rubio/Juan J. R. Villarías Robles/Fermín del Pino Díaz. Madrid: Ediciones Polifemo.

ARRIAGA, Pablo Joseph de, SJ (1999 [1621]): *La Extirpación de la Idolatría en el Pirú*, edición, estudio preliminar y notas de Henrique Urbano. Cuzco: Centro de Estudios Regionales Andinos Bartolomé de las Casas.

ÁVILA, Francisco de (1967 [ca. 1598]: *Tratado y relación de los errores, falsos Dioses y otras supersticiones y ritos diabolicos [...] de las Prouincias de Huaracheri, Mama y Chaclla [...] [Anónimo de Huarochirí]*, edición de Hermann Trimborn/Antie Kelm. Berlin: Mann.

CL-I [1551-1552]. *Primer concilio de Lima*, en Vargas Ugarte 1951, vol. I, pp. 3-93.

CL-II [1567-1568]. *Segundo concilio de Lima*, en Vargas Ugarte 1951, vol. I, pp. 95-257.

CL-III [1582-1583]. *Tercer concilio de Lima*, en Lisi 1990, pp. 103-227.

CS AREQUIPA 1638. *Constituciones synodales del Obispado de Arequipa*, [...] por [...] Pedro de Villagómez, obispo. BNE Mss. América 723 [108 fols.].

CS AREQUIPA 1684. Antonio de León [obispo]. *Constituciones synodales del obispado de Arequipa*. CIDOC Fuentes nº. 12, Cuernavaca/México: CIDOC 1971, editado por Julio Torres.

CS CHARCAS [1629] 1964. "El Concilio Provincial de Charcas de 1692 [1629]", en *Missionalia Hispanica* 21, pp. 79-130, editado por Bartolomé Velasco, O. Carm.

CS CUSCO 1591-1601. "Sínodos diocesanos del Cusco, 1591 y 1601", en *Cuadernos para la Historia de la Evangelización en América Latina* [Quito/Cuzco] 2 (1987), pp. 31-72, editado por Juan Bautista Lassègue-Moleres.

CS GUAMANGA 1629. Francisco Verdugo [obispo]. *Constituciones synodales deste obispado de Guamanga*. CIDOC Fuentes nº. 8, Cuernavaca/México: CIDOC 1970, editado por Julio Torres.

CS GUAMANGA [1677]. *Constituciones synodales de el Obispado de la Ciudad de Guamanga, celebrado en concilio diocesano por [...] D. Christoval de Castilla y Zamorra en le mes de junio de 1672*, Lima: Gerónimo de Contreras. BNP Libros, mss. c 250.88/C29 [158 fols.].

CS LA PAZ 1638. Feliciano de Vega [obispo]. *Constituciones sinodales del obispado de Nuestra Señora de La Paz del Perú*, 1638. CIDOC Fuentes nº. 9, Cuernavaca/México: CIDOC 1970, editado por Julio Torres.

CS LIMA 1582-1606. *Sínodos diocesanos de Santo Toribio*. CIDOC Fuentes nº. 1. Serie segunda: *Sínodos diocesanos*, Cuernavaca/México: CIDOC 1970, editado por Julio Torres.

CS LIMA 1613-1636. Bartolomé Lobo Guerrero/Fernando Arías de Ugarte [arzobispos]. *Sínodos de Lima de 1613 y 1636*. Madrid/Salamanca: CSIC 1987; reproducción de la tercera edición [Lima 1754], edición y estudio preliminar por José María Soto Rábanos.

CS QUITO [1570] 1968. "Primer concilio [sínodo] de Quito (1570)", en *Missionalia Hispanica* 25/75, pp. 319-368, editado por Francisco Mateos.

CS QUITO/LOJA 1594-1596. Fray Luis López de Solis, OSA. *Sínodos de Quito 1594 y Loja 1596*. Madrid: Editorial Revista Agustiniana 1996; edición crítica por Fernando Campo del Pozo/Félix Carmona Moreno, prólogo de Rafael Lazcano González.

CS TRUJILLO [1623]. *Constituciones synodales del obispado de Truxillo del Piru hechas por [...] Don Carlos Marcelo Corne, obispo*, AGI Audiencia de Lima, legajo 307 [26 fols.].

DOCTRINA CHRISTIANA 1584-1585. *Doctrina christiana y catecismo para instrucción de indios*. Ciudad de los Reyes: por Antonio Ricardo. [Facsímil del texto trilingüe, Madrid: CSIC 1985, editado por Luciano Pereña.]

DUVIOLS, Pierre (ed.) (2003): *Procesos y visitas de idolatrías. Cajatambo, siglo XVII*. Lima: Pontificia Universidad Católica del Perú/IFEA.

FELIPE II [1597]. *Carta de Felipe II al arzobispo de Los Reyes* [20 de septiembre de 1597]. AGI, Audiencia de Lima, legajo 570 (año 1597), nº. 16, fols. 4v-5r.

GUAMÁN POMA DE AYALA, Felipe (1987 [1615]): *Nueva crónica y buen gobierno*. 3 vols., editado por John V. Murra/Rolena Adorno/Jorge L. Urioste. Madrid: Historia 16.

JESUITA ANÓNIMO (1992 [1590-1594]): *Relación de las costumbres antiguas de los naturales del Pirú*, en Henrique Urbano/Ana Sánchez (eds.), *Antigüedades del Perú*. Madrid: Historia 16, pp. 7-122.

LOAYZA, Jerónimo de, OP (1952 [1549]): "Instrucción de la orden que se a de tener en la Doctrina de los naturales", en Vargas Ugarte 1952, vol. II, pp. 139-148.

POLO DE ONDEGARDO, Juan (1982a [1559]): "Los errores y supersticiones de los indios sacadas del tratado y averiguación que hizo el licenciado Polo" [Complemento pastoral del confesionario, tercer concilio de Lima], en Durán 1982a, pp. 459-478.

SEPULTURA LÍMITE [1675]. Archivo Departamental del Cuzco, Corregimiento, Causas ordinarias, Provincias, legajo 65, año 1675 [4 fols.].

TOLEDO, Francisco de (1929 [1569-1581]): *Ordenanzas de Don Francisco de Toledo, virrey del Perú*, editado por Robert Levillier. Madrid: Imprenta de Juan Pueyo.

VARGAS UGARTE, Rubén, SJ (ed.) (1951-1954): *Concilios limenses (1551-1772)*, 3 vols. Lima: Editorial Peruana.

Estudios

APARICIO, Severo, O. de M. (1972): "Influjo de Trento en los Concilios limenses", en *Missionalia Hispanica* 39/86, pp. 215-239.

ARANÍBAR, Carlos (1969-1970): "Notas sobre la necropompa entre los Incas", en *Revista del Museo Nacional de Lima* 36, pp. 108-142.

ARMAS MEDINA, Fernando de (1953): *Cristianización del Perú (1532-1600)*. Sevilla: Escuela de Estudios Hispano-Americanos.

BARRIGA CALLE, Irma (1992): "La experiencia de la muerte en Lima, siglo XVII", en *Apuntes* [Lima] 31, pp. 81-102.

DANWERTH, Otto (2001): "El papel indígena en la huaquería andina (siglos XVI y XVII)", en Thomas Krüggeler/Ulrich Mücke (eds.), *Muchas Hispanoaméricas. Antropología, historia y enfoques culturales en los estudios latinoamericanistas.* Madrid/Frankfurt a. M.: Iberoamericana/Vervuert, pp. 87-104.

— (2002): "Todos Santos en los Andes – Allerheiligen und Allerseelen im andinen Hochland", en Wulf Köpke/Bernd Schmelz (eds.), *Fiesta Latina. Lateinamerikanische Feste und Festbräuche.* Hamburg: Museum für Völkerkunde Hamburg, pp. 233-277.

DECOSTER, Jean-Jacques (ed.) (2002): *Incas e indios cristianos. Elites indígenas e identidades cristianas en los Andes coloniales.* Cuzco: Centro de Estudios Regionales Andinos Bartolomé de las Casas/IFEA.

DEDENBACH-SALAZAR SÁENZ, Sabine/MEYER, Frederike (2005): "Die 'Ayuda a bien morir' der *Doctrina Christiana y Catecismo* (Lima 1585). Übersetzung, Analyse und Kontextualisierung eines kolonialzeitlichen spanischen und Quechua-Textes aus Peru", en *Anthropos* 100, pp. 473-493.

DOYLE, Mary Eileen (1988): "The ancestor cult and burial ritual in seventeenth and eighteenth century central Peru". Ph.D. dissertation. Los Angeles: California University Press.

DURÁN, Juan Guillermo (1982a): *El catecismo del III Concilio Provincial de Lima y sus complementos pastorales (1584-1585). Estudio preliminar, textos, notas.* Buenos Aires: El Derecho.

— (1982b): "La refutación de la idolatría incaica en el 'Sermonario' del III Concilio Provincial de Lima (1985). Primera parte", en *Teología* [Buenos Aires] 20/42, pp. 99-176.

— (1990): *Monumenta catechética hispanoamericana (siglos XVI-XVIII)*, vol. 2. Buenos Aires: UCA.

DUVIOLS, Pierre (1976): "La Capacocha. Mecanismo y función del sacrificio humano, su proyección geométrica, su papel en la política integracionista y en la economía redistributiva del Tawantinsuyu", en *Allpanchis* [Cuzco] 9, pp. 1-57.

— ([1971] 1977): *La destrucción de las religiones andinas (Conquista y colonia).* México: UNAM.

EIRE, Carlos M. N. (1995): *From Madrid to purgatory. The art and craft of dying in sixteenth-century Spain.* Cambridge: Cambridge University Press.

ESTENSSORO FUCHS, Juan Carlos (2003): *Del paganismo a la santidad. La incorporación de los indios del Perú al catolicismo, 1532-1750.* Lima: Instituto Francés de Estudios Andinos/Pontificia Universidad Católica del Perú.

GARCÍA Y GARCÍA, Antonio (1986): "La Reforma del Concilio Tercero de Lima", en Luciano Pereña (ed.), *Doctrina Cristiana y Catecismo para Instrucción de los Indios. Parte 1: Del Genocidio a la promoción del indio.* Madrid: CSIC, pp. 163-226.

— (1992): "Las asambleas jerárquicas", en Pedro Borges (ed.), *Historia de la Iglesia en Hispanoamérica y Filipinas (siglos XV–XIX). Vol. 1: Aspectos generales.* Madrid: Biblioteca de Autores Cristianos, pp. 175-192.

GOSE, Peter (2003): "Converting the ancestors. Indirect rule, settlement consolidation, and the struggle over burial in colonial Peru, 1532-1614", en Kenneth Mills/Anthony Grafton (eds.), *Conversion: old worlds and new.* Rochester: Rochester University Press, pp. 140-174.

GRIFFITHS, Nicholas (1996): *The Cross and the serpent: Religious repression and resurgence in colonial Peru.* Norman: Oklahoma University Press.

KAULICKE, Peter (1998): "La muerte del Inca. Aproximaciones a los ritos funerarios y la escatología inca", en *Actas del IV Congreso Internacional de Etnohistoria.* Lima: Pontificia Universidad Católica del Perú, vol. 3, pp. 134-171.

LISI, Francesco Leonardo (1990): *El Tercer Concilio Limense y la aculturación de los indígenas sudamericanos.* Estudio crítico con edición, traducción y comentario de las actas del concilio provincial celebrado en Lima entre 1582 y 1583. Salamanca: Universidad de Salamanca.

MACCORMACK, Sabine (1991): *Religion in the Andes. Vision and imagination in early colonial Peru.* Princeton: Princeton University Press.

MARTÍNEZ DE CODES, Rosa María (1990): "La reglamentación sobre idolatría en la legislación conciliar limense del siglo XVI", en Josep-Ignasi Saranyana *et al.* (eds.),

Evangelización y teología en América (siglo XVI). Pamplona: EUNSA, vol. I, pp. 523-540.

MARTÍNEZ GIL, Fernando (1993): *Muerte y sociedad en la España de los Austrias.* Madrid: Siglo XXI.

MARTINI, Mónica Patricia (1995): "La legislación canónica y real en torno a los indios y la muerte en Hispanoamérica colonial", en *Memoria del X Congreso del Instituto Internacional de Historia del Derecho Indiano*. México: UNAM, vol. 2, pp. 919-948.

MILLS, Kenneth (1997): *Idolatry and its enemies. Colonial Andean religion and extirpation, 1640-1750*. Princeton: Princeton University Press.

NEGRO, Sandra (1996): "La persistencia de la visión andina de la muerte en el virreinato del Perú", en *Anthropologica* [Lima] 14, pp. 121-141.

PIETSCHMANN, Horst (1984): "Die Kirche in Hispanoamerika. Eine Einführung", en Willi Henkel (ed.), *Die Konzilien in Lateinamerika*, Teil 1: *Mexiko 1555-1897*. Paderborn: Schöningh, pp. 1-48.

RAMOS, Gabriela (2005): "Funerales de autoridades indígenas en el virreinato peruano", en *Revista de Indias* [Sevilla], vol. LXV, nº. 234, pp. 455-470.

SALOMON, Frank (1995): "'The Beautiful grandparents'. Andean ancestor shrines and mortuary ritual as seen through colonial records", en Tom D. Dillehay (ed.), *Tombs for the living: Andean mortuary practices. A symposium at Dumberton Oaks.* Washington DC: Dumbarton Oaks Research Library and Collection, pp. 315-353.

SARANYANA, Josep-Ignasi (ed.) (1999): *Teología en América latina. Desde los orígenes a la Guerra de Sucesión (1493-1715)*. Vol. 1. Madrid/Frankfurt a.M.: Iberoamericana/Vervuert.

SPECKER, Johann, SMB (1953): *Die Missionsmethode in Spanisch-Amerika im 16. Jahrhundert. Mit besonderer Berücksichtigung der Konzilien und Synoden.* Schöneck-Beckenried: Administration der Neuen Zeitschrift für Missionswissenschaft.

TINEO, Primitivo (1990): *Los concilios limenses en la evangelización latinoamericana.* Pamplona: EUNSA.

Catecismos pictóricos, ¿imágenes o textos? Comparando el manuscrito Egerton con la escuela de Pedro de Gante*

Roland Schmidt-Riese (Eichstatt)
Gabriele Wimböck (Múnich)

Aproximación

Si el mundo es un texto que leemos, *a fortiori* las imágenes también lo son. Entonces, las imágenes son textos y la pregunta que hacemos en el título no tiene sentido alguno, porque entonces el fenómeno lingüístico desaparece. Proponemos en cambio un concepto de texto que incluye el principio de linealidad, no sólo contigüidades. Recurrir a las contigüidades en cualquier orden equivale a un proceso asociativo que establece una sucesión. Pero las asociaciones no vienen al caso, porque son realidades cognitivas. Estamos hablando, en cambio, de escritura y de imágenes, es decir, de realidades externas al sistema cognitivo: constituidas por intervención de una mano en materiales ajenas a ella.[1]

La linealidad es la figura más abstracta del tiempo, y el tiempo es la condición del lenguaje. El lenguaje no es la única técnica semiótica humana, ni siquiera es necesariamente la más antigua. Pero sí ocurre en el tiempo. Poner el lenguaje por escrito, representarlo por medios gráficos quita lo inexorable de la linealidad, pero no la linealidad en sí. Permite revisarla. Pero esto únicamente en el sentido de facilitar el volver a recorrerla desde más arriba, aunque no en sentido opuesto.

La noción de texto con la que trabajamos vincula texto con lenguaje. La semiosis humana no se agota en el lenguaje, como queda dicho. Además, el lenguaje y las representaciones gráficas se relacionan de distintas formas, sometidas al desarrollo histórico. Es decir, históricamente unas técnicas

---

* Agradecemos los comentarios y sugerencias por parte de Rosa H. Yáñez Rosales, Lucía Rodríguez y Wulf Oesterreicher, así como las observaciones de Vera Herten, estudiante de un seminario que llevamos a cabo en 2004/2005.

[1] Desde hace poco tiempo, las máquinas producen textos a partir de voces, pero no imágenes.

semióticas se vuelven otras, por lo cual no es fácil decidir de antemano si una técnica dada, a todas luces semiótica, encierra o no el lenguaje.

Koch (1997) distinguió con acierto dos áreas de la semiosis humana que llamó *graphé* y *phoné*.[2] Es *phoné* toda comunicación humana realizada por medios del sistema fonador, principal pero no exclusivamente el lenguaje. Es *graphé* toda comunicación humana realizada por la actuación sobre materiales externos, ejecutada con la mano. En perspectiva filogenética, la *graphé* debió ser la técnica más antigua.[3] *Graphé* y *phoné* se aproximan luego en la medida de su desarrollo. Se han fusionado en los tipos de escritura que nos son más familiares, las que representan la vertiente fónica del lenguaje. Pero la aproximación es paulatina. La escritura fónica nos da la evidencia, pero requiere una superposición anterior de *graphé* y lenguaje. La *graphé* debe organizarse en sentido lineal, hacerse compañera del lenguaje con anterioridad.

Aristóteles no tuvo toda la razón al considerar la escritura alfabética la representación de una representación, es decir, que la escritura representa la *phoné* que a su vez representa las ideas. Y no tuvo toda la razón porque, de entrada, la *graphé* representa las ideas de manera inmediata. En un inicio, prescinde de la mediación del lenguaje. Más tarde puede admitirla, pero puede igualmente volver a superarla. Pasar de la *scriptio continua* a la *discontinua* hacia 1200 supuso facilitar la lectura, pero alejarse de la *phoné* (Raible 1997). Porque la *phoné* es continua. Las palabras escritas se reconocen desde entonces por sus contornos gráficos, y sólo parcial y excepcionalmente por la representación fónica correspondiente a cada letra. Las técnicas de información gráfica que pasan por avanzadas en la actualidad prescinden de la *phoné*. La *graphé* puede dejar de ser fónica.

Entonces no está nada claro que un conjunto gráfico, un catecismo pictórico deje de ser un texto. Pero, por desdicha, el criterio que proponemos, el de la linealidad, no se aplica tan fácilmente. La lectura puede estar más o menos claramente orientada, la representación puede o no ser exhaustiva, puede o no suspender la progresión. Por ello, es necesario detectar otros indicios que puedan acercar la *graphé* al lenguaje: ¿las relaciones se representan

---

[2] Mantenemos las grafías extrañas al español por señalar que se trata de grecismos recién formados. Koch apunta en un inicio γραφή y φωνή.

[3] Haarmann (1996: 220) aduce grabados en un cráneo de oso de cerca de 430.000 años atrás, obra del *homo erectus*. Aún falta para el *homo sapiens* (arcaico, *neanderthalensis*), quien ya pudo poseer el lenguaje, y más para el *sapiens sapiens*, nuestra propia especie, que lo posee.

por la disposición de los argumentos o por grafemas propios? ¿Cómo se representa el tiempo? ¿Las posiciones relativas coinciden o no con la sintaxis de la lengua que supuestamente subyace? ¿Hay procedimientos de puntuación? ¿Se aprovechan metáforas convencionales, incluso homofonías?

El catecismo es una clase textual que incluye en sí textos anteriores. Las oraciones canónicas y, más que ellas, el credo, son textos que difícilmente sufren variación. El Padre Nuestro es un texto bíblico, el Ave María lo es en su primera parte. Lo que el catecismo pretende representar, tanto el pictórico como cualquier otro, son textos dados. Por el contrario, no está decidido de antemano en qué lengua representa los textos, esto es, considerando la actuación de las órdenes mendicantes en México, en castellano, náhuatl o latín. Los textos se traducen de una lengua a otra sin dejar de ser textos ni dejar de ser los *mismos* textos.

El catecismo no es una colección de relatos que se cuentan de diversas maneras. Por otro lado, en las primeras décadas de la catequesis mexicana, los textos litúrgicos aún no están definidos en detalle. La incipiente traducción del latín para otras lenguas ensancha esta variación, la representación por medios pictóricos la ensancha aún más. Ambos dominios de variación deberían cerrarse con el Concilio de Trento (1545-1563).[4] La situación preconciliar fue condición idónea para su elaboración. Después del Concilio, ¿cómo seguir llevando a cabo la catequesis prescindiendo de traducciones y de material pictórico a la vez?

Los catecismos pictóricos representan textos, pero ¿es que constituyen textos? No necesariamente.[5] La pregunta del título parece posible porque los

---

[4] No es que el Concilio de Trento se posicionara en contra del empleo de imágenes en la instrucción religiosa, todo lo contrario. Lo específico del material bajo estudio sin embargo es que intente representar textos, no episodios. Así, se opone a representaciones del infierno, de la Navidad, en suma a los materiales pictóricos producidos y empleados en la misma época en Europa. Ya Aubin (1849) distinguió claramente entre la pintura religiosa que apoyaba la predicación y los catecismos pictóricos, de finalidad mnemónica (Glass 1975: 284).

[5] Glass (1975: 288-295) documenta 35 catecismos pictóricos. Normann (1985: 24-30) añade siete, son 42 en total. Los distribuye esta autora en cinco conjuntos estilísticos, quedando seis ejemplares aislados. Se trata invariablemente de copias posteriores. Normann discute en primer lugar el 'grupo Gante', en segundo lugar el 'grupo Egerton'. Evitamos la designación de los catecismos pictóricos por 'testerianos'. Es Gerónimo de Mendieta quien atribuía en su *Historia ecclesiástica* (1596) la primera iniciativa hacia tal proceder a Jacobo de Testera, franciscano procedente de Bayona, Francia, que llegó a México en 1529. Esta atribución carece,

códices prehispánicos tampoco constituyeron textos y porque los catecismos recurren a las técnicas prehispánicas en una medida que queda por definir. Numerosos autores coinciden en concluir que los códices probablemente no se leían.[6] Apoyaban la memorización de textos, eso sí, pero no la sustituían. La actualización del texto no se improvisaba a partir del material gráfico, sino que se operaba a partir de la memoria individual del intérprete, dotada del texto por transmisión oral. Los códices se emplearon, según los autores que citamos, en sentido de una semiosis autónoma, llegando a formar junto con la recitación del texto memorizado una evidencia múltiple.

Sería válido esto para los códices de contenido mítico e histórico, esto es, de contenido narrativo. En escrituras de índole administrativa, jurídica, geográfica, política o astronómica es más probable que la actualización oral de los contenidos se improvisara, con base en técnicas retóricas tradicionales, por parte de especialistas formados para captar las informaciones pictóricas y que las actualizaban según requería la circunstancia. En ambos ámbitos los códices suministraban evidencias.[7] De un modo similar, los catecismos pictóricos son *graphé* aproximada a la *phoné*, imágenes aproximadas a los textos que representan. Las técnicas representativas empleadas sin embargo son disímiles y sospechamos que corresponden a entornos comunicativos y culturales diferentes. ¿Cuál de los dos pictóricos estudiados es anterior? En contra de lo que se sostiene, sospechamos que es anterior el manuscrito Egerton.[8] Daremos las razones al final.

---

sin embargo, de toda evidencia histórica (Glass 1975: 284, Cortés Castellanos [*en adelante abreviado en* CC] 1987: 59).

[6] Cf. sobre esta cuestión Scharlau (1985: 32), Boone (1994: 54; 1998: 192), Johansson K. (2004: 125, 145).

[7] Boone (1998: 151-153) distingue un tercer ámbito, el propiamente religioso (litúrgico, de preceptos y sabiduría), ligado muchas veces al sistema calendárico, como también lo estaban los relatos históricos y almanaques, 'libros de los días' los primeros, 'de los años' los últimos. Lo importante para nuestro propósito es que el material pictórico pudo relacionarse con el texto fónico en modo distinto, siguiendo los géneros.

[8] La antigüedad del catecismo de Gante es insinuada por la nota que lleva antepuesta el ejemplar de la BNE, en mano y al estilo del siglo XVIII: "Este librito es de figuras con que los Missioneros enseñaban a los indios la Doctrina a el principio de la conquista de Indias". Navarro (1970: 33) cree "no aventurado [...] establecer como cronología del librito [...] los años 1525 a 1528". Durán (1984: 115) concuerda asegurando que "debió pintarse" en estas fechas. Cortés Castellanos (1987: 77), tras constatar que "ni antes de 1523 ni después de 1572" (años de la llegada de Gante a México y de su muerte), sugiere que se realizara "probablemente en el

El contexto histórico de los catecismos es la evangelización franciscana y dominica en México. El primer proyecto que lanzaron los franciscanos, luego de 1523, fue la instrucción de la nobleza texcocana. Se dedicaron a instruir a jóvenes y, paralelamente, a su propio aprendizaje del náhuatl. Con decisión y éxito variables, los franciscanos luchan por aprender la lengua. Aun así, quienes la hablan con fluidez constituyen una estrecha minoría. Trabajar con jóvenes bilingües que sirvieran de intérpretes siguió siendo la regla a lo largo del siglo XVI.

Con todo, no es cierto que los mendicantes optaran por catecismos pictóricos porque no hablaban la lengua.[9] Por un lado, no hay evidencias de que aprendieran a dominar las técnicas pictóricas nahuas antes que las técnicas lingüísticas nahuas. Como muy tarde en 1531, la orden franciscana ya tiene preparado un arte gramatical.[10] Por otro lado, un catecismo pictórico que nadie sepa explicar no sirve para transmitir ni memorizar nada. Hacía falta que alguien hablara. En una frontera cultural, la imagen no es evidente. A diferencia de la población de Castilla, los nahuas difícilmente atribuían sentido alguno a las imágenes cristianas sin explicación. Otra cosa es que los frailes (i) se dieran cuenta de la trascendencia de la imagen en la cultura autóctona, (ii) que dispusieran de un concepto de la imagen como medio de enseñanza y de memoria y (iii) que procuraran aprovechar ambas cosas. Esto sin garantías de que entendieran correctamente las dimensiones y las técnicas de la imagen nahua, ni de que los nahuas llegasen a entender la imagen cristiana.[11]

---

período comprendido entre 1527 y 1529", en fecha posterior al traslado de los tres flamencos a la Ciudad de México, a principios de 1527. Normann (1985: 128) presume que el catecismo "was invented shortly after the conquest of Mexico Tenochtitlan". En otro lugar (1985: 67), al contrario mantiene: "I suggest that the Gante catechismo was drawn sometime prior to 1572 [...]". Entendemos que menos de 45 años antes.

[9] Cf. Navarro (1970: 33), citado por Normann (1985: 66), Durán (1984: 73), Cortés Castellanos (1987: 60).

[10] Cf. sobre este arte Morales (1993), sobre el aprendizaje franciscano Whittaker (1988), Nagel Bielicke (1994).

[11] Lockhart (1999: 99) sostiene en una perspectiva general: "At the heart of cultural interaction was a process I call Double Mistaken Identity, in which each side of the cultural exchange presumes that a given form or concept is functioning in the way familiar within its own tradition and is *unaware of* or *unimpressed by* the other side's interpretation" (énfasis nuestro). Insistimos en los dos posibles motivos de tener por idénticas manifestaciones culturales que no lo son: no darse cuenta de o no atribuir importancia a las interpretaciones ajenas.

MANUSCRITO EGERTON

El manuscrito Egerton se conserva en el Museo Británico, Londres. Consta de 30 folios, de papel de tipo europeo y de un tamaño de 22,5 por 16,5 centímetros. Lleva fecha de 1714 y la firma de Lucas Mateo, al parecer el copista. Normann (1985) afirma que es copia de un original anterior, y que es copia excelente.[12] ¿Cuánto de anterior habrá sido el original? Supone la autora que por lo menos 150 años, estimación que nos lleva a 1564, cuando no a una fecha más temprana.[13] Normann constata en Egerton una incidencia de técnicas precoloniales en una medida superior a la de cualquier otro catecismo pictórico, observación que la lleva a suponer que el dibujante del original debió adquirir sus conocimientos aun en época precolonial.[14]

Verso y recto de hojas subsiguientes se aprovechan como una sola página. Queda repartido este espacio por tres rayas horizontales en cuatro renglones, poblados cada uno por siete u ocho figuras, individuales o agrupadas, de orientación izquierda-derecha. Las figuras se crean por contornos de tinta negra, coloreados según la tradición nahua (Castedo 1988: 52). Dominan el rojo y el azul, con menor incidencia de blanco, dorado, verde y morado. El blanco se realiza por ausencia de color. Normann (1985: 132, 164) estima que el original se debe a la orden dominica, observando que los frailes pintados llevan hábitos blancos. Si esto es así, los destinatarios originales ni siquiera habrían sido necesariamente nahuas. Donde más trabajaron los dominicos fue en Oaxaca, con zapotecas y mixtecas. Apuesta en favor de la hipótesis dominica también la implícita crítica del régimen colonial presente en el manuscrito Egerton.

En los espacios que separan las figuras se halla texto alfabético, en lengua náhuatl. Normann sospecha que el original pudo no contener esta notación

---

[12] "The Egerton manuscript is a fairly accurate reproduction of its original, iconographically, stylistically, and in content" (Normann [en adelante abreviado en N] 1985: 162). Es copia en razón de una laguna que no puede ser original (N 1985: 160). En el Archivo Histórico del INAH, México DF, hay dos copias de Egerton, llamadas Papeles de Chimalpopoca y Doctrina cristiana en geroglíficos (N 1985: 129).

[13] "The Egerton manuscript was completed in 1714, at least a century and a half after the original manuscript was probably drawn" (N 1985: 164).

[14] "This artist was probably trained as a tlaquilo prior to the conquest and continued his work under the Spanish friars. He was unusually adept with his pen and his paintbrush" (N 1985: 161-162).

paralela, algo imposible si los destinatarios ni siquiera eran hablantes del náhuatl.[15] Las notaciones alfabética y pictórica concurren en paralelo en los documentos de la época, pero no de forma tan desordenada. No se trata de dos notaciones de lo mismo. La notación alfabética acompaña a la pictórica, no la traduce. Hace constar por escrito un texto fónico, tal y como los textos fónicos se producían con ocasión de la consulta de los códices en tiempos prehispánicos. Si hubiera divergencias, nada sorprenderían. En nivel metodológico, es irresponsable querer restablecer un texto fónico desde la notación pictórica (Balsameda 1989). Tanto si el texto alfabético fue agregado en 1714 como si fuera original, es improbable que se lo inventara quien elaboró el manuscrito. Las oraciones cristianas se transmitían, por vía oral y escrita, del mismo modo que los textos sagrados nahuas se transmitían, por vía oral, con independencia de las imágenes. Que el texto esté anotado en náhuatl no quita su estatus sagrado ni lo somete al albedrío individual.

El Ave María se encuentra en los fols. [2v-3r].[16] El glifo 1 representa una mujer, de perfil y en busto según la tradición mesoamericana, con aureola

---

[15] "Therefore, we assume that Lucas Mateo [quien confeccionó la copia y sacó un *Catecismo Hispano Mexicano*, el mismo año de 1714] had a working knowledge of Nahuatl, and that he wrote out the text of the prayers" (N 1985: 149). Compartiendo esta hipótesis y, sobre todo, juzgando la notación alfabética independiente de la pictórica por principio, desistimos de analizarlas en paralelo. Con todo, no deja de ser interesante comparar la glosa con versiones náhuatl del Ave María fechadas en el siglo XVI. Se desprende de varios detalles que debe de ser posterior, cf. notas 33, 39, 40, 41. El que Mateo la pusiera de su propia mano, al contrario, no nos dice nada sobre la antigüedad del texto: "The paleography of the written text matches his signature, indicating he both drew and glossed the manuscript" (N 1985: 149).

[16] El Ave María demuestra una historia textual compleja. Los primeros tres enunciados AVE MARIA, GRATIA PLENA. DOMINUS TECUM provienen del discurso que le dirige a María el arcángel Gabriel (Lk 1,28). AVE traduce χαιρε, literalmente 'alégrate'. MARIA es un añadido posterior, ajeno al texto primitivo. BENEDICTA TU IN MULIERIBUS ET BENEDICTUS FRUCTUS VENTRIS TUI, que sigue, viene de la alabanza que le dirige a María Isabel, madre de Juan Bautista (Lk 1,42). Estas dos secuencias constituyen el núcleo de la oración y constituyeron su texto completo, en muchas ocasiones, durante la Edad Media. Surge como un añadido JESUS CHRISTUS AMEN o JESUS AMEN hacia 1500, si bien cierta tradición lo atribuye a Urbano IV (1261-1264). El *Catecismus Romanus* (1566) no lo toma en cuenta. Este añadido refuerza la dimensión mística de la oración, instaurada ya por la inclusión del nombre MARIA. Una corriente popular debió elaborar como segunda parte SANCTA MARIA, MATER DEI, ORA PRO NOBIS PECCATORIBUS; otra, SANCTA MARIA, MATER DEI, ORA PRO NOBIS NUNC ET IN HORA MORTIS NOSTRAE. Ambas se encuentran también combinadas, desde 1514 en un breviario mercedario, desde 1525 en breviarios franciscanos, con NOSTRAE omitido, en 1568 en el *Bre-*

dorada, manto azul: MARIA.[17] El azul es reservado para MARIA, dentro del Ave. Como los demás personajes femeninos, tiene mejillas rojas. Se repite este glifo en las posiciones 3 y 7, 13 y 15. El glifo 2 es una mano levantada, roja, del lado de la palma. Se repite en las posiciones 16 y 22. Esta mano establece, en sentido de una casilla vacía, un interlocutor. Es, además, de tradición nahua y parece ser un *rebus*: /*maitl*/ 'mano' da por acronimia /ma/, proclítico optativo e imperativo.[18] Luego, lo que sigue sería un optativo o imperativo. El glifo 3 repite el 1, MARIA, transformada ya en interlocutor. De aquí en adelante MARÍA adquiere, las más de las veces, valor de segunda persona (P2). Este efecto del glifo 2 sobre el 3 es sublime, ya que como tal P2 no se representa en el medio pictórico.

El glifo 4 representa una flor roja en una columna dorada, siendo la flor un requisito religioso mesoamericano, asociado a la alegría. La alegría está o, teniendo en cuenta el permanente efecto de /ma/, debería estar 'alta'.[19] La columna quizá provenga de la tradición europea. Entre flor y columna, recuerda la iconografía de la Anunciación.[20] GRATIA PLENA pudiera estar omitido. El glifo 5 representa a dos personajes, mujer y hombre, de frente, en busto, de igual tamaño, con aureolas, vestidos de azul y de rojo, en una como mesa o altar, con dos velas encendidas a sus lados, un ícono de adoración, ofrecido al espectador. Corresponde a DOMINUS TECUM.[21] El predicado relacional comitativo se realiza por la mera yuxtaposición de las figuras. El orden se invierte, partiendo del texto latino, en TECUM DOMINUS o TU CUM DOMINO.

---

viario Romano, sólo de rigor para los seculares. Los regulares seguían sus propias tradiciones, los dominicos la de excluir las ampliaciones, admitiendo JESUS desde 1629 (Bäumer/Scheffczyk 1988, vol. 1, 309-317, CC 1987: 220). Alguna variante debió de incluir VIRGO tras SANCTA MARIA.

[17] Utilizamos *glifo* 'grabado' en un sentido equivalente a 'signo pictórico'. Cortés Castellanos (1987: 125) llama *glifos* a los grafemas nahuas precoloniales y coloniales, y los llama *pictogramas* cuando aparecen en materiales cristianos. Evitamos llamar *pictograma* lo que no es.

[18] Argumento emprestado a Cortés Castellanos (1987: 136), Balsameda (1989: 200).

[19] El texto náhuatl de Egerton, y ya los catecismos del XVI (CC 1987: 213) incluyen al principio la fórmula "Ma ximopaquiltitie" (alégrate). Recuérdese el χαιρε original, nota 16.

[20] Cf. Antoniazzo Romano, *Anunziazione*, Roma, Santa Maria sopra Minerva, hacia 1485.

[21] Pudiera aludir, al mismo tiempo, a Ometeotl, suprema divinidad nahua que comprende un aspecto femenino y otro masculino (CC 1987: 151-152).

Los glifos 6 y 7 forman una escena. El 6 representa a un hombre arrodillado, de perfil, manos levantadas y juntas, orientado hacia el 7, MARIA. Por su vestimenta, larga y blanca, ceñida, con manto rojo anudado en los hombros, es un noble nahua, en actitud de adorar. Cuando en el 5 la adoración se daba entre el espectador y la imagen, ahora se vuelve imagen la propia adoración. La escena 6/7 corresponde a BENEDICTA TU. Ya en la escritura precolonial los verbos solían representarse por figuras ejerciendo la actividad denotada (Grube 1994: 414). Como en el caso del comitativo (TECUM), el predicado no se aísla de sus argumentos: es imposible anotar que se bendice sin anotar quién bendice.

El glifo 8 representa a MARIA de frente, de cuerpo entero, erguida, nuevamente expuesta a la adoración. El 9 comprende tres mujeres, sentadas, de perfil medio, izquierdo, plumas verdes en las cabezas, de traje largo y rojo, nobles nahuas. Los glifos 8 y 9 forman una escena. Las mujeres son quienes adoran. MARIA las sobresale, EMINENS IN MULIERIBUS.[22] El plural se transmite por la repetición de la figura sencilla. El glifo 10 repite el 6, el noble arrodillado, de perfil derecho. Con la diferencia de que lleva delante del rostro la virgulilla, señal de la actividad del hablar según la convención nahua. El 11 representa un hombre sentado en una silla con respaldo y brazos, con aureola y de perfil, agarrando con la izquierda un palo que termina en una cruz, inclinado en la punta a modo de báculo, y en actitud de bendecir con la derecha. Los glifos 10 y 11 corresponden a BENEDICTUS DOMINUS, no FRUCTUS VENTRIS. Este último concepto no es invocado.[23] El 12 añade a esta escena, a modo de aposición –y en esto fiel al texto heredado– JESUS. Representa a un hombre en una cruz, de perfil medio en técnica europea, con aureola dorada, que lleva una túnica, sin colorear quitando la dicha aureola. Este arreglo sirve de atributo que identifica el nombre JESUS.

Los renglones tercero y cuarto comprenden la segunda parte del Ave, los añadidos mayores. Los glifos 13 y 15 representan a MARIA, el 14, DOMINUS,

---

[22] EMINENS no está en el texto bíblico, pudiera nacer de la comparación implícita contenida en IN MULIERIBUS. Está invariablemente lexicalizado en las tres versiones náhuatl que cita CC (1987: 216): "tiquimmopanauilia" (tú las sobrepasas)

[23] FRUCTUS VENTRIS es esquivado en el catecismo de los dominicos (1548) quienes ponen "immotlaçoconetzin" (tu amado bebé), cuando Molina (1546) y Gante (1553) usan, literalmente, "in itlaaquillo in moxillantzin" e "in motlaçotlaaquilloxillantzin". La glosa combina la variante de Molina con la de los dominicos, las acumula. Entonces contrasta claramente con la notación pictórica.

los tres en busto, de perfil izquierdo, siendo el 14 más pequeño que el 13 y, sobre todo, que el 15, el de MARIA que sigue. El 16 repite la mano y cerraría este conjunto dada su proximidad relativa, aunque si se interpretara como el proclítico /ma/, abriría la escena siguiente. El conjunto 13-16 recuerda, por su estructuración, la secuencia 1-4, 13 retoma el 1. El glifo 15 deja de especificar MATER aunque debería hacerlo. Repite MARIA, nombre propio, que no incluye MATER ni concepto relacional alguno. Es decir, el conjunto no tiene estructura predicativa. Por el contrario, si glosáramos 15 en vez de por MARIA por TONANTZIN, o mejor todavía por INANTZIN, incluiría el predicado que falta. Entonces los glifos 14 y 15 corresponderían a DOMINI MATER. La relación entre los dos términos parece estar indicada por la disposición de los glifos. Pero no es así. El segundo debe de incluir el predicado relacional que integra el primero como argumento. En náhuatl esta integración se manifiesta a nivel morfológico, a través del prefijo posesivo. Además, el genitivo tiende a preceder el nombre poseído, a diferencia de lo que hace en latín posclásico y romance: en náhuatl sería más bien DOMINI MATER en vez de MATER DOMINI (que no DEI).[24]

Los glifos 17-19 forman el siguiente conjunto. El 17 representa a una mujer, con aureola, cuerpo entero, el mismo vestido que en 6, mejilla roja, de perfil derecho, las manos levantadas, MARIA TONANTZIN.[25] Las dos figuras del 18 son hombres, por sus piernas descalzas, nahuas comunes, sin colorear. Sus cuerpos están orientados hacia la izquierda, pero sus miradas hacia la derecha. Lloran. Buscan refugio en MARIA TONANTZIN, mientras miran al

---

[24] En náhuatl, el 'poseedor' precede lo 'poseído' sin ser genitivo. Si se traduce IN TEUCTLI INANTZIN literalmente, daría (ILLE) DOMINUS EIUS-MATER. Con respecto a las posiciones relativas, al contrario, el náhuatl clásico y el latín clásico coinciden, contrastando con el latín posclásico y el romance, las dos lenguas que sustentan la tradición textual. Permanece el problema de que el pictórico ofrece el mismo glifo en 13 y 15, leído TONANTZIN 'nuestra' en 13, INANTZIN 'su venerada madre' en 15. Entre las versiones náhuatl del Ave María, Molina (1546) y los dominicos (1548) omiten el concepto MATER. Pudo operar en ellos un intento de evitar el lexema *nantli*, por la asociación con Tonantzin. Gante (1553) lo trae, con 'poseedor' pospuesto, "intina*n*tzin Dios" (tú venerada madre de Dios; CC 1987: 213). La glosa nuevamente esquiva MATER, poniendo "mariatzine Dios ytlazo[h]tzine" (o venerada María, o venerado tesorito de Dios; por 'tesorito/cosa amada' cf. Molina 1571 [1977: 119r], Buschmann/Humboldt [2000: 467]).

[25] La perspectiva occidental sugiere que debe ser una u otra, no las dos. Sin embargo, para los colonizados, admitir dos órdenes al mismo tiempo, el tradicional y el reciente, pudo ser la única posibilidad, exenta de hipocresía y de cinismo (Rabasa 1993: 73).

hombre que está de cuerpo entero, perfil izquierdo, vestido de calzas azules, a la castellana, levantando un látigo. Éste, el glifo 19, de tamaño mayor que las dos figuras del 18, pero más pequeño que MARIA TONANTZIN en el 17, cierra el grupo. Concediendo al glifo 16, que abre el grupo, el valor de /ma/ optativo, el conjunto equivaldría a PROTEGE NOS AB INIMICO, o algo similar.[26] Entonces, la notación se aparta de las versiones más corrientes del texto en medida considerable.[27]

Los glifos 20-21 transmiten el concepto de la muerte. El 20 representa un esqueleto, blanco, erguido, de frente. Lleva una corona que recuerda, pero que no es idéntica a las aureolas. Su brazo derecho reposa en la cintura, a manera militar, el izquierdo agarra una lanza, con la punta en tierra, con gesto imperioso. Aparecen dorados también el esqueleto (en parte) y la lanza. El 21 representa un cuerpo muerto, al parecer de hombre, en una mortaja, que no le cubre el rostro, sin colorear, posiblemente un nahua noble. Reposa en una estera o cama. Por encima del cuerpo se aprecia otra calavera, que recuerda la de esqueleto, quitando que no lleva corona. Los glifos 20 y 21 forman, a todas luces, un conjunto, HORA MORTIS. El contraste entre el esqueleto erguido y el cuerpo amortajado tumbado pudiera remitir a un concepto nahua: cuando muere el hombre, cobra vida la muerte (Johansson K. 1996: 510). Queda sin representación NOSTRAE, la primera persona del plural (P4), tan difícil de representar como la segunda en el medio pictórico.[28]

Los glifos 22-24 cierran el ciclo. El 22 repite la mano; el 23, la flor. Deberían corresponder a AMEN JESUS, pero es difícil ver cómo (N: 139-140). El 24 es un cordón o bien un cierre formal.

---

[26] INIMICUS está representado en Gante –fuera del Ave María– por un militar español, equipado de, al menos, casco, coraza y lanza (CC 1987: 143). A diferencia del 'encomendero' en Egerton, el militar parece ideado del lado europeo.

[27] Los catecismos del XVI y también la glosa de Mateo traducen ORA PRO NOBIS PECCATORIBUS literalmente: Molina (1546) y los dominicos "matopan ximotlatolti in titlatlacoani", Gante (1553) añade '–me' "in titlatlacohuanime". Mateo sigue a Gante.

[28] Recuérdese que NOSTRAE falta en los breviarios franciscanos del XVI (nota 16). La glosa, la versión del Ave que apunta Mateo, contiene la P4, pero no lexicaliza el concepto MORTIS, 'miquiztli' en náhuatl. Dice: "in axcan actinemi yhuan yniquac yn ye" (aproximadamente: ahora que vivimos y en el momento aquel). En los catecismos del XVI, en Molina (1546), dominicos (1548) y Gante (1553), el enunciado final del Ave tridentino, NUNC ET IN HORA MORTIS NOSTRAE, falta por completo. He aquí la diferencia más notable entre ellos y la glosa.

Resumiendo, rescatamos para el nivel iconográfico: la constitución de las figuras, contornos y coloración son de arraigo autóctono, también lo son la preferencia por el perfil, la trascendencia del gesto, del movimiento. Contrastan con estas observaciones las representaciones en perfil medio, en perspectiva incipiente, notable en los glifos 9, 11, 12 y 18. Las figuras pierden el formato unitario y compacto de la tradición nahua. El espectador queda comprometido por las figuras de frente que le imponen una posición de cara a cara. El glifo 5 parece un ícono. Sacando éste, místico, se aprecia una diferencia entre secuencias predominantemente sintácticas, y otras escénicas. Atribuimos 1-4, 13-16 y 22-24 a las primeras; 6-7, 8-9, 10-11, 17-19, 20-21 a las últimas. El glifo 12 se integra a la escena 10-11 por un procedimiento sintáctico. El 8 es, dentro de 8-9, icónico.

Las secuencias sintácticas recurren a procedimientos nahuas, al principio de aposición y al *rebus* /maitl/ – /ma/. A través de la función del optativo/ imperativo se introduce la noción de la segunda persona gramatical, que es construida además por la representación de frente, asociada a lo numinoso, al TU. Por el contrario, el perfil, de regla en la escritura mesoamericana, parece operar como una tercera persona gramatical (P3, P6).

Las secuencias escénicas predominan. En ellas, los predicados se realizan por la yuxtaposición de sus argumentos como en 5 y 14-15, o permanecen engarzados en uno de ellos, de referencia arbitraria, en el caso de 6 y 10 (BENEDICTA/US, predicados verbales), de referencia definida en el caso del supuesto genitivo en 14-15, donde MARIA (TONANTZIN) incluye o debería incluir MATER (-NANTZIN). El segundo proceder podría tener un sustrato lingüístico en la medida en que los argumentos se integran en náhuatl en sus cabezas por medios morfológicos. La linealidad impuesta por la repartición de la página en renglones es efectiva al interior de las secuencias sintácticas, pero en el interior de las escenas, no.

En el ámbito de los atributos materiales se aprecia la cultura mesoamericana en la indumentaria, así como en la utilización de plumas y flores como ingredientes litúrgicos. Trasluce la realidad colonial en el contraste entre las figuras de vestimenta nahua y occidental. Además, el DOMINUS en 5 y 14, JESUS en 12 llevan barba. Las figuras de vestimenta occidental dominan las escenas. Es apreciable esto en 11, DOMINUS, de postura cercana a representaciones de Hernán Cortés en códices coloniales, así como en 17-19. La oportunidad de identificarse con las escenas es brindada a la nobleza nahua, ante todo a la masculina, y es mantenida hasta la escena de la muerte. Tanto la implícita crítica de la realidad colonial como ciertos recursos iconográficos y pictóricos excluyen la posibilidad de que el artista original no fuese nahua.[29] En cuanto a la enseñanza, no dejan de sorprender ciertas desviaciones del texto tradicional, aun teniendo en cuenta que éste era variable. Los conceptos de FRUCTUS VENTRIS y de MATER se evitan. Cuando la sustitución de ORA PRO NOBIS PECCATORIBUS por PROTEGE NOS AB INIMICO podría basarse en una variante tradicional que no reconstruimos, la omisión de FRUCTUS VENTRIS TUI incide en el núcleo bíblico del Ave, confirmado por Trento.

ESCUELA DE PEDRO DE GANTE

El manuscrito que analizamos se halla en la Biblioteca Nacional de España, Madrid. Comprende un ejemplar completo y un fragmento del mismo catecismo, al parecer de manos distintas, encuadernados en cuero en un solo volumen minúsculo, del tamaño de 7,7 por 5,3 centímetros, papel tipo europeo, 42 folios en total.[30] El ejemplar completo abarca los folios [2v-32v], el fragmento [34r-41v].[31] No está fechado, pero lleva en la última hoja la firma de Pedro de Gante, a todas luces autóctona.[32] Normann (1985: 67) estima que el fragmento fue insertado en momento posterior a la confección del volumen y que el folio que lleva la firma es parte del ejemplar completo. ¿Cómo interpretar esta firma? Gante pudo ser propietario del volumen o autor o quien elaboró el catecismo de su propia mano. No hay unanimidad de opiniones.[33] Nos

---

[29] Boone (1998: 161) se engaña cuando concluye: "Rather than developing out of the indigenous pictorial tradition, the Testerians represent European notions of what indigenous documentary needs were; there is almost nothing indigenous about them save for a few images, and they seem not to have been painted by native artists". Ya Normann (1985: 159-160, 165) se mostró convencida de lo contrario.

[30] Para una descripción más detallada cf. Cortés Castellanos (1985: 73-74).

[31] Normann (1985: 61-64) registra cuatro copias más, el *Catecismo Azteca* del Archivo Histórico Nacional de Madrid, dos copias guardadas en Princeton y Tulane, la última robada, y una copia de la robada, que pertenecía a Alphonse Pinart.

[32] La firma se asemeja bastante a la de una carta firmada por Gante el 31 de octubre de 1532 (CC 1987: 86, 104).

[33] Normann (1985: 66) no se decide. Argumenta que Gante no tenía por qué emplear el catecismo. Cortés Castellanos (1987: 77) distingue entre autoría, la que atribuye a Gante, y confección, la que atribuye a *tlacuilos* nahuas. Aun así, se refiere con frecuencia al *tlacuilo*, nunca a Gante, cuando discute las imágenes.

inclinamos por que fuera propietario y responsable, pero no autor exclusivo. Quien pintara el catecismo, anónimo, a quien juzgamos persona distinta, participó en la autoría, en la elaboración de las soluciones semióticas.

Aplicando el criterio de las técnicas pictóricas avanzado por Normann para fechar a Egerton, Gante debe ser posterior porque se aleja más de las tradiciones nahuas.[34] Las páginas se organizan de manera idéntica, salvo que en Gante hay cuatro rayas horizontales, cinco renglones que corren verso y recto, con seis a ocho figuras individuales por renglón, orientadas de izquierda a derecha. No se aprecian grupos, de antemano. Las figuras se constituyen por contornos de tinta negra coloreados, como en Egerton, salvo que las aureolas o diademas en Gante no se salen de los contornos. Se aprecian el azul, verde, rojo y amarillo.[35] El blanco se consigue por contorno sobre fondo blanco. Queda bastante papel en blanco, con espacios regulares entre los grafemas, a diferencia de Egerton, más cercano al *horror vacui* azteca. Las figuras tienen un nivel de abstracción superior.

El Ave María se encuentra en fols. [3v-5r]. El glifo 1 representa a una mujer, de frente, de cuerpo entero, erguida, con vestido rojo y manto azul que le cubre el cabello, MARIA. En el 2 se aprecia a la misma mujer, pero de perfil derecho, manto verde, sentada en un sillón dorado,[36] con una flor en la mano. De nuevo encontramos la flor como requisito litúrgico, asociado a la alegría, en torno a la salutación, AVE. Con esa diferencia de que en Gante el atributo se aplica a la figura en directo, tanto como se le aplica el concepto del enaltecimiento, transmitido (i) por la silla real, (ii) por la posición elevada del glifo respecto del renglón. El glifo 3 es un cáliz blanco, colmado de granos amarillos – maíz, con una cruz por encima, glifo 4 el mismo cáliz, llenado esta vez por una segmento de disco amarillo –una tortilla (*tlaxcalli*)–, sobre un fondo amarillo con bordura roja –una manta–. Los glifos 3 y 4 aluden a la eucaristía. Transmiten los conceptos de plenitud y de gracia, GRATIA PLENA, sobre una base cristiana. El 3 transmite PLENA, el 4 GRATIA PLENA, es decir, el 4 incluye el argumento.

---

[34] Para la fecha de Gante remitimos a la nota 8.

[35] El verde se consigue superponiendo amarillo a azul (N 1985: 68), pero se diferencia poco del azul. En nivel iconográfico, azul y verde parecen ser variantes: el manto de MARIA es azul en los glifos 1 y 19, verde en 2, 20, 21. Es azul cuando MARIA está de frente.

[36] El grafema del sillón o butaca es de tradición nahua, asociable al lexema *icpalli* (silla real). El diadema de los glifos 7, 8, 16, 17 es asociable a *copilli* (sombrero real), el cetro del glifo 29 a *topilli* (bastón real), CC (1987: 158).

El 5 repite, sacando la flor, el 2, MARIA enaltecida. El glifo 6 consta de cinco círculos semiabiertos, ordenados en centro y cuatro direcciones, rodeados de una corona de rayitas. Es un glifo de tradición nahua, que en el presente contexto adquiere valor de CUM.[37] Los glifos 7 y 8 se parecen, dos caras de frente, sin cuerpo, mentones apuntados, con diademas. El 7 tiene una amarilla; el 8, una blanca con tres incrustaciones negras.[38] Corresponden a DOMINUS DEUS. La serie 5-8, (TU) MARIA CUM DOMINE, se asemeja a la 5-7 en Egerton, ambas se abren por MARIA, el tópico continuo. El predicado relacional CUM, sin embargo, se realiza de forma independiente en Gante, por un glifo funcional. Que MARIA sea una invocación, por lo tanto P2, es bien menos evidente, ya que aquí está de perfil. Hay dos caras de frente, como en Egerton, pero más abstractas. MARIA queda fuera de, opuesta a DOMINUS DEUS OMETEOTL.

El glifo 9 representa un personaje, hombre o mujer, de perfil, erguido. Delante de su boca una vírgula que termina en flor, BENEDICIT. Como en Egerton, este predicado se transmite por medio de un argumento vacío al que se aplica, por un personaje anónimo. Pero aquí, sólo lo transmiten los atributos, vírgula y flor. Apenas se aprecia un gesto. Los glifos 10 y 11 representan a dos mujeres de perfil, de cuerpo entero.[39] La primera es más alta, superior a la segunda, EMINENS. Este concepto relacional se realiza por la repetición del glifo, variada la posición relativa, de la yuxtaposición de ambos. El 12, que parece una hoja o palmita, un conjunto completo de partes idénticas, representa el cuantificador 'todas'. El 13 repite el 10. Mientras que EMINENS recibe una representación similar a la que tiene en Egerton, pero se abstrae del argumento MARÍA, el plural MULIERES no se consigue por repetición, sino por un cuantificador, un glifo abstracto. MULIER, el 13, permanece en singular.[40]

---

[37] Llamado el quincunce, este glifo sustenta una serie de significados, por lo menos los de 'terremoto', 'movimiento', 'escudo', 'espejo', 'Venus (Quezalcoatl)', 'día', 'año', 'jade', 'turquesa' (CC 1987: 143-144). Los primeros son asociables con la relación CONTRA, que indica en Gante en ocasión anterior, el cuarto quizá lo sea con la de CON. Normann (1985: 75) le atribuye el valor de 'mercado' (*tianquiztli*).

[38] CC (1987: 195) sugiere que se trata de diamantes negros. Admite que la yuxtaposición de las caras pudiera remitir a la divinidad Ometeotl, cf. nota 21. El color amarillo, de la diadema en 7, estaría asociado al sexo femenino. Es difícil entrever aquí la autoría de Gante.

[39] Normann (1985: 68) reconoce sombreros femeninos de tipo nahua en 10, 11 y 13.

[40] Los catecismos náhuatl de Molina (1546), los dominicos (1548) y Gante (1553) rezan "in ixquichtin ciua", es decir, introducen el cuantificador *ixquich* 'todo' que elabora el plural

El glifo 14 corresponde a ET. Tres rayas verticales bloquean el reglón, el espacio entre segunda y tercera se llena de amarillo; el que hay entre primera y segunda, de rayitas verticales, ordenadas en franjas horizontales –un sembrado de maíz–.[41] El 15 repite el 9, BENEDICTUS. El 16 representa a un hombre vestido con una casulla blanca, manto rojo y verde, de frente, erguido, diadema dorada, la misma del 7 –FILIUS (DOMINUS)–. La casulla le confiere dignidad sacerdotal; manto y diadema, dignidad real. Los atributos demuestran un profundo desarrollo teológico. Como en Egerton, nos encontramos con FILIUS, no FRUCTUS VENTRIS. El glifo 17 repite el 7, diadema dorada, DOMINUS. El 18 representa a un hombre, o más bien su cara, puntiaguda como las de 7, 8 y 17, en una cruz azul, de frente, sin diadema –JESUS–.[42] Los glifos 14-18 constituyen ET BENEDICTUS FILIUS DOMINUS JESUS.

El 19 repite el 1, MARIA. El que sigue, 20, representa a la misma mujer, de pie, pero de perfil derecho, con dos cruces en la espalda, enlazadas entre ellas y con ella. MARIA se repite en el 20, pero recibe un atributo. En el Credo que sigue al Ave María, CREDO es anotado con las mismas cruces enlazadas del 20, con la diferencia de que en lugar de MARIA se halla una tercera cruz. El atributo que recibe MARIA es la fe. Además, el completo glifo 20 se repite en la notación del Credo donde transmite VIRGO (MARIA). Así que en el Ave, el 20 transmite VIRGO. Gante representa la virginidad de María al atribuirle la fe, fe que tuvo al no dudar de su maternidad anunciada por Gabriel, fe (o maternidad) que la imbricó en la Trinidad, en lugar de la cruz tercera. En suma, la representa con una metonimia de alta complejidad teológica.

Los glifos 21 y 22 forman una unidad sintáctica. El 21 repite el 20, MARIA, de perfil, sin las cruces en la espalda, con pecho abultado, MARIA (MATER). El 22 repite el 8, diadema incrustada, DEUS –en suma (MATER) DEI– en este orden. Comparando esta solución con la del manuscrito Eger-

---

del texto latino (CC 1987: 213). Añaden el cuantificador a las marcas de plural, presentes de todas formas, en el cuantificador y en el nombre (ixquich-tin ciua-[']). La notación pictórica parece no estar conforme a la morfología del náhuatl. Andrews (1975: 272, § 36.5) sostiene sin embargo: "In structures of modification containing a quantitative, the construction is frequently put in the singular even though more than one animate entity is referred to: *In ixquich macehualli* [...] All the commoners [...] *In ye ixquich tlacatl* [...] All the people".

[41] Cortés Castellanos (1987: 159, 216-217), autor de esta sugerencia, interpreta el sembrado de maíz como lo que une cielo y tierra. Normann (1985: 70) reconoce una escalera, que también une cielo y tierra, pero no contiene plantas de maíz.

[42] Para más detalles iconográficos de la crucifixión, cf. Cortés Castellanos (1987: 218).

ton, se constata que la representación de MATER sigue siendo alusiva. En el orden pictórico, la maternidad de María es imposible abstraerla de la propia María, del mismo modo que su virginidad. Ambas se realizan por medio de atributos allegados al personaje: en Egerton el mayor tamaño; los contornos femeninos en Gante.

El 23 representa dos humanos, vestidos de azul y de rojo, de pie, perfil, fusionados en una sola figura, con vírgulas, esto es, hablando. A todas luces, un nuevo tópico. Corresponde a ROGAMUS, es decir, "nosotros", P4 –no tú, pero a ti–. El 24 es un solo humano, de pie, de perfil, vestido de rojo, con vírgula, hablando. Corresponde a ROGES, *mise-en-abîme* fiel al texto heredado, quitando el hecho de que las dos operaciones ROGARE figuran ahora al mismo nivel, el del enunciado. ROGAMUS ROGES. En el texto, ROGAMUS es la propia enunciación. La representación pictórica de las personas deícticas –P4, P2– es difícil.[43]

El glifo 25 corresponde a PECCATUM, en sentido genérico, *tlatlacolli* en náhuatl. Este neologismo se basa en el verbo *tlacoa* (hacer daño). Cortés Castellanos (1987: 141, 208-209) interpreta el glifo como un abejorro, que pica, causa daño y dolor: una metáfora.[44] El 26 representa una mano, el índice levantado, que apunta a cuatro círculos. Si éstos indican el concepto 'día', el glifo corresponde a 'este día', HODIE. El glifo 27 repite el 14, ET. El 28 representa un bulto de muerto al modo nahua. Sacando el atributo del argumento vacío, da no ya MORTUUS, sino MORS. La secuencia 23-28 daría, restituyendo las personas deícticas, ROGAMUS ROGES (PROPTER) PECCATA (NOSTRA) HODIE ET (DIE) MORTIS (NOSTRAE). Impresiona por su conformidad con el texto aprobado en 1568. HODIE (NUNC) falta no sólo en Egerton, sino también en las doctrinas del XVI, incluso en la de Gante, impresa en 1553.

Los glifos restantes cierran la oración. El 29, AMEN, consta de tres figuras geométricas amontonadas, coloreadas de amarillo, rojo y azul. Cortés Castellanos (1987: 198) reconoce un bastón de mando. El 30 consta de tres letras, IHS, con una cruz puesta por encima, rodeadas de una línea circular. Las

---

[43] Cortés Castellanos (1987: 219) opina que "el *tlacuilo* seguramente se equivocó al dibujar las vírgulas" en el 23, porque no corresponden a *topan* (por nosotros), invariable en los catecismos. No nos convence. La vírgula es imprescindible para introducir la enunciación y, mediante ella, P4, la primera persona del plural.

[44] El autor se apoya en la representación de abejorros en códices nahuas. Normann (1985: 75, 99) reconoce un incensario. No entrevemos la operación que ligara incensario y pecado.

letras se leen mal en esta instancia, pero bien en instancias posteriores: JESUS
en tanto que nombre invocado. Este glifo introduce la escritura alfabética al
catecismo. El 31, como el 24 en Egerton, es un cierre formal. Cortés Castellanos (1987: 200) señala lo parecido de las cruces oblicuas del centro con el
cordón franciscano.

Resumiendo, rescatamos para el nivel iconográfico: las figuras se constituyen del mismo modo que en Egerton, de tradición nahua. Se acercan más
incluso a este modo en tanto que son más compactas. Brazos y piernas apenas se divisan. Por otra parte, las figuras son altamente abstractas y conven-
cionalizadas en sentido de una semiosis idiosincrática. Perfiles y representaciones de frente se intercambian, con predominio de los primeros. MARIA
está de frente dos veces, expuesta a manera de icono, pero en otros lugares del
texto. No interviene la perspectiva. La paradoja de la representación de las
personas deícticas se intenta solucionar por medios distintos. Apenas se aprecian movimientos.

Las figuras no constituyen escenas, aun cuando forman unidades. Sacando la secuencia final, 29-31, obedecen a un ritmo espacial inalterable que las
aísla todas. Se aprovecha el simbólico religioso nahua, pero en grado menor,
la cultura material nahua, pero transformada en colonial. Se emplea la flor,
pero no la pluma. La vestimenta de los anónimos sigue siendo mesoamericana, pero es mediatizada por la abstracción. La invitación a identificarse resulta más débil. Por el contrario, está presente el maíz en el sembrado y como
granos y tortilla. Pero esto es ya transformado en y asociado a la eucaristía,
una realidad cristiana.

Como DICIT se transforma en su hipónimo BENEDICIT, por añadidura, la
notación pictórica añade a la vírgula (DICIT) una flor (BENEDICIT).[45] De
modo similar, se añade al glifo MARIA el atributo CREDO para formar VIRGO:
MARIA VIRGO. Los contornos femeninos se acentúan para anotar MARIA
(MATER). Como en Egerton las relaciones MATER DEI e IN MULIERIBUS se
realizan por yuxtaposiciones, el predicado BENEDICTA/US mediante el anónimo que habla. La iconografía de MARIA y la de JESUS coinciden entre los dos
manuscritos y con la europea, ¿cómo si no se representarían los nombres propios? Por el contrario, Gante avanza sobre Egerton aprovechando glifos

---

[45] Cortés Castellanos (1987: 156) remite a una voluta florida en el *Codex Borbonicus*. Con
todo, la atribución pudiera ser de tradición nahua.

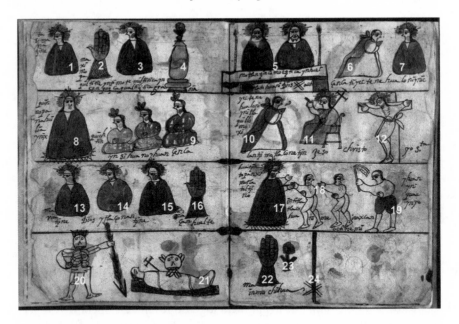

nahuas funcionales o que pasan a ser funcionales –Con, Todo, Et, Nunc–, que indican proximidad, cantidad, coordinación y deixis. Así, hay más secuencias estructuradas a nivel de sintaxis. Pero no son todas. El regular aislamiento de las figuras crea una promesa de texto que más de una vez deja de cumplir.

Gante, aunque lego, debió tener conocimientos teológicos, y una persona de conocimientos teológicos profundos debió de estar implicado en la elaboración del catecismo pictórico: conceptos como Dominus Deus, Deus con diadema trinitario, Filius (Dominus), (Maria) Virgo, el Gratia plena eucarístico o Peccatum no se improvisan. Las imprecisiones teológicas de Egerton están evitadas; la notación pictórica se acerca en medida considerable al texto del Ave María de 1568.

Conclusión

Concluyendo retomamos la cuestión de la relativa antigüedad de los dos catecismos. Acabamos de diseñar dos argumentos centrales: el primero, formal; el segundo, teológico. Egerton retoma más las técnicas nahuas y elabora una síntesis cambiante respecto de las europeas. Gante presenta una figuración enteramente elaborada y estable, que aprovecha glifos nahuas en ocasiones, pero los somete a recolocación y reinterpretación. Su técnica presupone un conocimiento profundo de la escritura autóctona, la cual integra para alcanzar su propio equilibrio.

Gante es más ortodoxo que Egerton en varios aspectos: (i) evita la herética confusión de la Virgen con la divinidad, omnipresente en Egerton, (ii) incluye secciones del texto que faltan en Egerton, así ORA PRO NOBIS PECCATORIBUS, NUNC ET. Cortés Castellanos (1987: 220) argumenta que Gante pudo añadir la fórmula final del Ave en 1527, aun cuando en su catecismo de 1553 la omite.

Gante (iii) se acerca a Trento por su decidido intento de fijar el texto en el medio pictórico. De hecho, avanza sobre Egerton a este respecto en medida considerable. Representa el nombre de Jesús por IHS, en escritura alfabética. Entonces fija el texto. Fuera de esta ocasión, queda en el camino hacia una notación inequívoca. Y ni siquiera está claro si perseguir la implementación del texto en el medio pictórico hubiera logrado resultados operativos. Egerton se consulta de un modo similar al de los códices coloniales, elaborados por las comunidades nahuas. Permite pararse para contemplar las escenas. En Gante hay que avanzar. Su ritmo es de escritura alfabética, con espacios separadores de palabra.

Egerton supuestamente sirvió como una evidencia ante la nobleza, se supone que nahua. Permite la identificación y el reconocimiento de lo divino. La imagen se ve como se ven las cosas. Preexiste al entendimiento, a diferencia del texto. Al mismo tiempo, la imagen confiere dignidad a lo representado.[46] Gante dificulta identificación y reconocimiento y confía la dignidad de lo divino al raciocinio teológico. Consultarlo requiere un entrenamiento previo. Pudo apoyar la memorización de los catequistas nativos, pero no invita ni explica. A lo mejor, intriga. Tanto el mero tamaño de los dos manuscritos como las técnicas de figuración inciden en este contraste estético, comunicativo y social.

Si Egerton sirvió como evidencia ante un público medianamente libre de definir su posición, Gante sirvió de memoria a quienes tenían ya una posición

---

[46] Sobre el carácter aurático de la escritura mesoamericana y su función legitimadora de soberanías dinásticas, véase Mignolo (1994: 57), Grube/Arellano Hoffmann (2002: 45).

definida, o entonces permitió tener presentes, en cada instante, los textos necesarios a la fe, en sentido mágico. Correspondieron a situaciones comunicativas y culturales diferentes, en el espacio geográfico o en el tiempo relativo de la conversión. Gante acepta más que se lea, requiere que se aprenda a leerlo.

BIBLIOGRAFÍA

Fuentes

EGERTON. *Doctrina christiana*. 30 fols., manuscrito Egerton 2898, Museum of Mankind/British Museum, London, fechado y firmado en 1714 por Lucas Mateo.

GANTE, Pedro de, OFM ([1547] 1553): *Doctrina christiana en lengua Mexicana*. México: por Juan Pablos.

— (1970): *Catecismo de la doctrina cristiana*. Edición facsimilar del manuscrito de la BNE, introducción por Federico Navarro. Madrid: Dirección General de Archivos y Bibliotecas. [Cortés Castellanos 1987: 453-472.]

MENDIETA, Gerónimo de, OFM (1945 [1596]): *Historia ecclesiastica indiana*. Madrid: Atlas.

MOLINA, Alonso de, OFM (1546): *Doctrina christiana breue, traduzida en lengua Mexicana*. México: (por Juan Pablos).

— (1571): *Vocabulario en lengua castellana y mexicana y mexicana y castellana*. 2 vols. México: en casa de Pedro Ocharte. [México: Porrúa, 1970.]

Estudios

ANDREWS, Richard (1975): *Introduction to classical Nahuatl*. 2 vols. Austin: Texas University Press. [Norman: Oklahoma University Press ^{2}2003.]

ARELLANO HOFFMANN, Carmen/SCHMIDT, Peer/NOGUEZ, Javier (eds.) (2002 [1997]): *Libros y escritura de tradición indígena. Ensayos sobre los códices prehispánicos y coloniales de México*. Zinacantepec: El Colegio Mexiquense.

AUBIN, Joseph. M. A. ([1849] 1885): *Mémoires sur la peinture didactique et l'écriture figurative des anciens Mexicains*. Paris: Imprimerie Nationale.

BALSAMEDA, María Luisa (1989): "Códices testerianos", en Galarza *et al.*, pp. 185-215.

BÄUMER, Remigius/SCHEFFCZYK, Leo (eds.) (1988-1994): *Marienlexikon*. 6 vols. St. Ottilien: EOS.

BOONE, Elizabeth H. (1994): "Aztec pictorial histories: records without words", en Boone/Mignolo, pp. 50-76.

— (1998): "Pictorial documents and visual thinking in postconquest Mexico", en Elizabeth H. Boone/Thomas Cummins (eds.), *Native traditions in the postconquest world*. Washington DC: Dumbarton Oaks, pp. 149-199.

BOONE, Elizabeth H./MIGNOLO, Walter D. (eds.) (1994): *Writing without words. Alternative literacies in Mesoamerica and the Andes*. Durham *et al.*: Duke University Press.

BUSCHMANN, Eduard/HUMBOLDT, Wilhelm von (2000): *Wörterbuch der Mexicanischen Sprache*, ed. por Manfred Ringmacher. Paderborn *et al.*: Schöningh.

CASTEDO, Leopoldo (1988): *Historia del arte iberoamericano*, vol. 1: *Precolombino. El arte colonial*. Madrid: Alianza.

CLENDINNEN, Inga (1991): *The Aztecs. An interpretation*. Cambridge: Cambridge University Press.

CORTÉS CASTELLANOS, Justino (1987): *El catecismo en pictogramas de Fray Pedro de Gante*. Estudio introductorio y desciframiento del Ms. vit. 26.9 de la Biblioteca Nacional de Madrid. Madrid: Fundación Universitaria Española.

DURÁN, Juan Guillermo (1984-1990): *Monumenta catechetica hispanoamericana. Siglos XVI-XVIII*. 2 vols. Buenos Aires: UCA.

GALARZA, Joaquín *et al.* (eds.) (1989): *Descifre de las escrituras mesoamericanas*. 2 vols. Oxford: British Archaeological Reports.

GLASS, John B. (1975): "A census of Middle American Testerian manuscripts", en Wauchope 1975, vol. 14: *Guide to ethnohistorical sources*, pp. 281-296.

GRUBE, Nikolai (1994): "Mittelamerikanische Schriften", en Hartmut Günther/Otto Ludwig (eds.), *Schrift und Schriftlichkeit. Writing and its use*. Berlin/New York: Mouton de Gruyter (= HSK 10.1), vol. 1, pp. 405-415.

GRUBE, Nikolai/ARELLANO HOFFMANN, Carmen (2002): "Escritura y literalidad en Mesoamérica y en la región andina. Una comparación", en Arellano Hoffmann/Schmidt/Noguez 2002, pp. 27-72.

HAARMANN, Harald (1996): "Identität", en Hans Goebl/Peter Z. Nelde/Zden K. Star/Wolfgang Wölck (eds.), *Kontaktlinguistik. Contact linguistics. Linguistique de contact*. Berlin/New York: De Gruyter, vol. 1 (= HSK 12.1), pp. 218-233.

JOHANSSON K., Patrick (1996): "El discurso náhuatl de la muerte", en *Revista Latina de Pensamiento y Lenguaje* (México) 2.2, pp. 503-514.

— (2004): *La palabra, la imagen y el manuscrito. Lecturas indígenas de un texto pictórico en el siglo XVI*. México: UNAM.

KOCH, Peter (1997): "Graphé. Ihre Entwicklung zur Schrift, zum Kalkül und zur Liste", en Koch/Krämer, pp. 43-81.

KOCH, Peter/KRÄMER, Sybille (eds.) (1997): *Schrift, Medien, Kognition. Über die Exteriorisierung des Geistes*. Tübingen: Stauffenburg.

LOCKHART, James M. (1999 [1985]): "Double mistaken identity. Some Nahua concepts in postconquest guise", en James M. Lockhart, *Of Things of the Indies. Essays Old and*

New in Early Latin American History. Stanford: Stanford University Press, pp. 98-119.

— (1992): *The Nahuas after the Conquest. A Social and Cultural History of the Indians of Central Mexico, Sixteenth Through Eighteenth Centuries.* Stanford: Stanford University Press.

MIGNOLO, Walter D. (1994): "Signs and their transmissions. The question of the book in the New World", en Boone/Mignolo, pp. 50-76.

MORALES, Francisco, OFM (1993): "Los franciscanos y el primer arte para la lengua náhuatl. Un nuevo testimonio", en *Estudios de Cultura Náhuatl* 23, pp. 53-81.

NAGEL BIELICKE, Federico B. (1994): "El aprendizaje del idioma náhuatl entre los franciscanos y los jesuitas en la Nueva España", en *Estudios de Cultura Náhuatl* 24, pp. 419-441.

NORMANN, Anne Whited (1985): *Testerian Codices. Hieroglyphic Catechisms for Native Conversion in New Spain.* Ph.D. Tulane University 1985. Ann Arbor: University Microfilms.

RABASA, José (1993): "Writing and evangelization in sixteenth-century Mexico", en Jerry M. Williams/Robert E. Lewis (eds.), *Early Images of the Americas. Transfer and Invention.* Tucson: Arizona University Press, pp. 65-92.

RAIBLE, Wolfgang (1997): "Von der Textgestalt zur Texttheorie. Beobachtungen zur Entwicklung des Text-Layouts und ihren Folgen", en Koch/Krämer 1997, pp. 29-41.

SCHARLAU, Birgit (1985): "Wie lasen die Azteken?", en *Zeitschrift für Literaturwissenschaft und Linguistik* 57/58, pp. 15-34.

SCOTT, James C. (1990): *Domination and the Arts of Resistance. Hidden Transcripts.* New Haven: Yale University Press.

WAUCHOPE, Robert (ed.) (1964-1976): *Handbook of Middle American Indians.* 17 vols., Austin: Texas University Press.

WHITTAKER, Gordon (1988): "Aztec dialectology and the Nahuatl of the friars", en José Jorge Klor de Alva/Henry B. Nicholson/Eloise Quiñones Keber (eds.), *The Work of Bernardino de Sahagún.* Austin/Albany: Texas University Press/State University of New York, vol. 2, pp. 321-340.

SANTIAGO EN LOS ANDES. VICISITUDES DE LOS SANTOS EN LA SOCIEDAD COLONIAL

Eva Stoll (Múnich)

INTRODUCCIÓN

En vista de la relevancia primordial que los santos tienen aún hoy en día para la religiosidad popular latinoamericana, resulta interesante preguntarse por el papel específico que éstos desempeñaron en el proceso de la evangelización del Nuevo Mundo. Por un lado, parece probable que en la catequesis se temiera la confusión entre los santos católicos y las deidades paganas porque así se ponía en peligro el concepto del monoteísmo cristiano. Ésta es la tesis de George M. Foster (1960), por ejemplo, quien opina que los frailes, en general, catequizaron a los indígenas en un catolicismo purificado de ciertas tendencias consideradas como paganas, vigentes en gran parte de Europa en los siglos XV y XVI. De esa manera se explicaría la relativa uniformidad del catolicismo latinoamericano.

Por otro lado, cabe sospechar que los frailes vieran en los santos la posibilidad de facilitar el proceso de la evangelización, ya que se podían conectar en cierta forma con los panteones de divinidades autóctonas. Hay que preguntarse hasta qué punto las órdenes religiosas tomaron en cuenta este aspecto y en qué medida instrumentalizaron a los santos para implementar unos primeros elementos de cristianismo en la cultura ajena.

Hugo Nutini (1976) sostiene la tesis de que en Tlaxcala, México, así como en grandes partes de América Central y probablemente aun en otras regiones de Latinoamérica, se produjo una evangelización de la población autóctona a través de un 'sincretismo guiado'.[1] Argumenta que los franciscanos eran conscientes de los muchos paralelismos entre los dos sistemas reli-

---

[1] El sincretismo lo entendemos con Marzal (1988: 166) de esta manera: "En resumen, hay sincretismo cuando surge, a partir de dos sistemas religiosos que se ponen en contacto, un nuevo sistema, que es producto de la interacción dialéctica de los elementos de los dos sistemas originales (sus creencias, ritos, formas de organización y normas étnicas). Por cuya inte-

giosos y que quisieron sacar provecho de esas afinidades para fomentar el
proceso de conversión.

> Probably the friars searched for identifications already made by the Indians in
> assigning patron saints to Indian villages, and perhaps even created identifica-
> tions when they did not exist. The ostensible purpose was to foster the accep-
> tance, by Indian villages and circumscribed regions, of some Catholic supernat-
> ural or saint to replace deities worshipped locally. The appropriate selection was
> generally made on the basis of structural, functional, or outright symbolic simi-
> larities which were sometimes farfetched, but which the friars probably accom-
> modated so as to point out resemblances (Nutini 1976: 306, cf. tb. 304).

Entre los ejemplos alegados por Nutini es conocido, sobre todo, el caso de la
Virgen de Ocotlan que se empezó a adorar en el santuario de Xochiquetzalli,
diosa autóctona, esencialmente benévola, de las artes, de las flores y del amor.
Menciona también a San Juan, cuyo culto los frailes intentaron arraigar en el
pueblo de Tianguismanalco sustituyendo a Texcatlipoca, ya que ambos sim-
bolizaban la juventud. Y en la ciudad de Santa Ana Chiautempan, la diosa
Tocih, la abuela de las deidades en el panteón nahua, fue sustituida por Santa
Ana, la abuela de Jesús. Menos clara parece la similitud entre Camaxtli, el
dios de los tlaxcaltecas, y San Bernardino como su reemplazo católico.

James Lockhart (1992), no obstante, pone en duda la tesis de Nutini y
subraya el papel que los intérpretes religiosos tuvieron a la hora de asignar
santos católicos a divinidades y santuarios autóctonos. Por su parte, mantiene
la tesis de que la vigencia de los santos en la religiosidad colonial de México
–que se manifiesta en la presencia de santos en cualquier tipo de documento– se explica a través de un sincretismo espontáneo, que arranca de los
nahuas mismos.

> It is clear that as soon as the Nahuas grasped the nature of the saints in Spa-
> nish regional religion they would have made the identification and taken advan-
> tage of the opportunity in just the way they did. The question is how or indeed
> whether they ever learned much about the saints of Spain (Lockhart 1992: 243).[2]

---

racción dichos elementos persisten en el nuevo sistema, desaparecen por completo, se sinteti-
zan con los similares del otro sistema o se reinterpretan por un cambio de significados".

[2] Según Lockhart (1992: 244), todo parece indicar que durante las primeras décadas de la
conquista y colonización, los religiosos no hicieron hincapié en los santos.

John M. Ingham (1986), por fin, sostiene que el catolicismo del siglo XVI contenía elementos heterogéneos, no todos en consonancia con la teología ortodoxa, lo que favoreció el proceso de sincretismo, por lo menos en México:

> So by the time of the Conquest of Mexico, Catolicism was predisposed to assimilate pagan religions. In Mexico the parallels with pre-Hipanic religion were substantial, and the result of conversion was a folk Catholicism that was at once more Catholic and more pagan than the lay religion found elsewhere in Catholic countrysides (Ingham 1986: 181).[3]

De hecho, la religiosidad popular en España comprendía –y comprende todavía hoy en día– unos elementos no tan ajenos a las religiones autóctonas del Nuevo Mundo. Hay que pensar, por ejemplo, en el hecho de que a determinados retratos, estatuas y retablos se atribuyan fuerzas sobrenaturales, bien diversificadas según la competencia de los santos. En la creencia popular, las imágenes tienen atributos inconfundibles y se asocian con regiones o lugares determinados, a los cuales se emprenden romerías y peregrinajes, muchas veces con el fin de formular allí súplicas especiales. Si los santos atienden las súplicas, los fieles expresan su gratitud con exvotos. Todos estos aspectos la teología ortodoxa o no los acepta o procura acomodarlos a sus principios, por ejemplo justificando el culto a los santos sólo en su calidad de intercesores entre Dios y los hombres. Hay que dudar, sin embargo, de que la gente sencilla sea consciente de estos matices.[4]

Partiendo de estos hechos, hay que contar con una probable discrepancia entre la catequesis representada por las diferentes órdenes religiosas y la religiosidad mostrada por los conquistadores y vivida por la sociedad colonial. Una de las primeras cosas que Hernán Cortés hizo en la conquista de México fue reemplazar los ídolos de los templos por imágenes de la Virgen y de los santos, imponiéndose así con un gesto usurpador de un alto valor simbólico. En cambio, los franciscanos, siguiendo la línea de Erasmo, desconfiaban de

---

[3] Ingham (1986: 181-184) menciona la fusión de Tezcatlipoca y Huitzilopochtli, las deidades dominantes en la sociedad azteca, con el diablo, de Tonantzin, diosa de la fertilidad, con la Virgen de Guadalupe, de Tlaloc con San Juan Bautista y de Tlahuizcalpantecuhtli con San Miguel Arcángel (la estrella del alba y el líder de los espíritus del buen tiempo).

[4] Aunque los teólogos digan que no se reverencian imágenes de por sí sino en su significado de representación, hay que constatar que para muchos fieles la concretización de un santo en un retablo y en un lugar determinados es la base irrenunciable de su veneración.

las imágenes y quitaban el cuerpo de Cristo de las cruces para evitar que se malentendiera como sacrificio humano. Por otro lado, los mismos franciscanos utilizaban en la catequesis lienzos pintados que representaban los pecados mortales, los símbolos de los Apóstoles, los diez mandamientos, etc. Es decir, en contextos determinados, sí aprovechaban la fuerza persuasiva de la imágenes (Gruzinski 1990: 106 ss.). Hay que tener en cuenta que en México hubo a partir de 1520 una producción masiva de artículos de devoción, muchas veces unida a la veneración de los santos que se extendió un siglo más tarde a todos los ámbitos de la vida cotidiana.[5] Al final la Iglesia intentó frenar esta moda, que difuminaba peligrosamente las fronteras entre el culto cristiano y la veneración de los ídolos: "Les espaces de l'idole et du saint se croisent et se chevauchent constamment en dépit des barrières que l'Église voudrait infranchissables et des abîmes qui séparaient originellement les visions du monde" (Gruzinski 1990: 274, cf. tb. 244).

En el Perú colonial, la población indígena no llega a entender la diferencia entre la adoración de las huacas y la veneración de los santos por parte de los cristianos. En la *Doctrina christiana y catecismo para instrucción de indios*, publicada en Lima en 1584 y 1585, se encuentran varios pasajes que se ocupan de este problema:

> P: Pues porque los christianos adoran las imagenes de palo, y metal, si es malo adorar los Ydolos?
> R: No adoran los christianas [*sic*] las ymagenes de palo, y metal, por si mesmas, como los ydolatras, ni piensan, que en ellas mismas ay virtud, y diuinidad, mas mirando lo que representan, adoran a Iesu Christo en la cruz, y en su imagen, y reuerencian a nuestra Señora la virgen Maria, y a los otros sanctos, que estan en el cielo, pidiendo su fauor; y las mismas ymagenes reuerencian, no por lo que son, sino por lo que representan (*Doctrina christiana y catecismo* 1985: 59-60, cf. tb. 115-117, 576-581).

Sobre el trasfondo de estas reflexiones, quiero acercarme a las vicisitudes de la figura de Santiago en América, concentrándome sobre todo en su trayectoria

---

[5] Como Serge Gruzinski ha demostrado, la veneración de los santos estaba inseparablemente unida a la de las imágenes: "Image et saint sont partout associés. On ne peut explorer l'une sans tenir compte de l'autre. Là encore les Indiens surent se ménager une appréciable autonomie car le choix du saint ne fut pas toujours laissé à l'initiative des évangélisateurs" (1990: 283).

en el Perú. A base de un análisis de textos de los siglos XVI y XVII, escritos por españoles, mestizos e indios, pretendo averiguar de qué manera el culto al santo se exportó al Nuevo Mundo y en qué medida fue aceptado por la población indígena. Me interesa saber hasta qué punto la adopción del santo constituye un proceso de sincretismo comparable con los fenómenos descritos arriba.

SANTIAGO Y LA CONQUISTA DE AMÉRICA

Santiago Mayor, apóstol, patrón de España, santo de los guerreros, del tiempo atmosférico y de los frutos del campo, ha desempeñado, desde la temprana Edad Media, un papel primordial en la historia de España. Su sepulcro se ha venerado desde el siglo IX en Santiago de Compostela y ha atraído a peregrinos de toda Europa. En un nivel iconográfico, el santo se representa como peregrino que tiene como atributos una concha, un sombrero, un bastón y una calabaza (Gorys 1997: 144-145). Aunque la figura de Santiago Peregrino no parezca tener nada en común con la de Santiago Matamoros, existe una relación entre ambos: la importancia de la peregrinación fomenta el fervor religioso de la Reconquista, y la figura de Santiago, concebido como contrapeso de Mahoma, confiere identidad a la gran empresa nacional (Choy 1987, entre otros). Santiago, que según la leyenda intervino por primera vez en la batalla de Clavijo (843), se visualiza en este contexto como guerrero en un caballo blanco, con la espada alzada y moros caídos debajo de los pies de su caballo. El Matamoros de la Reconquista continúa siendo el punto de referencia de los españoles en su lucha contra los paganos americanos, reflejándose sin más en el Mataindios de la Conquista. La exportación al Nuevo Mundo es consecuente, ya que el concepto de la misión española y el fervor religioso, en lo principal, no han cambiado.

Según los testimonios de la época, en América los españoles se lanzaban con el grito de guerra "Santiago" o "Santiago a ellos" a la batalla, prosiguiendo así un elemento más de la Reconquista.[6] El conquistador Miguel de Este-

---

[6] Por lo menos, si podemos fiarnos en este aspecto del *Poema de Mio Cid*, en que se lee: "Los moros laman 'Mafomat' e los christianos 'Santi Yagu[e]'" (1996: v. 731), "'En el nombre del Criador e del apostol Santi Yague / ferid los, cavalleros, d'amor e de grado e de grand voluntad [...]'" (1996: vv. 1138-1139).

te relata la batalla de Cajamarca diciendo que se "tocan las trompetas, y [Francisco Pizarro] parte de su posada con toda la gente de pie que con él estaba, diciendo 'Santiago a ellos'. Y así salimos todos a aquella voz a una" (Estete 1938: 224).[7]

En las crónicas se sostiene además que Santiago intervino en favor de los españoles, tanto en la conquista de México como en la del Perú. No es casualidad que se trate de momentos cruciales de la historia, por ejemplo la batalla de Tabasco de 1518 o el cerco de Cuzco de 1536.[8] El jesuita José de Acosta subraya en su *Historia natural* que muchos relatos afirman la aparición de Santiago "en el aire [...] con la espada en la mano, en un caballo blanco, peleando por los españoles" (1987: 498).

Hay que constatar, sin embargo, que la gran mayoría de los testigos de vista no habla de una intervención del santo. Cronistas como Cristóbal de Mena, Juan Ruiz de Arce, Diego de Trujillo, Pedro Pizarro o Alonso Borregán ni siquiera mencionan a Santiago: por un lado, porque tienden a un estilo sobrio basado en la mera facticidad de los hechos, por otro, porque procuran subrayar el propio mérito de quienes emprendieron la conquista.[9] De hecho, la referencia a la intervención de Santiago posee una fuerte carga ideológica. Esto queda patente, por ejemplo, en el comentario irónico de Bernal Díaz del Castillo, testigo de vista, quien se dirige en su *Historia verdadera* contra la versión coloreada del historiador erudito López de Gómara, quien jamás estuvo en América:

> Aquí es donde dice Francisco López de Gómara (que salió Francisco de Morla en un caballo rucio picado antes que llegase Cortés con los de a caballo, y) que

---

[7] Cf. tb. los testimonios de otros cronistas sobre la misma batalla. Pedro Cieza de León (1986: 157): "Pizarro como entendió lo que le había pasado a fray Vicente con Atabalipa, mirando cómo no era tiempo de más aguardar, alzó una toalla señal para mover contra los indios, soltó Candía los tiros, cosa nueva para ellos y de espanto, mas fueron los caballos, que diciendo los caballeros grandes voces 'Santiago, Santiago', salieron de los aposentos contra los enemigos". Francisco de Xerez (1988: 112): "y sin temor [el Gobernador] le echó mano del brazo, diciendo 'Santiago'".

[8] Cf. tb. la presentación de la batalla de Jauja en Herrera y Tordesillas (V. Déc., libro 4: 323-324): "[los indios] afirman haber visto en el aire un caballero con la espada en la mano con un caballo blanco que los perseguía y atemorizaba, que los castellanos tienen por cierto ser su patrón el bienaventurado Apóstol Santiago".

[9] Esto no quiere decir que ellos duden de la Divina Providencia en favor de los españoles.

eran los santos apóstoles señor Santiago o señor san Pedro. [...] y pudiera ser que los que dice el Gómara fueran los gloriosos apóstoles señor Santiago o señor san Pedro, e yo, como pecador, no fuese digno de verles; lo que yo entonces vi y conocí fue a Francisco de Morla en un caballo castaño, que venía juntamente con Cortés [...] (Díaz del Castillo 1984: I, 149-150).

Bernal Díaz no cuestiona la perspectiva providencialista, pero sí ridiculiza la idea de que los apóstoles hubieran participado directamente en la batalla, donde se destacaron unos soldados bien identificables, como el mencionado Francisco de Morla.[10]

El cerco de Cuzco del año 1536, en el cual los indios fueron derrotados después de ocho meses, constituye una experiencia traumática para ellos y un avance en la cimentación de la prepotencia española. En la presentación de los sucesos en los textos historiográficos se nota un claro desarrollo: a medida que la distancia personal y temporal se hace mayor, se aumenta la disposición a interpretar los acontecimientos históricos a través de la intervención de una fuerza sobrenatural. Paso a paso se va constituyendo un discurso oficial. Mientras que Cristóbal de Molina, el Almagrista,[11] y el testigo de vista Pedro Pizarro[12] hablan de manera muy general de la Divina Providencia y de un milagro, cronistas menos directamente envueltos en los sucesos empiezan a incluir y amplificar la leyenda. Uno de los primeros en mencionar la intervención de Santiago en el cerco de Cuzco es Pedro Cieza de León, quien escribe en su *Crónica del Perú* (1984: 398):

> Pues estando contra ellos Mango inga, con más de docientos mil indios de guerra, y durante un año entero, milagro es grande escapar de las manos de los indios; pues algunos dellos mismos afirman que vían algunas veces, cuando andaban peleando con los españoles, que junto a ellos andaba una figura celestial que en ellos hacía gran daño, [...] tres veces [los indios] la encendieron [la iglesia], y tantas se apagó de suyo.

---

[10] Cf. el pasaje correspondiente en López de Gómara (1987: 74).

[11] Cf. Cristóbal de Molina el Almagrista (1943: 64-65).

[12] Cf. Pedro Pizarro (1986: 140): "Pues acontesçió en el Cuzco un milagro en la furia del çerco con que los indios desmayaron mucho [...] Pues acaesçió que [...] la iglesia enpeçó a arder, que hera de paxa y sin apagara nadie este fuego, ello mismo se apagó, que muchos lo bimos".

Hay que subrayar que en los textos españoles –tanto en Cieza de León como en José de Acosta o Antonio de Herrera– son los indios quienes afirman haber observado a Santiago peleando al lado de los españoles. Unos paganos que afirman la aparición del santo son los mejores garantes de la veracidad de la presentación historiográfica y de la legitimidad de la actuación española. Pero es más: obviamente, Santiago tiene un significado especial para los indígenas y, como veremos en el análisis de los textos siguientes, existía cierta disposición a interpretar determinados hechos en referencia al patrón español.

Los textos de los indios y mestizos

De hecho, son precisamente los textos del mestizo Garcilaso de la Vega y del indio Guamán Poma de Ayala, los que más insisten en la intervención del santo en el cerco de Cuzco. Ambos explican que los indígenas asociaron a Santiago con Illapa, el dios andino del 'relámpago, trueno y rayo'. No obstante, no sabemos si se trató verdaderamente de una asociación espontánea o más bien de una interpretación surgida y corroborada en el lapso de tiempo transcurrido entre el suceso histórico y la redacción de los textos. Garcilaso, que recibió en España una educación esmerada, relata en los *Comentarios reales* (1960: III, 125):

> A esta hora y en tal necesidad, fué Nuestro Señor servido favorecer a sus fieles con la presencia del bienaventurado apóstol Santiago, patrón de España, que apareció visiblemente delante de los españoles, que lo vieron ellos y los indios encima de un hermoso caballo blanco, embrazada una adarga y en ella su divisa de la orden militar y en la mano derecha una espada que parecía relámpago, según el resplandor que echaba de sí. Los indios se espantaron de ver el nuevo caballero, y unos a otros decían: ¿"Quién es aquel *viracocha* que tiene la *illapa* en la mano?" Dondequiera que el Santo acometía, huían los infieles como perdidos y desatinados; ahogábanse unos a otros huyendo de aquella maravilla. Tan presto como los indios acometían a los fieles por la parte donde el Santo no andaba, tan presto lo hallaban delante de sí y huían de él desatinadamente. Con lo cual los españoles se esforzaron y pelearon de nuevo y mataron innumerables enemigos, sin que pudiesen defenderse y los indios acobardaron de manera que huyeron a más no poder y desampararon la pelea.
>
> Así socorrió el apóstol aquel día a los cristianos, quitando la victoria que ya los infieles tenían en las manos y dándosela a los suyos. Lo mismo hizo el día

siguiente y todos los demás que los indios querían pelear; que luego que arremetían a los cristianos se atontaban y no sabían a qué parte echar y se volvían a sus puestos, y allá se preguntaban unos a otros diciendo: "¿Qué es esto? ¿Cómo nos hemos hecho utic, zampa, llaclla?" que quiere decir tonto, cobarde, pusilánime. Mas no por esto dejaron de porfiar en su demanda, como veremos, que más de ocho meses mantuviesen el cerco.

En comparación con el relato de Cieza de León se nota que la intervención de Santiago es detalladamente visualizada y muy concreta. Santiago ya no figura como ser celestial en las nubes, sino que se encuentra inmediatamente presente "delante de los españoles" y su poder de irradiación es tal que los indios se quedan desorientados y resignados.

La identificación de Santiago con Illapa por parte de los indios se puede explicar por el resplandor de la espada del santo que recuerda al dios del relámpago. Lo que sorprende en este pasaje es que la analogía[13] indicada por Garcilaso se base únicamente en el aspecto visual, aunque él mismo explica en otro lugar: "Al relámpago, trueno y rayo tuvieron por criados del sol [...]. A todos tres juntos llaman Illapa, y por la semejanza tan propia dieron este nombre al arcabuz".[14] Hay que recordar que el confalón con el que los conquistadores se presentaban en la batalla mostraba en una de sus caras "el apóstol Santiago en actitud de combate, sobre un caballo blanco, con escudo, coraza y casco de plumeros o airones, luciendo una cruz roja en el pecho y una espada en la mano derecha".[15] No pretendemos explicar de esa manera crudamente realista, como lo ha hecho Emilio Choy (1987), las supuestas afirmaciones de los indios, sino recordar, conforme con Serge Gruzinski, el impacto de las imágenes tan estrechamente unidas a la creencia en los santos. Garcilaso dibuja una escena de la batalla que se puede leer como imagen simbólica de las nuevas estructuras de poder en la colonia. Los indios, cuya reacción psicológica procura aclarar el cronista, tienen que rendirse ante la preponderancia de los españoles, protegidos por una fuerza divina mayor. El relato de Garcilaso parece una interpretación fijada de la experiencia trastor-

---

[13] Cf. Gruzinski (1990: 269): "L'analogie, le parallèle, la symétrie davantage que l'opposition régirent les rapports que les Indiens établirent entre leur déités et les images des conquérants".

[14] Garcilaso de la Vega (1960; II, 42, cf. tb. II, 114).

[15] Choy (1987: 421). En la otra cara se podían ver las insignias del rey.

nadora y se puede leer como precursor literario de los muchos retablos de iglesia que se hicieron durante la colonia sobre el milagro de Sunturhuasi.[16]

Desde un punto de vista psicológico y realista, Guamán Poma de Ayala da una explicación más exhaustiva para la identificación de Illapa con Santiago por parte de los indios, puesto que considera también las analogías auditivas. Illapa es el dios del trueno y en toda la región andina figura como conceptualización de las fuerzas atmosféricas, responsable tanto de tormentas destructoras como de la lluvia beneficiosa. Por cierto, ese punto revela otra analogía con el santo, puesto que ya en la Biblia, en el Evangelio de San Marcos 3,17, Santiago fue –junto a su hermano Juan– denominado Boanerges, lo que significa en hebreo 'hijos del trueno'. De ahí se explica que Santiago haya sido venerado, sobre todo en las regiones rurales de España, como el santo del tiempo, de los frutos del campo y del ganado.[17]

Poma de Ayala, cristiano, pero todavía muy cercano a la perspectiva indígena, relata que "lleuaba el santo mucho rruydo y de ello se espantaron los indios" (1987: II, 412). Es probable que el ruido causado por el santo y el trueno que le acompaña tengan que ver con el alarido de los españoles y con los armas de fuego desconocidos por los indios y sus efectos devastadores entre ellos. Por cierto, en el *Vocabulario de la lengua general de todo el Pirú* (1608) de Diego González Holguín, encontramos bajo la entrada *illappa* las acepciones 'rayo, arcabuz, artillería'. Veamos a continuación lo que Guamán Poma de Ayala escribe sobre el cerco de Cuzco:

> Señor Santiago Mayor de Galicia, apóstol de Jesucristo, en esta ora que estaua asercado los cristianos, hizo otro milagro Dios, muy grande, en la ciudad del Cuzco.
>
> Dizen que lo uieron a uista de ojos, que auajó el señor Sanctiago con un trueno muy grande. Como rrayo cayó del cielo a la fortalesa del Ynga llamado Sacsa Guamán, que es pucara del Ynga arriua de San Cristóbal. Y como cayó en tierra se espantaron los yndios y digeron que abía caydo yllapa, trueno y rrayo del cielo, caccha, de los cristianos, fabor de cristianos. Y ancí auajó el señor Sanctiago a defender a los cristianos.
>
> Dizen que bino encima de un cauallo blanco, que trayýa el dicho caballo pluma, suri, y mucho cascabel enxaesado y el sancto todo armado con su rrodela

---

[16] Por ejemplo, el retablo del monasterio de Santa Clara en Cuzco (Huhle 2003).
[17] Cf. tb. el *Liber Sancti Jacobi* (1998: 31).

y su uandera y su manta colorado y su espada desnuda y que uenía con gran destruyción y muerto muy muchos yndios y desbarató todo el serco de los yndios a
los cristianos que auía ordenado Mango Ynga y que lleuaua el santo mucho rruydo y de ello se espantaron los yndios. [...]

Y desde entonses los yndios al rrayo les llama y le dize Sanctiago porque el
sancto cayó en tierra con rrayo, yllapa, Santiago como los cristianos dauan boses,
deziendo "Santiago". Y así lo oyeron los yndios ynfieles y lo uieron al santo caer
en tierra como rrayo. Y ancí los yndios son testigos de uista del señor Sanctiago y
se deue guardarse esta dicha fiesta del Señor Santiago en este rreyno como pascua
porque del milagro de Dios y del señor Santiago se ganó (Poma de Ayala 1987:
II, 412).

Es significativo que en el texto del indio la figura celestial de la cronística
española haya bajado a la tierra para mostrar allí todo su poderío. Es el movimiento del rayo Illapa que cae del cielo a la tierra: "auajó el señor Sanctiago
con un trueno muy grande". Como se aprecia en la cita anterior, el autor
insiste mucho en este aspecto.

Guamán Poma de Ayala interpreta los sucesos desde una perspectiva indígena y a la vez cristiana. De ahí resultan unas incompatibilidades en su relato
que son como reflejos de las rupturas en la sociedad colonial. Los indios son
clasificados como testigos de vista de la intervención de Santiago, no obstante, lo que dicen es que bajó Illapa. El autor relata que desde entonces se debe
guardar la fiesta de Santiago en aquel reino, y asimismo que desde entonces
los indios llaman al rayo Santiago.

No sólo en este relato, también en otros pasajes de la *Crónica* se encuentran pruebas de la yuxtaposición de dos Santiagos distintos como representantes de dos culturas distintas. Por un lado, el cronista habla del Santiago
cristiano, patrón de España, e incluye dos dibujos de él,[18] por otro informa
sobre *yllapa Santiago* en el contexto de la cultura autóctona. Explica que es la
deidad responsable del nacimiento de gemelos, mellizos y de criaturas con
algún otro tipo de particularidad física.[19] También habla "De cómo sacrifi-
cauan al *yllapa*, al rrayo que agora les llaman Santiago [...]" (1987: I, 256), y

---

[18] Uno de los dibujos lo enseña como Mataindios, y el otro como peregrino al lado de
Nuestra Señora de la Peña de Francia y San Bartolomé.

[19] Cf. Poma de Ayala (1987: I, 268): "Otros hichezeros zazerdotes mandan quando nasen
dos crías de un uientre o de narises hendido, guaca cinga; o sale de los pies yayuma, uizama,
aualla, dizen que es hijo de Santiago en este tienpo, hijo de yllapa [el rayo] y de curi [oro]".

añade unas palabras en quechua sobre "ayunos rituales cuando el rayo Santiago cae sobre sus casas, sobre ellos mismos o sus llamas" (1987: II, 838).[20]

A la vista del texto de Guamán Poma de Ayala, parecen acertadas las palabras de Nathan Wachtel (1976: 237), quien habla de "un sincretismo aparente donde, en realidad, dominan las creencias tradicionales". La adopción del nombre Santiago por parte de los indios es un reconocimiento del dominio español, una adaptación al sistema prevaleciente, pero también contiene un elemento de subversión en cuanto que el santo queda incorporado a la cultura andina.[21]

SANTIAGO Y LA *EXTIRPACIÓN DE LA IDOLATRÍA* (1621) DE PABLO JOSÉ DE ARRIAGA

Nuestra interpretación se ve confirmada por los comentarios de Pablo José de Arriaga en la *Extirpación de la idolatría del Pirú*, escrita en 1621. Después de haber reflexionado sobre las posibles motivaciones para la identificación de Santiago con Illapa, el autor concluye: "De cualquier manera que sea, usurpan con gran superstición el nombre de Santiago, y así, entre las demás constituciones que dejan los visitadores acabada la visita es una, que nadie se llame Santiago, sino Diego".[22]

---

[20] Cf. tb. Poma de Ayala [1987: II, 840] y el pasaje siguiente: "El huzo del ayuno y uigilia y serimonia de los *Yngas* que guardan hasta oy en el pueblo de Asque: Los yndios hizieron serimonias del rrayo que ellos les llaman Santiago. Primero les llamaua *yllapa* [rayo], y por otro nombre le llama *curi caccha* [resplandor de oro]. Es que en aquel pueblo nació un niño narís hendido que ellos les llama cacya cinca. Y que le enserró a la dicha yndia y a su hijo, dezíndole 'hijo de Santiago' y que no le habló nadie cino un biejo. Y le hizo ayunar sal, agí, y carne; sólo le dio a comer más blanco. Y que no le uía sol ni luna. Pasado el mes, ajuntáronse todo el pueblo y hizieron unas sogas de paxa torsido a lo esquierdo, quemando la punta. Así ardiendo, con ello todos le asotaron a la yndia y lo echaron del pueblo. Y cubierto echa y huyr del pueblo con su hijo la dicha yndia a un serrillo. Y le asotaron deciendo: 'Sal de este pueblo, muger y hijo de Santiago *yllapa*'" (1987: II, 968 ss.).

[21] Irene Silverblatt (1988) hace hincapié en ese aspecto de subversión, aunque ve al Santiago andino como una figura amalgamada de Illapa y del santo.

[22] Arriaga (1968: 215). Antecede al trecho citado este razonamiento: "En el nombre de Santiago tienen también superstición y suelen dar este nombre a uno de los chuchus como a hijos del rayo, que suelen llamar Santiago. No entiendo que será por el nombre Boanerges, que les puso el apóstol Santiago, y a su hermano San Juan Cristo Nuestro Señor, llamándoles

Arriaga habla de una usurpación del nombre cristiano, es decir, nota una integración tan intensa del santo en el sistema cultural andino que ve la necesidad de prohibir el uso del nombre 'Santiago' y recomienda 'Diego' como sustituto. Véase también la siguiente constitución, que persigue idéntico fin, el de limitar el empleo del nombre por parte de los indios:

> Item de aquí adelante ningún indio ni india se llamará con nombre de las huacas y del rayo, y así no se podrá llamar Curí, Manco, Misa, Chacpa, ni Libiac, ni Santiago, sino Diego, y al que su hijo pusiere alguno de estos nombres le serán dados cien azotes por las calles, y el cura y vicario de esta doctrina procederá contra él como contra relapso en la idolatría, y a los que hasta aquí se han llamado con algunos de los dichos nombres mando se los quiten y se acomoden a llamarse con otros sobrenombres de los españoles o de santos (Arriaga 1968: 275).

Como vemos, aparece el nombre Santiago integrado en una lista de deidades andinas y está contrastado con nombres españoles y de santos. Es decir, el empleo del nombre ya no puede garantizar el acercamiento a la religión cristiana, sino que se interpreta como una forma de idolatría que hay que extirpar. Arriaga observa en los indios una tendencia aditiva que les deja aceptar elementos cristianos, los cuales, sin embargo, son incorporados sin más en el antiguo sistema religioso. De hecho, para la población autóctona no existe diferencia entre la adoración de las huacas y la veneración de las imágenes de santos.[23] Esa actitud amalgamadora es considerada por Arriaga como el problema más destacado en la evangelización de los indios ya que hace prevalecer ciertos elementos de la religión tradicional e impide crear una primera base de cristianismo en la población indígena.

---

rayos, que esto quiere decir hijos del trueno, según la frase hebrea, sino o porque se habrá extendido por acá la frase o conseja de los muchachos de España, que cuando truena dicen que corre el caballo de Santiago, o porque veían que en las guerras que tenían los españoles, cuando querían disparar los arcabuces, que los indios llaman Illapa, o Rayo, apellidaban primero Santiago, Santiago".

[23] Cf. Arriaga (1968: 224): "[los indios] entienden y lo dicen así, que todo lo que los Padres predican es verdad, y que el Dios de los españoles es buen Dios, pero que todo aquello que dicen y enseñan los Padres es para los Viracochas y españoles, y que para ellos son sus huacas, y sus malquis, y sus fiestas, y todas las demás cosas que le han enseñado sus antepasados y enseñan sus viejos y hechiceros; y ésta es persuasión común de los indios y cosa muy repetida de sus hechiceros, y así dicen que las huacas de los Viracochas son las imágines, y que como ellos tienen las suyas tenemos nosotros las nuestras, y este engaño y error es muy perjudicial".

CONQVISTA
MILAGRODELS, S,
hiago mayor apostol de. esu cristo

enel cuzco

Otro error y más común que el pasado es que pueden hacer a dos manos y acudir a entrambas a dos cosas. Y así sé yo dónde de la misma tela que habían hecho un manto para la imagen de nuestra Señora, hicieron también una camiseta para la huaca, porque sienten y dicen que pueden adorar a sus huacas y tener por Dios al Padre, y al Hijo, y al Espíritu Santo y adorar a Jesucristo; que pueden ofrecer lo que suelen a las huacas y hacelles sus fiestas y venir a la iglesia y oír misa, y confesar y aun comulgar (Arriaga 1968: 224).

RESUMEN

Como ha demostrado el análisis, la figura de Santiago, que posee tanta relevancia para la historia de España, aparece también en escena en los textos de la historiografía indiana de los siglos XVI y XVII. Mientras que el santo desempeña en la cronística española una función más bien ideológica dentro del marco general del providencialismo, en los textos de los mestizos e indios alcanza un alto valor simbólico para el choque de las dos culturas en el que se unen y se separan perspectivas distintas. Santiago recuerda a Illapa, por ello Illapa se llama Santiago. Las fronteras se vuelven borrosas. La identificación de ambos no extraña en vista de las muchas analogías en las funciones y fenómenos atribuidos a ellos y, no obstante, resulta difícil captar con precisión las fases exactas de ese proceso. Los textos parecen indicar que al lado del Santiago cristiano, y bajo su nombre, sobrevivió el dios andino Illapa, como ha sobrevivido hasta hoy, por lo menos en los Andes de Bolivia, según han comprobado Abdon Yaranga Valderrama (1979) e Ina Rösing (1990). El cambio de nombre expresa la aceptación del poderío español, pero a la vez se puede explicar como búsqueda de un patrón todavía más poderoso e infalible que el antiguo.

Partiendo de los textos citados, no se puede hablar de un sincretismo guiado y, probablemente, ni siquiera de un sincretismo espontáneo, ya que sigue manteniéndose la religión andina tradicional, en la cual se incorporan unos elementos aislados, más bien extrínsecos, del catolicismo. De ahí se explica la postura extirpadora del jesuita Pablo José de Arriaga y sus críticas al carácter aditivo de la religión indiana. Obviamente, para que se dé un proceso de sincretismo más substancial y profundo no bastan las similitudes entre dos conceptos religiosos, sino que intervienen también otras condiciones y aspectos político-sociales. Es interesante observar que, en México, Santiago fue recibido de manera muy distinta. Por un lado, en los textos historiográficos no se ve el intento de entender la intervención del santo desde la perspectiva de los indios y Santiago guarda, por lo menos al principio, sus características principales. Por otro, se encuentran pruebas de auténtico sincretismo, así los casos investigados por Louise Burkhart (1992) en una comunidad que se apodera del para fomentar sus propios intereses. Aunque sólo podemos aludir a ese desarrollo bien distinto, no deberíamos olvidar que las vicisitudes de los santos dependen de las condiciones específicas de su lugar de recepción en el Nuevo Mundo y que resulta revelador analizar los documentos de la época para precisar diferencias.

Bibliografía

Fuentes

Acosta, José de (1987 [1588]): *Historia natural y moral de las Indias*, edición de José Alcina Franch. Madrid: Historia 16.

Arriaga, José Pablo de (1968 [1621]): *Extirpación de la idolatría del Pirú*, en Francisco Esteve Barba (ed.), *Crónicas peruanas de interés indígena*. Madrid: BAE, pp. 191-277.

Borregán, Alonso (1948 [ca 1555-1565]): *Crónica de la Conquista del Perú*, edición y prólogo de Rafael Loredo. Sevilla: Escuela de Estudios Hispanoamericanos.

Cieza de León, Pedro de (1984 [1553]): *Descubrimiento y conquista del Perú*, edición, introducción y notas de Manuel Ballesteros Gaibrois. Madrid: Historia 16.

Díaz del Castillo, Bernal (1984 [1562–1568]): *Historia verdadera de la conquista de la Nueva España*. 2 vols., edición, introducción y notas de Miguel León-Portilla. Madrid: Historia 16.

Doctrina christiana y catecismo para instrucción de indios (1985 [1584-1585]). Facsímil del texto trilingüe. Madrid: CSIC.

Estete, Miguel de (1938 [ca 1535-1540]): "Noticia del Perú", en Horacio H. Urteaga (ed.), *Los cronistas de la conquista*. Paris: Desclée, pp. 195-251.

Garcilaso de la Vega el Inca (1960 [1609-1616]): *Comentarios reales de los Incas*, en *Obras completas*. 3 vols., edición y estudio preliminar de P. Carmelo Sáenz de Santa María. Madrid: Atlas.

Gonçalez Holguin, Diego (1608): *Vocabulario de la lengua general de todo el Peru llamada lengua Qqichua, o del Inca*. Ciudad de los Reyes: por Francisco del Canto.

Guamán Poma de Ayala, Felipe (1987 [ca. 1583-1615]): *Nueva crónica y buen gobierno*. 3 vols., , edición de John V. Murra, Rolena Adorno y Jorge L. Urioste. Madrid: Historia 16.

HERRERA Y TORDESILLAS, Antonio de (1934-1957 [1601-1615]): *Historia General de los Hechos de los Castellanos en las Islas y Tierra firme del Mar Océano*. 17 vols., editado por Antonio Ballesteros-Beretta Madrid: Academia de la Historia.

Liber Sancti Jacobi. Codex Calixtinus (1998). Transcripción por Klaus Herbers y Manuel Santos Noia. Santiago de Compostela: Xunta de Galicia.

LÓPEZ DE GÓMARA, Francisco (1987 [1541-1547]): *La conquista de México*, edición, introducción y notas de José Luis de Rojas. Madrid: Historia 16.

MOLINA, Cristóbal de (1943 [ca 1552]): „*Destrucción del Perú*, en *Las crónicas de los Molinas*, prólogo bio-bibliográfico por Carlos A. Romero. Lima: Miranda, pp. 1-88

PIZARRO, Pedro (1986 [1571]): *Relación del descubrimiento y conquista de los reinos del Perú*, edición de Guillermo Lohmann Villena, nota de Pierre Duviols. Lima: Pontificia Universidad Católica del Perú.

Poema de Mio Cid (1996 [1207]), editado por Colin Smith. Madrid: Cátedra.

RUIZ DE ARCE, Juan (2002 [1543]): *Memoria. Conquista del Perú, saberes secretos de caballería y defensa del mayorazgo*, editado por Eva Stoll. Madrid/Frankfurt a.M.: Iberoamericana/Vervuert.

TRUJILLO, Diego de (²1970 [1571]): *Una relación inédita de la conquista: la crónica de Diego de Trujillo*. Lima: Instituto Raúl Porras Barrenechea.

XEREZ, Francisco de (1988 [1534]): *Verdadera relación de la conquista del Perú*, edición, introducción y notas de Concepción Bravo Guerreira. Madrid: Historia 16.

Estudios

BURKHART, Louise M. (1989): *The slippery earth. Nahua-Christian moral dialogue in sixteenth-century Mexico*. Tucson: Arizona University Press.

— (1992): "The amanuenses have appropriated the text. Interpreting a Nahuatl song of Santiago", en: Brian Swann (ed.), *On the translation of Native American literatures*. Washington/London: Smithsonian Institution, pp. 339-355.

CHOY, Emilio (1987): "De Santiago Matamoros a Santiago Mata-Indios", en *Antropología e Historia*. Lima: Universidad Nacional Mayor de San Marcos, pp. 333-437.

FOSTER, George M. (1960): *Culture and conquest. America's Spanish heritage*. Chicago: Quadrangle.

GORYS, Erhard (1997): *Lexikon der Heiligen*. München: dtv.

GRANADOS, Jerónimo José (2003): *Bild und Kunst im Prozeß der Christianisierung Lateinamerikas*. Münster et al.: LIT.

GRUZINSKI, Serge (1988): *La colonisation de l'imaginaire. Sociétés indigènes et occidentalisation dans le Mexique espagnol, XVIᵉ et XVIIIᵉ siècles*. Paris: Gallimard.

— (1990): *La guerre des images. De Christophe Colomb à "Blade Runner" (1492-2019)*. Paris: Fayard.

HUHLE, Rainer (1994): "Vom Matamoros zum Mataindios oder Vom Sohn des Donners zum Herrn der Blitze: die wundersamen Karrieren des Apostels Jakobus in Amerika", en Axel Schönberger/Klaus Zimmermann (eds.), *De orbis Hispani linguis litteris historia moribus. Festschrift für Dietrich Briesemeister.* Frankfurt a.m.: DEE, pp. 1167-1196.

— (2003): "Wenn das Leid Gestalt annimmt. Politische und soziale Gewalt in den Werken der Volkskünstler Perus", en *Hispanorama* 100, pp. 67-86.

INGHAM, John M. (1986): *Mary, Michael, and Lucifer. Folk catholicism in central México.* Austin: Texas University Press.

LOCKHART, James M. (1992): *The Nahuas after the conquest. A social and cultural history of the indians of central Mexico, sixteenth through eighteenth centuries.* Stanford: Stanford University Press.

MADSEN, William (1967): "Religious syncretism", en *Handbook of Middle American Indians* 6. Austin: Texas University Press, pp. 369-391.

MARZAL, Manuel, SJ (1988): "Análisis etnológico del sincretismo iberoamericano", en Karl Kohut/Albert Meyers (eds.), *Religiosidad popular en América Latina.* Frankfurt a.m.: Vervuert, pp. 161-177.

MILLONES, Luis (1987): *Historia y poder en los Andes centrales (desde los orígenes al siglo XVII).* Lima: IIP.

NUTINI, Hugo G. (1976): "Syncretism and Acculturation. The Historical Development of the Cult of the Patron Saint in Tlaxcala, Mexico (1519-1670)", en *Ethnology* 14.1, pp. 301-321.

RÖSING, Ina (1990): *Der Blitz: Drohung und Berufung.* München: Trickster.

SILVERBLATT, Irene (1988): "Political memories and colonizing symbols: Santiago and the mountain gods of colonial Peru", en Jonathan D. Hill (ed.), *Rethinking history and myth. Indigenous South American perspectives on the past.* Urbana/Chicago: Illinois University Press, pp. 174-194.

WACHTEL, Nathan (1976): "Los límites de la evangelización", en *Los vencidos. Los indios del Perú frente a la conquista española (1530-1570).* Madrid: Alianza, pp. 226-242.

WOOD, Stephanie (1991): "Adopted saints: Christian images in Nahua testaments of late colonial Toluca", en *The Americas* 47.3, pp. 259-294.

YARANGA VALDERRAMA, Abdon (1979): "La divinidad Illapa en la región andina", en *América Indígena* 39.4, pp. 697-720.

II. Marco legal

LOS CONCILIOS LIMENSES
DESDE UN PUNTO DE VISTA LINGÜÍSTICO

Hans-Martin Gauger (Friburgo e.B.)

En el parágrafo que, en su magistral *Historia de la lengua española*, abre el capítulo sobre el español del Siglo de Oro, dice Rafael Lapesa: "Elevada por los Reyes Católicos al rango de gran potencia, España se lanza con Carlos V a regir los destinos de Europa. Brazo de la causa imperial, se empeña en la defensa del catolicismo frente a protestantes y turcos, pone su esfuerzo al servicio de un ideal ecuménico, la unidad cristiana, y propaga en América la fe consoladora" (1980: 291). Estas dos frases, que salen del ámbito de la historia 'científica' de una lengua, expresan de una manera bastante completa la visión triunfalista de lo que hizo España a partir del siglo XVI en Europa y en el Nuevo Mundo. Es evidente que se trata de lo que hoy en día se suele llamar una 'construcción'. Si hay una 'leyenda negra', hay también una leyenda blanca. Las afirmaciones de estas dos frases no son simplemente equivocadas, pero habría que añadir a cada una de ellas, para que correspondiesen a 'la verdad histórica', un "sí, pero…". Hay que distinguir, pues, 'la verdad histórica' como tal, es decir, los hechos históricos tal como se presentan objetivamente, y las 'construcciones' de este tipo, que también son una realidad en la medida en que forman parte de la conciencia histórica de una colectividad, por ejemplo de una nación. En este sentido, lo que formula Rafael Lapesa corresponde a una realidad, aunque se trate, visto desde la España de hoy, de una realidad hasta cierto punto superada.

Hay concilios universales o ecuménicos y concilios provinciales, como los tres celebrados en Lima en el siglo XVI, que son los que aquí nos interesan. El concilio provincial recibe también el nombre de sínodo: así pues, hablamos aquí de los concilios o los sínodos de Lima. Estos concilios provinciales, al igual que el Sínodo de Tours de 813, punto de referencia para todos que se interesan por la historia del francés –'la partida de nacimiento de la lengua francesa'–, tienen sus implicaciones lingüísticas.

Empecemos con el Tercer Concilio Limense que tuvo lugar entre 1582 y 1583. Su protagonista fue Toribio Alfonso de Mogrovejo, hoy Santo Toribio (fue canonizado en 1726). Había nacido probablemente en 1538, cerca de Valladolid, y fue consejero de la Inquisición en Granada. En 1579 fue nombrado arzobispo de Lima y, desde su llegada al Perú, reformó y reorganizó profundamente toda la Iglesia sudamericana. Murió en 1606, casi veinte años después de 'su' concilio. Pero hay un segundo protagonista en este concilio: el padre José de Acosta. Éste procedía de una familia de comerciantes de origen probablemente judeo-portugués. Nació en 1540 en Medina del Campo, donde en 1551 ingresó en el colegio de la Compañía de Jesús. Cursó estudios en Salamanca y en Alcalá de Henares. En 1571 se embarca para América y llega, pasando por Santo Domingo, al Perú. Fue rector del colegio de Lima y autor de una *Historia natural y moral de las Indias* (1590). Acosta es también el autor de las actas del Tercer Concilio.

Los decretos de este concilio se refieren sobre todo a la evangelización de los indios y a la actividad pastoral. Redactados en latín, fueron impresos en 1591 en Madrid. Desde 1990 disponemos de una edición con un estudio crítico de Francesco Leonardo Lisi. Citemos también el libro de Primitivo Tineo, poco posterior al de Lisi. Este último libro, aunque nos informa bien, es superficial en el sentido de que no ve problemas por ninguna parte: para su autor todo es perfecto en la jerarquía eclesiástica, para él sólo hay una evangelización impulsada por motivos puramente espirituales.

Hay que subrayar la gran importancia de este Tercer Concilio: sus decretos fueron válidos durante tres siglos, hasta 1899, año en que se celebró el Concilio Plenario Latinoamericano. Y no tenemos que recordar aquí que, cuando hablamos del Perú en el contexto de los concilios limenses, hablamos prácticamente de una gran parte de la América española. El objetivo de esos concilios fue aplicar al Nuevo Mundo las decisiones del Concilio de Trento, con el que la Iglesia reaccionó contra la Reforma. Este concilio se había celebrado entre 1545 y 1563. Pero precisamente en lo relativo a las lenguas, que es lo que aquí nos interesa –el uso de las lenguas maternas o 'vulgares'– lo que se había decidido en Trento no se pudo aplicar en Lima.

Antes del Tercer Concilio Limense se habían celebrado, por tanto, dos concilios: el primero en 1552, el segundo en 1576. Ambos concilios fueron protagonizados por fray Jerónimo de Loaysa. El Tercer Concilio aprueba y confirma los decretos del segundo. Hay, pues, entre estos tres concilios un espacio de quince años: 1552-1567-1582. En cuanto a lo político, Lisi dice todo lo necesario: "El interés de la corona por realizar el concilio estaba unido a la política de Felipe II en América: por un lado, asentar el poder real por medio del clero y de la Iglesia. Por otro, tener bajo control estricto a la Iglesia americana, evitando toda influencia proveniente de Roma que la pudiera convertir en un poder independiente y, en determinadas circunstancias, opuesto a Madrid".

Tineo (1990: 69-71) distingue con respecto al espacio andino tres etapas de la evangelización. En una primera etapa son los mismos soldados los que evangelizan: "La labor recae sobre los mismos soldados, que a su manera hacían de predicadores, bautizaban a los indios, a veces por la fuerza y la violencia". En una segunda etapa, las 'guerras civiles' entre los españoles no permitían la predicación: "dejaban poco lugar para el sosiego que requiere la predicación". (Parece algo problemático llamar a estas luchas entre los conquistadores 'guerras civiles'.) La tercera etapa empieza entre 1550 y 1560 con la llegada de más misioneros, de las órdenes religiosas: agustinos, franciscanos, dominicos, jesuitas.

En cuanto a la evangelización y a las lenguas indígenas, prevaleció muy pronto la idea (que confirmará el tercer concilio) de que la catequesis ha de tener lugar en la lengua indígena, es decir, en quechua y no en español (ni en latín). Más tarde se añadiría el aimara, otra 'lengua general'. Para los españoles existían dos criterios. Primero, el criterio político: la unidad lingüística de las Indias. El castellano sería la única lengua y podría ser también un medio o el medio de la evangelización. Y luego, el criterio teológico-misional. Bajo este criterio se presentaba como única solución razonable y realista la catequesis en quechua. El doctor Cuenca, oidor de Lima, escribe a Felipe II: "Ningún indio se confiesa, ni entiende lo que se les enseña en la doctrina, por no entender los sacerdotes la lengua y enseñarles la doctrina en nuestra lengua".[1] Tineo: "Prevaleció el criterio teológico y se sacrifica el castellano". De hecho se trata más bien de una posición realista, pues de otra manera la evangelización, pura y simplemente, habría sido imposible. Y la evangelización sí que les parecía imprescindible a los conquistadores españoles que querían convivir con los indígenas, empleándolos como mano de obra.[2]

En 1580, Felipe II promulgó una Real Cédula que disponía que no fuese destinado a la catequesis ningún clérigo que no hubiese cursado estudios en la nueva cátedra de lengua indígena, establecida definitivamente por el rey en

---

[1] Citado en Tineo (1990: 529).

[2] En este punto hay una diferencia muy notable con la actuación de los ingleses que penetraron en el norte del continente americano.

la Universidad de San Marcos de Lima. Felipe II creó una cátedra de lengua general de los indios, de quechua, en todas las ciudades del virreinato con Audiencia Real. Posteriormente, después del Tercer Concilio, hubo también una cátedra para la enseñanza del aimara. El concilio ya había editado una edición trilingüe de un catecismo. En su carta de 1592, Felipe II también se refiere al aimara: "[...] se me ha hecho relación que las dos cátedras de lengua materna, aymara y quechua [...] están vacas al presente, por muerte de los lenguaraces Balboa y Zapata".[3] La solución de los dos idiomas indígenas, que consagró el Tercer Concilio, ya la habían apuntado los dos concilios anteriores bajo la inspiración de Loaysa.

Las disposiciones lingüísticas del Tercer Concilio no están, evidentemente, en su centro de interés y son muy cautelosas. En el fondo, son de doble dirección: defienden la lengua indígena, pero también el castellano. El centro, *Catechismi scopus praecipuus* (Caput 6m), es, sin duda, desde un punto de vista teológico, 'la percepción, el entendimiento de la fe', "fidei perceptio". Cada uno debe ser instruido 'para que entienda', "quisque instruendus est ut intelligat", es decir, "Hispanus hispanice, Indus indice". La justicia, la 'justificación' ante Dios, presupone la fe y la fe presupone cierto entendimiento, cierto entendimiento del 'corazón'. Es interesante que se hable aquí del 'corazón': "Corde enim credimus ad iustitiam" (para obtener la justificación) "quod ore confitemur ad salutem" ('Lo que creemos en el corazón para obtener la justicia lo articulamos con la boca para nuestra salvación'). No se debe obligar a ningún indio a decir sus oraciones o su catecismo en latín, porque 'basta y es mucho mejor, que lo diga en su propia lengua. Pero si algunos de ellos (si qui ipsorum) lo quieren, lo pueden hacer también en castellano': "possunt etiam Hispanicum quo multi iam utuntur, adiungere". Así pues, muchos indios ya hablan el castellano. Exigir de los indios otra lengua "praeter haec", es decir, además de la suya y del castellano, es innecesario, "superfluum est".

La confesión presenta un gran problema de índole práctica (la confesión auricular fue un punto importante en Trento). De ella habla el Caput 16m intitulado *Confessionem integre cognoscendam.* No sin humor, el decreto afirma: "Por ignorar la lengua india no pocos sacerdotes pasan por alto muchos pecados y otorgan sin cuidado el beneficio de la absolución [...]. Por ello, si no

---

[3] Citado en Tineo (1990: 533).

saben bien, remitan a los penitentes a los que son más entendidos o aprendan lo que no saben, que no es buen juez quien juzga lo que ignora". En el Caput 43m, *De scholis puerorum Indicorum*, se insiste en que aprendan a leer y a escribir "et caetera", pero 'sobre todo' (nota bene) en 'que se acostumbren a entender y hablar nuestro idioma hispano' ("nostrum idioma Hispanicum consuescant intellegere et pronuntiare"). Se insiste, pues, en el conocimiento pasivo y activo del castellano, leer y escribir. Además –otro punto importante e interesante–, también hay que enseñar la 'doctrina christiana' a las niñas: "Doctrina quoque Christiana pueros et puellas imbuant". Un detalle, fuera de lo lingüístico, muestra que era frecuente el abuso, pero muestra también que la Iglesia censuraba tales prácticas. En cuanto a los niños, se prohíbe en este capítulo, dando dos ejemplos concretos, lo siguiente: "abusar de su servicio y trabajo con ocasión de la escuela ni de mandarlos a hacer de pastores o cortar leña".

En el fondo se proponen dos vías: predicar y catequizar en las lenguas maternas, por razones prácticas (no es posible hacerlo de otra manera) y, por lo que toca a los niños, propagar en los colegios la lengua española –"idioma Hispanicum"–. En la práctica hubo muchos problemas: sobre todo, como lo muestra Tineo, por la gran inestabilidad (local) de los clérigos. Es interesante, como opinión probablemente muy típica, el testimonio de un tal Solórzano, al que cita Tineo (1990: 529): "No se les puede quitar su lengua a los indios; es mejor y más conforme a razón que nosotros aprendamos las suyas, pues somos de mayor capacidad". Por otra parte dice este mismo observador, mirando hacia atrás e identificándose con los 'españoles' prerromanos: "Nosotros también tomamos la lengua de Roma".[4]

El Concilio de Trento era muy contrario en su mayoría (pues hubo una minoría importante que pensaba distinto) a la traducción de la Biblia, o de partes de la Biblia, a las lenguas vulgares. La mayoría también se opuso a la traducción de la misa. En este sentido no hubo contradicción entre Trento y Lima, porque en el Nuevo Mundo tampoco se celebraba la misa en castellano. Por otra parte, siempre estuvo muy claro a ambos lados del océano, por puras razones prácticas, que la catequesis había de tener lugar en las correspondientes lenguas vulgares: la catequesis y, por ende, también la homilía (dentro de la misa), como lo había decretado ya, más de siete siglos atrás, el Sínodo de Tours (813).

---

[4] Solórzano Pereira publicó en 1647 en Madrid una *Política indiana*.

Señalemos sin embargo una diferencia notable entre España y América en cuanto a la aplicación del Concilio de Trento. En Lima se trataba, como hemos dicho, de adaptar el Concilio de Trento a la situación particular de América. Esto es, en suma, lo que se hizo. En España sin embargo no se realizó, en un punto preciso y muy importante, lo que habían ordenado *expressis verbis* el concilio y el papa Pío V. El *Catechismus Romanus*, dirigido "ad parochos", tal como lo había decretado el concilio, se publicó en Roma en septiembre de 1566, tres años después de concluida la asamblea. Casi al mismo tiempo que la edición original latina, apareció una edición italiana, y un año más tarde salieron a la luz ediciones en alemán (Dillingen en Baviera), en francés (París) y en polaco (Cracovia). Pero no se publicó ninguna traducción al español. La primera traducción castellana se editó, casi dos siglos más tarde, en México (1728). Pasados más de cincuenta años hubo por fin dos en España: en Pamplona (1777) y en Valencia (1782), esta última "por orden del Rey" (Carlos III).

Lo interesante del caso no es sólo que no hubiera ediciones castellanas coetáneas del catecismo, sino sobre todo que eso ocurriera *contra* la voluntad expresa del papa Pío V, del rey Felipe II y del presidente del Santo Oficio e inquisidor general Diego de Espinosa, que era también presidente del poderoso Consejo de Castilla. El papa se había dirigido directamente a Espinosa: "Nuestro carísimo hijo Felipe, rey católico de las Españas, desea vivamente que se traduzca al castellano el catecismo ordenado en el concilio de Trento, para que puedan leerlo también los que no tienen cultura latina". Es decir, que el papa no pensaba sólo en los párrocos, ya que ellos tenían 'cultura latina'. Al parecer, pensaba también en un público más amplio. Sabemos que hubo dos traducciones al español: una de un tal Cristóbal Cabrera (iniciativa, como parece, más bien privada) y otra, más bien 'oficial', de Pedro de Fuentidueñas, teólogo prestigioso que había participado en el concilio y al que el mismo Espinosa había encargado esta traducción. Ninguna de esas traducciones salió a la luz. Además, seguramente no es un hecho fortuito que los manuscritos de estas dos traducciones desaparecieran por completo.

Parece que la oposición al *Catecismo Romano* en traducción española provenía del propio consejo del Santo Oficio. Los consejeros hicieron cambiar de opinión a Espinosa y éste, posiblemente, logró lo mismo con el rey. Por otra parte, el asunto fue tratado de una manera dilatoria. Indudablemente, nadie contradijo de manera directa al papa, nadie le dijo abiertamente: 'no queremos hacer tal cosa'. Pero la suerte acompañó a quienes se oponían a publicar la traducción: en mayo de 1672 murió Pío V y el nuncio apostólico en España, Giambattista Castagna, que había propugnado la inmediata publicación del *Catecismo Romano* en español, pasó a tener otros campos de actividad. En Roma el asunto cayó en el olvido. Así se explica (lo que hoy en día, basta pensar en los medios de comunicación, sería imposible) que en la España ultracatólica de Felipe II no se llevara a cabo algo que el mismo papa quería que se hiciera.

El consejo del Santo Oficio se basó en un dictamen, que probablemente había encargado el consejo, pidiendo ese mismo resultado, del dominico fray Diego de Chaves, figura importante, que había sido también el confesor del príncipe Don Carlos. El dictamen lleva fecha de 14 de febrero de 1570. Alaba Chaves la calidad de la traducción de Fuentidueñas ("Fuentidueña" en su texto, el nuncio Castagna le llamaba "il dottore Fontidonio") de manera sumaria: "En lo que toca a estar fielmente traducido y en buen estilo, paréceme que lo está". Pero afirma a renglón seguido: "ni bien ni mal traducido conviene que ande en castellano". Así que el *Catecismo Romano* –el primer catecismo oficial, 'ecuménico', decretado por un concilio universal (porque anteriormente, ningún concilio había formulado su doctrina de una manera tan sistemática)– tuvo que esperar casi dos siglos para poder "andar en castellano". Y lo hizo por vez primera, en 1728, en el Nuevo Mundo.[5]

El cristianismo se distingue del islam y también del judaísmo por su comportamiento lingüístico práctico y por su teología lingüística implícita. En sentido teológico, la religión cristiana no tiene ninguna lengua privilegiada, aunque el latín lo haya sido durante mucho tiempo. La religión cristiana no se refiere siempre a un texto 'original' escrito en una lengua 'original' tal como lo hacen el judaísmo y, de una manera más radical aún, el islam. La iglesia romana incluso ha declarado 'oficial' una traducción de la Biblia, la de San Jerónimo, la llamada vulgata. Para la teología cristiana, todo lo importante, todo lo esencial o, pura y simplemente, *todo* se puede decir en cualquier lengua.

En cuanto a la Biblia es lícito hacer una afirmación aún más tajante: no sólo se puede decir todo en cualquier lengua, sino que todo se puede *decir*,

---

[5] Cf. Gauger (2003). Me baso aquí en el libro (casi una novela) de Rodríguez (1998). Hay, como explica también Rodríguez, una relación bastante directa entre el caso Carranza y el dictamen de Chaves, enemigo de Carranza y hay, sobre todo, "la presencia del Catecismo condenado (el de Carranza) entre las fuentes de consulta para la redacción del Catecismo Romano". Sobre la discusión 'lingüística' en el Concilio de Trento, véase Smolinsky (1998).

todo se puede expresar *lingüísticamente*. Es una diferencia con las religiones del lejano oriente, en las que se encuentra por lo general la idea de que hay que separarse del lenguaje, de que hay que dejarlo atrás para llegar a la esencia, a lo esencial. Hasta cierto punto, esa idea la encontramos también más tarde, en la Edad Media, en el misticismo cristiano y en el misticismo judío, en la cábala, aunque no de una manera tan radical o fundamental como en aquellas religiones orientales. Y es una idea por completo ajena al mundo de la Biblia, y en este punto no hay ninguna diferencia entre el Antiguo y el Nuevo Testamento. En ningún momento encontramos en la Biblia la idea de que haya cosas que no se puedan expresar con el lenguaje, que haya contenidos de la fe que estén 'por encima' o 'más allá' de él. Tampoco hay en la Biblia ningún escepticismo en cuanto a la lengua o en cuanto a lo escrito. Para ella, la lengua y lo escrito no son obstáculos para el entendimiento.

Y no lo son tampoco para el encuentro entre Dios y el hombre: la lengua es un puente firme entre el hombre y Dios. Tampoco encontramos en la Biblia ese escepticismo lingüístico que caracteriza la 'ilustración griega', el mundo de los sofistas y de los rectores del entorno de Sócrates. El mismo Platón piensa (lo dice en su famosa *Séptima carta*) que cierto saber está por encima del lenguaje y que hay que buscarlo 'sin la palabra' ("anéu rhématos").[6] Más escéptico aún es Platón en cuanto a la escritura, a lo escrito. Lo expone en su diálogo *Fedro*. Tales ideas son muy ajenas a la Biblia. Para ella, pues, (a) todo se puede decir y (b) todo se puede decir en una lengua cualquiera. Y la escritura no quita nada, sino que reproduce o puede reproducir fielmente lo hablado (cf. Gauger 1988).

En este sentido los tres concilios limenses, en sus disposiciones lingüísticas, tan prácticas y realistas, están enteramente en la línea de la más clásica tradición cristiana. Están concordes con la Iglesia primitiva y con los textos básicos. Todos los escritos, incluso los más antiguos, del Nuevo Testamento están redactados en una lengua que ya no es la de Jesús y de sus discípulos. Las cartas de San Pablo, que son de 15 años anteriores al evangelio más antiguo, el de San Marcos, y los cuatro evangelios canónicos, redactados entre los años 70 y 100, están escritos en griego, la lengua 'general' de aquella zona oriental del Imperio Romano. Los evangelios nos transmiten muy pocas palabras y frases de Jesús tal como (siempre según los evangelios) él las dijo 'en

---

[6] Cf. Cassirer (1956: 62-66), Gauger (1970: 105-107).

original': "talita cum" (Marcos 5,41) o "effatá" (Marcos 15,34) o "Mariám" dirigido a la Magdalena y el "Rabbuní" con que ella le contesta (Juan 20,16). El Caput 6m del Tercer Concilio Limense se refiere al 'apóstol', es decir, a San Pablo. Dice el concilio: "quisque instruendus est ut *intellegat*, Hispanus hispanice, Indus indice, alioqui quantumvis benedicat, mens illius iuxta apostoli sententiam sine fructu est" ('de lo contrario, por más que se bendiga, la mente de este según la frase del apóstol no tiene fruto'). Se refiere esta última frase, muy probablemente, al capítulo 14 de la primera epístola a los Corintios. Se distancia aquí el apóstol hasta cierto punto del 'hablar en lenguas', de la *glosolalia*: "Buscad la caridad, pero aspirad también a los dones espirituales, especialmente a la profecía. Pues el que habla en lenguas no habla a los hombres sino a Dios. En efecto, nadie le entiende: dice en espíritu cosas misteriosas. Por el contrario, el que profetiza, habla a los hombres para su edificación, exhortación y consolación" ('Sectamini charitatem, aemulamini spiritualia: magis autem ut prophetetis. Qui enim loquitur lingua, non hominibus loquitur, sed Deo: nemo enim audit. Spiritu autem loquitur mysteria. Nam qui prophetat, hominibis loquitur ad aedificationem, et exhortationem, et consolationem').

Se ve que el apóstol distingue dos tipos de *spiritualia*, dos 'dones del espíritu' o dos *carismas*, y establece, lo que es más importante, una clara jerarquía entre ellos. Distingue 'el hablar en lenguas' y 'el profetizar', y pone este último don por encima del primero. Es superior 'el profetizar', que podríamos traducir por *predicar* (pero un *predicar* por inspiración divina). Es superior el predicar porque se puede *entender*, es decir, que es útil para los demás. Lo que el apóstol quiere (o más bien prefiere) es *manifestum sermonem*: "Ita et vos per linguam nisi manifestum sermonem dederitis: quomodo scietur id, quod dicitur? eritis enim in aëra loquentes" ('Así también vosotros: si hablar no pronunciáis palabras inteligibles, ¿como se entenderá lo que decís? Es como si hablarais al viento', *Corintios* I, 14,9. Biblia de Jerusalén). A esto corresponde de manera exacta el "quisque instruendus est ut *intelligat*" del Concilio Limense.

El evangelio de Marcos concluye con un apéndice (16,9-20), añadido mucho más tarde, en el siglo II (Marcos escribió su evangelio alrededor del año 70). Ese apéndice es una especie de resumen de lo que dicen los otros evangelios sobre las apariciones del resucitado y sus mandamientos. Leemos en él: "Estas son las señales que acompañarán a los que crean: en mi nombre expulsarán demonios, hablarán en lenguas nuevas, tomarán serpientes en sus manos y aunque beban veneno no les hará daño; impondrán las manos sobre los enfermos y se pondrán bien" (16,17-18). Tal referencia a las 'lenguas nuevas' ha de ser vista en el contexto de la expansión rapidísima de la religión cristiana entre los paganos, es decir entre los no judíos. La predicación tuvo éxito sobre todo entre los paganos. Según el testimonio de los Hechos de los Apóstoles fue en la ciudad de Antioquía, capital entonces de Siria, hoy Antakya en Turquía, "donde, por primera vez, los discípulos recibieron el nombre de 'cristianos'" (11,26).

Y sin duda hay que indicar aquí también lo que ocurrió el día de Pentecostés en Jerusalén, cuando de pronto los discípulos empezaron 'a hablar en otras lenguas': "la gente se congregó y se llenó de estupor al oírles hablar cada uno en su propia lengua". La Biblia de Jerusalén comenta: "Los apóstoles hablaban las lenguas de todos los pueblos: restauración de la unidad perdida en Babel, símbolo y anticipación maravillosa de la misión universal de los apóstoles". El comentario va demasiado lejos, dice más de lo que dicen los dos textos a que se refiere: el de Pentecostés (Hechos de los apóstoles 2,1-13) y el de Babel (Génesis 11,1-9). Pero lo que llama 'anticipación' es de todos modos el modelo de la misión cristiana. "Hablarán en lenguas nuevas", decía el apéndice a San Marcos. Para el Tercer Concilio Limense, como para los dos anteriores, las 'lenguas nuevas' son el quechua y el aimara.

BIBLIOGRAFÍA

CASSIRER, Ernst (1956): *Philosophie der symbolischen Formen. Erster Teil: Die Sprache.* Darmstadt: Wissenschaftliche Buchgesellschaft.
GAUGER, Hans-Martin (1970): *Wort und Sprache. Sprachwissenschaftliche Grundfragen.* Tübingen: Niemeyer.
— (1988): "Über die Vielfalt der Sprachen", en Utz Maas/Willem van Reijen (eds.), *Geteilte Sprache. Festschrift für Rainer Marten.* Amsterdam: Grüner, pp. 191-202.
— (2003): "El catecismo romano en España", en *Estudios ofrecidos al Profesor José Jesús de Bustos Tovar.* Madrid: Editorial Complutense, vol. 1, pp. 413-420.
LAPESA, Rafael (1980): *Historia de la lengua española.* Octava edición refundida y muy aumentada. Madrid: Gredos.
LISI, Francesco L. (1990): *El tercer concilio limense y la aculturación de los indígenas sudamericanos.* Salamanca: Universidad de Salamanca.
RODRÍGUEZ, Pedro (1998): *El Catecismo Romano ante Felipe II y la Inquisición española.* Madrid: Rialp.

SMOLINSKY, Heribert (1998): "Sprachenstreit in der Theologie? Latein oder Deutsch für Bibel und Liturgie – ein Problem der katholischen Kontroverstheologie des 16. Jahrhunderts", en Guthmüller, Bodo (ed.), *Latein und Nationalsprachen in der Renaissance*. Wiesbaden: Harrassowitz.

TINEO, Primitivo (1990): *Los concilios limenses en la evangelización latinoamericana. Labor organizativa y pastoral del tercer concilio limense*. Pamplona: EUNSA.

Catequesis y derecho canónico entre el Viejo y el Nuevo Mundo

Thomas Duve (Frankfurt a.M.)

En este trabajo se intenta abordar el tema del presente volumen desde una perspectiva histórico-jurídica. Se pretende esbozar, luego de una breve introducción a las fuentes del derecho canónico de la época de la evangelización (apartado 1), cómo fue el marco jurídico para la organización de la actividad catequética, especialmente para la redacción de catecismos, en la tradición europea (apartado 2). A partir de allí, se pregunta por el marco jurídico-canónico de la actividad catequética americana, concentrándose en la provincia eclesiástica del Perú hasta la publicación de los catecismos limenses de 1584-1585 (apartado 3). Mirando el Viejo y el Nuevo Mundo –una mirada a vuelo de pájaro gracias a varias investigaciones profundas sobre la evangelización y la catequesis en torno al quinto centenario del descubrimiento y de la publicación del catecismo de la Iglesia católica en el año 1992– puede resumirse que la Iglesia estableció, a partir de Trento, un régimen bipolar de la catequesis: por un lado, un catecismo universal y, por el otro, catecismos regionales formados con el molde del universal.

Este sistema bipolar subsiste hasta la actualidad con ciertos refinamientos, y pareciera que el aporte americano para el establecimiento de este mecanismo de integración de la variedad cultural a la unidad de la fe no se ha borrado de la memoria colectiva de la Iglesia: en el prólogo del catecismo de la Iglesia católica de 1992, sucesor inmediato del *Catechismus Romanus* de 1566, se destaca la importancia de éste y del Concilio de Trento que "suscitó en la Iglesia una organización notable de la catequesis" y que promovió, gracias a obispos y teólogos, la publicación de numerosos catecismos. Entre los "santos obispos y teólogos" explícitamente mencionados figuran San Pedro Canisio, San Carlos Borromeo, San Roberto Belarmino y San Toribio de Mogrovejo, nombrado arzobispo de Lima en 1579, el "Borromeo de los Andes" e impulsor de los catecismos limenses.[1]

---

[1] *Catecismo de la Iglesia Católica* (1992), prólogo, n°. 9. La apreciación de Mogrovejo como "Borromeo de los Andes" se halla en Durán (1990: 260).

1. LAS FUENTES DEL DERECHO CANÓNICO INDIANO

Para entender el derecho canónico indiano es indispensable señalar que el
marco jurídico de la actividad catequética en la evangelización de América se
desprende del derecho canónico universal que era un ordenamiento jurídico
caracterizado por su historicidad y por una pluralidad de fuentes.

En el centro de este orden se hallaban las grandes recopilaciones medieva-
les que conformaron el *corpus iuris canonici*, en primer lugar el Decreto de
Graciano del siglo XII y del *Liber Extra* promulgado en 1234, y que no fueron
sustituidas por otras hasta el año de la sanción del *Codex iuris canonici*, en
1917, reemplazado por el actual en 1983. De esta forma, la mayor parte de
las normas aplicables en los siglos del XVI al XIX databan de la Edad Media.[2] A
partir de finales del siglo XIII se imponía la necesidad de actualización, complementación e interpretación, razones por las cuales otras fuentes de derecho ganaron mayor importancia. Entre ellas destaca la opinión de los juristas
que desarrollaron el derecho canónico sobre la base del gran legado recibido,
contribuyendo así a la formación de sólidas doctrinas, a la integración del
aporte de las otras fuentes de derecho y a la actualización de la normativa
consagrada en las fuentes escritas legadas.

A este derecho canónico universal, llamado 'clásico' en cuanto surgió
antes de mediados del siglo XIV, lo acompañaba y complementaba una creciente legislación pontificia no universal, de un campo de aplicación restringido. Esta limitación a la creación de derecho particular se debe, a partir del
siglo XIV, entre otros factores, al temor existente en las filas de la Iglesia romana de no poder lograr la aceptación y observancia de nuevas normas con aspiración a alcanzar vigencia universal. Como complementación con esta creación de derecho particular por el poder central, creció la legislación particular
de nivel intermedio, regional y local dictada por los obispos y, especialmente
en las primeras décadas después del impulso conciliar de Trento, acordada en
los concilios y sínodos.

Sin embargo, la creación de derecho no se agotaba en estas fuentes: todo
el derecho de la época tiene que ser leído frente a un 'trasfondo consuetudinario' que lograba integrar la diversidad de fuentes, su disparidad, admitien-

---

[2] Para un panorama, cf. Brundage 1995 y –con énfasis en la literatura y la Península Ibérica– García y García (1996), García y García/Andrés (2004: 263-278), Bellomo (1996).

do adaptaciones y actualizaciones de la normativa y eligiendo lo apto para el caso concreto, sobre la base de una amplia normativa surgida de contextos temporales y culturales muy particulares y muchas veces diferentes en su ámbito de aplicación. En síntesis, en la temprana edad moderna se hallaba frente a un cuadro de un derecho canónico fragmentado, con varias capas históricas, de alcance universal o particular, que se constituía sobre una 'pluralidad de fuentes'. Frente a esta fragmentación, la costumbre y las prácticas consentidas cobraban vital importancia para el funcionamiento del sistema.

2. El marco jurídico-canónico de la organización de la catequesis hasta Trento

De lo expuesto se desprende por qué no existía una normativa acerca de la competencia de la producción y sanción de catecismos en el ámbito del derecho canónico clásico. Es porque la conformación de este derecho ya había terminado cuando empezó a constituirse el género catequético, esto es, a partir de mediados del siglo XIV, con obras como *The Lay Folks Catechism*, escrito en 1357. Esta obra surge de un concilio convocado por John Thoresby, arzobispo de York, y es considerada la primera que se titula *Catechism*.

Sin embargo, la historia de la catequesis no se inicia con el surgimiento de los catecismos como género literario. Siempre ha existido la práctica de la catequesis, ligada a la institución del catecumenado y, sin duda, hay una importante tradición de literatura catequética anterior a las obras que llevan este título.[3] La misma *Didaché* de finales del siglo I o comienzos del II, considerada la primera colección de cánones en la historia del derecho canónico, contiene una catequesis sobre el estilo de ambas vidas, la del pecado y la de la virtud. También es famosa la obra de San Agustín *De catechizandi rudibus*, con una parte teórica y dos pragmáticas acerca de la catequesis, y el mismo *The Lay Folks Catechism* es fruto del Concilio de York que, a su vez, retoma constituciones del Concilio de Lambeth del año 1281, que incorporan textos de Santo Tomás de Aquino y otros –la cadena de referencias podría extenderse–. En fin, la Iglesia siempre ha insistido sobre la importancia de la instrucción religiosa, y a lo largo de la historia ha practicado las más variadas formas

---

[3] Cf., con más referencias, Bradley (1990), Marthaler (1995), Resines (1997), Roest (2004).

de iniciación en la fe hasta llegar a apoyarse en catecismos escritos dirigidos a los clérigos, a los miembros de la propia congregación o a los mismos fieles.

No obstante, esta práctica de la iniciación en la fe, como toda *cura animarum*, no ha dejado huellas significativas en las fuentes del derecho canónico hasta su época clásica (Landau 2003). La atención en las primeras colecciones de cánones estaba dirigida, en primer lugar, a determinar los derechos y deberes de los clérigos. Aún los cánones de la época de la reforma gregoriana se ocupaban primordialmente de los conflictos acerca de la competencia de administrar los sacramentos mismos, sin tratar cuestiones sobre quién puede confeccionar catecismos, cómo deben llevarse a cabo, etc. En el mismo sentido pragmático se usa el término *catechismus* en el *Decretum Gratiani*, del siglo XII. En los textos en él recogidos, *catechismus* es sencillamente la denominación de la instrucción religiosa que precede al bautismo, empleado en un contexto pragmático, como cuántos testigos y qué lugares hay que elegir para la celebración.[4]

Este uso se refleja incluso en obras tardías, como demuestra el *Dictionarium Iuris tam Civils, quàm Canonici* de Alberico de Rosciate (1290-1360), al sostener su autor que *catechismus* "consiste en tres [actos]": en la instrucción para la iniciación en la fe, en la respuesta a la profesión de la fe, y en la promesa de observar la fe.[5] En síntesis, puede decirse que el derecho canónico clásico universal no proveía un marco normativo para la organización de la actividad catequética, más allá de las disposiciones generales que cargaron a los obispos y sacerdotes con la responsabilidad de proveer a la instrucción en la fe.

Ante la ausencia de disposiciones de ámbito universal, fue la misma actividad catequética —que se inserta en el contexto de los profundos cambios al finalizar la tardía Edad Media[6]— la que generó el marco normativo de la primera obra catequética en América. A esto cabe agregar, para el caso de España, la particular situación de la recristianización de la Península y, con miras

---

[4] *Decretum Gratiani*, Dist. 4, cap. 57 y cap. 100, de cons.

[5] Albericus de Rosate 1578, Lemma *Catechismus*: "[...] Et in his tribus consistit catechismus: quia in eo fit instructio ad fidei susceptionem. & fit responsio ad fidei professionem. & fit promissio ad fidei observationem".

[6] Especialmente la transformación de una cultura oral a una cultura escrita, el auge de la piedad popular y la proliferación de literatura religiosa popular, cf. el panorama en Angenendt (2000: 68 ss.).

a la temprana edad moderna, el impacto de acontecimientos como el uso de la imprenta y la reforma protestante, sincrónicas a las primeras décadas de la conquista y evangelización de América.

En el contexto de la organización de la actividad catequética en la Península Ibérica fue especialmente notable el papel de los sínodos y concilios provinciales (García y García 1975). Mientras que en los siglos XIII a XVI se produjeron, según los manuscritos e impresos conservados, no mucho más de veinte *Tratados breves de doctrina cristiana* en un contexto no sinodal, se han contado más de 100 piezas de literatura catequética de origen sinodal, con un notable crecimiento hacía la época en la cual se llevaba a cabo la evangelización inicial de América. Más de la mitad de los textos de origen sinodal, surgidos de 92 sínodos y concilios, datan de los siglos XV y XVI, y más del 40 por ciento del total de la literatura catequética sinodal ha sido producida entre 1474 y 1553, es decir, a partir de la llegada de los Reyes Católicos (Sánchez Herrero 1988 y 1989).

Frente a esta producción creciente, aumentada por la numerosa literatura catequética lanzada por las órdenes religiosas,[7] y debido al extenso uso que los movimientos protestantes hicieron de 'catecismos', no es de extrañar que, desde los inicios del Concilio de Trento, surgieran voces que postulaban la sanción de un catecismo universal (Bellinger 1987: 20 ss.). No obstante, este deseo se plasmó recién en las últimas disposiciones conciliares. En el decreto *De reforma* de la *sessio* 24 del 11 de noviembre de 1563, cap. 7, se obligaba a los obispos a ocuparse en la explicación de la fe y a proveer una traducción fiel al idioma popular según lo que "va a ser dispuesto" por el sínodo acerca de la catequesis en relación a los sacramentos (*iuxta formam a sancta synodo in catechesi singulis sacramentis praescribendam*). Con esta remisión, los padres conciliares se refirieron al trabajo de una comisión redactora, instituida desde marzo del 1563 que, debido a la repentina conclusión del concilio en diciembre del mismo año, no llegó a cumplir con su tarea, razón por la cual se dejaba la sanción de un catecismo en manos del sumo pontífice que, como es sabido, iba a efectuarla a finales del año 1566.[8]

Con este *Catechismus Romanus*, fruto de la misma obra codificadora que el *Caeremoniale, Missale, Pontificale* y la *Editio Romana* del *Corpus Iuris Cano-*

---

[7] Cf. Roest (2004) para el caso de los franciscanos.
[8] *Conciliorum Oecumenicorum Decreta* (1973: 797).

nici, cuya primera traducción parcial al español se efectuó en una versión española-náhuatl en México en 1727, se inicia una nueva etapa en la historia de la catequesis.[9]

3. LA ORGANIZACIÓN DE LA CATEQUESIS EN AMÉRICA

Trento también significó un punto de inflexión para la historia de la cateque-sis americana: recién después de haber recibido el *Catechismus Romanus* y a partir de los concilios provinciales en las últimas décadas del siglo XVI se logró poner fin a lo que ha sido llamada la "anarquía catequística imperante" de las primeras décadas (Durán 1982: 182).[10]

Esta 'anarquía' tuvo varias razones. Se debía, en parte, al hecho de que, al iniciarse la evangelización, los misioneros disponían de un gran caudal de catecismos regionales producidos en la Península en las últimas décadas del siglo XV y las primeras del XVI, multiplicados por la imprenta. Por otra parte, ya en los primeros momentos del contacto con los representantes de las auto-ridades tradicionales indígenas se hizo evidente la necesidad de adaptaciones estratégicas[11] y, al poco tiempo, empezaron a circular los primeros catecismos redactados especialmente para las Indias, comenzando por la *Doctrina cristia-na para instrucción e información de los indios por manera de historia*, por el dominico Fray Pedro de Córdoba, llegado a Santo Domingo en 1510 y falle-cido en 1521, tal vez el primer libro escrito en las Indias.

También faltaban algunas condiciones claves para controlar la prolifera-ción de literatura catequética y la diversidad de catecismos usados. Porque si bien el plan de la redacción de una *Doctrina* ya aparece en las primeras juntas apostólicas y eclesiásticas, llevadas a cabo en los territorios americanos toda-vía sufragáneos del arzobispado de Sevilla, fueron otros los problemas que absorbieron la atención de los clérigos reunidos, en especial el enfrentamien-to entre el clero secular y las congregaciones religiosas y las vicisitudes entre

---

[9] La primera traducción entera se efectuó en 1777, cf. Rodríguez (1998: 14 ss.).

[10] La literatura acerca de la catequesis americana es abundante. Cf., con más referencias, Sánchez Herrero (1989 y 1992), Durán (1990), Gil (1993), Saranyana (1999) y los aportes en la sección "Inculturación y catequesis" en el *Anuario de Historia de la Iglesia* [Pamplona] 3 (1994), pp. 215-232.

[11] Cf. para el momento inicial Duverger (1993: 102 ss.), Ricard (2002: 109 ss.).

las mismas, causadas en cierto grado por la cuestión bautismal, a su vez ínti-
mamente ligada al problema de la catequesis.[12] Es por eso que recién se consideró a la junta eclesiástica de 1539 en la Ciudad de México como el
"comienzo de una producción catequética escrita, más consciente y más sistemática" (Gil 1993: 229). Pocos años más tarde, en 1546, iba a ser la última
junta general de obispos –antes de la erección de las tres provincias eclesiásticas en el mismo año 1546– la que tomara la decisión de imprimir la *Doctrina
Cristiana* de Fray Pedro de Córdoba y que recomendara el uso de ésta y de
otras como la *Doctrina cristiana breve traducida en lengua mexicana* de Fray
Alonso de Molina (Gil 1993: 264 ss.).

A partir de ahí, se intensificó el intento de homogeneizar y controlar la
catequesis a través del control de los textos, si bien faltaban décadas para
lograr la homogeneización aspirada, especialmente, por el clero secular.
Mirando el caso peruano se puede observar que ya en el Primer Concilio
Limense (1551-1552), convocado por Jerónimo de Loaysa, a su vez autor de
una *Instrucción de la orden que se ha de tener en la doctrina de los naturales*
(1545), fueron promulgadas *Constituciones de los naturales* que contenían una
serie de disposiciones acerca de la catequesis. Según lo establecido en la constitución 1, todos los encargados de la doctrina de los indios tenían que guiar-
se por estas constituciones, bajo pena de excomunión mayor y cincuenta
pesos de multa, y se prohibió el uso de material que no proviniera de España.
Además, se anunció la redacción de una *Cartilla* o *Catecismo Menor* con disposiciones acerca del catecumenado, el empleo de la lengua indígena en la
explicación de la doctrina, bautismo, matrimonio, penitencia, confirmación,
comunión, etc.[13] No obstante, según las informaciones que tenemos, no se
produjo tal obra.

Cuando se celebrara el Segundo Concilio Limense, en los años 1567-
1568, ya se había recibido las disposiciones de Trento, de forma solemne, en
Lima. También se sabía de la existencia del *Catechismus Romanus*, pero sin
conocer el contenido de éste, que fue de escasa difusión aun en la misma
Península (Rodríguez 1998: 24, 189 ss.). Por eso, en las constituciones del

---

[12] Cf. Borobio García (1988: 49 ss.).

[13] Las 'Constituciones de los Naturales' del Primer Concilio Limense se encuentran en
Vargas Ugarte (1951: 7-35). Cf. especialmente la constitución 1: *De la orden que se ha de tener
en doctrinar los indios*, constituciones 38-9: *Contiene la Instrucción acerca de la doctrina que se
ha de enseñar a los indios*.

concilio se volvió sobre el asunto de la necesidad de homogeneizar la catequesis, con la intención de redactar un catecismo propio. Sin embargo, mientras se esperaba la llegada del Catecismo Romano, las constituciones de naturales ordenaban que cada obispo sufragáneo de la sede de Lima debía redactar
para su diócesis una cartilla o un compendio de la doctrina cristiana, de uso
obligatorio hasta la llegada del *Catechismus Romanus.*[14]

La situación cambió en el Tercer Concilio Limense de 1583.[15] Cuando los
obispos volvieron a reunirse, convocados por el arzobispo San Toribio de
Mogrovejo, ya tenían el Catecismo Romano a su alcance. También estaba
presente la convicción de que hacía falta redactar un catecismo particular
para la provincia eclesiástica. José de Acosta ya había resaltado en su *De procuranda indorum salute,* escrito en los años 70 del siglo XVI, la necesidad de
un catecismo vulgar para la doctrina de la población indígena.[16] De manera
similar, se dispuso en el tercer concilio la redacción de un catecismo y se destacó que ello no se oponía, sino más bien seguía, a lo dispuesto en Trento:

> Para que la población indígena que aún ignora la religión cristiana se compe-
> netre más propia y seguramente de la doctrina salvadora y descubra en todas par-
> tes la misma forma de una única doctrina, se convino, en la línea general del
> Concilio de Trento, editar un catecismo especial para toda esta provincia.[17]

Más específicamente se expresa el proemio de la *Doctrina Christiana y Catecismo para la Instrucción de los Indios* de 1584, una de las tres obras llamadas
'Catecismos Limenses', las restantes dos siendo publicadas en 1585. El Tercer
Concilio había, dice el proemio, encargado a los autores del catecismo "que
en cuanto a la sustancia y orden siguiesen todo lo posible al *Catecismo de la
santa memoria de Pío V,* y en cuanto al modo y estilo procurasen acomodarse
al mayor provecho de los indios, como por el catecismo del Sumo Pontífice
se advierte" (1982: 373).

---

[14] Constitutio 1,2: "Ut episcopi, antequam sacerdotes doctrinae indorum praeficiant,
magna diligentia eos examinare debeant; Ut omnes sacerdotes eodem modo doceant indos doc-
trinam quae eis a suo propio episcopo tradetur", citado en Vargas Ugarte (1951: 160-161, 240).

[15] Para un panorama Durán (1990: 337 ss.), Lisi (1990: 11-101), Tineo 1990, acerca de
su labor catequética especialmente Durán 1982.

[16] Acosta 1596, Lib. 5, cap. 14 (1987: II, 291).

[17] Actio II, cap. 3, citado según Lisi (1990: 125), también lo cita Vargas Ugarte (1951:
266 y 323).

En lo que atañe a la implementación, el Concilio ordenaba a todos los párrocos de indios "so pena de excomunión [...] de que aquí en más usen el catecismo autorizado con exclusión de cualquier otro y procuren instruir con él a la feligresía que le[s] ha sido encomendada". Al mismo tiempo, se preveía la traducción a otras lenguas indígenas y se prohibía que "se haga otra traducción en lengua cuzquense o aymara de las oraciones y rudimentos de doctrina cristiana así como del catecismo aparte de la versión hecha y editada con su autorización o que alguien use otra diferente".[18] En otro documento, se disponía que los obispos tenían la obligación de verificar, en ocasión de sus visitas pastorales, si los párrocos o doctrineros contaban con el correspondiente ejemplar del catecismo.[19]

En los años siguientes, se percibe una constante preocupación por la implementación de esas resoluciones, especialmente a través de la legislación sinodal[20], como por ejemplo en el Sínodo de Quito de 1594, que dispone la traducción a otras lenguas,[21] o en el Sínodo de Tucumán de 1597, que ordena que la "doctrina y el catecismo que se ha de enseñar a los indios sea el general que se usa en el Perú en lengua del Cuzco".[22] En una constitución del Sínodo de Lima del año 1585 se dispone que los curas de españoles e indios y los jueces eclesiásticos tengan los textos de los concilios y sínodos y también un ejemplar del catecismo y del confesionario. Al mismo tiempo, se manda usar los catecismos limenses, en forma exclusiva, sin acudir a las versiones manuscritas "por los yerros que puede haber en escribir", y se establece un plazo de dos meses para tenerlos, aduciendo que se procederá contra los que no cumplan con "castigo ejemplar y mucha demostración", "so pena de cien pesos ensayados aplicados a nuestra disposición y otras penas a nuestro albe-

---

[18] Actio II, cap. 3, citado según Lisi (1990: 125), también lo cita Vargas Ugarte (1951: 266 y 323).

[19] "Forma e Instrucción de visitar que el santo Concilio Provincial manda guardar a todos los visitadores, ahora sean obispos, ahora los que por su comisión van a visitar, siendo legítimamente impedidos" (Levillier 1919: 260).

[20] Cf. especialmente Sánchez Herrero (1992), Durán (1990: 381 ss.) y, para más referencias, Dellaferrera/Martini (2002: 68, 70, 72, 90, 112, 123).

[21] *Sínodos de Quito* (1594: 72). Capítulo tercero: *Que se hagan catecismos de las lenguas maternas, donde no se habla del Inga.*

[22] *Sínodo de Tucumán* (1597: 139 ss.). Primera parte, constitución segunda: *Qué doctrina y catecismo se ha de enseñar.*

drío". La misma constitución[23] menciona el factor clave para que se pueda imponer tal obligación, el hecho de que los catecismos "andan impresos".

OBSERVACIONES FINALES

La mirada a las constituciones conciliares y sinodales limenses nos advierte que apenas en las últimas décadas del siglo XVI se daban las condiciones adecuadas para que se pudiera intentar de imponer una doctrina como texto obligatorio y exclusivo en las provincias eclesiásticas indianas, antes se carecía, entre otros factores, de las precisiones imprescindibles acerca de la índole de la catequesis prebautismal de los indios, y no se había consolidado la posición del obispo frente a las ordenes religiosas. De la misma manera, gravaban inconvenientes prácticos, como la difícil comunicación con las extensas tierras indianas, que hicieron fracasar varios intentos de llevar a cabo concilios provinciales dentro del plazo establecido en Trento. Finalmente, con el uso de la imprenta se podía garantizar la distribución de y el acceso a textos seguros –e imponer la obligación de recurrir exclusivamente a los textos autorizados.

Con el impacto que tuvieron en las Indias algunos de los factores generales determinantes para la historia del siglo XVI, en lo que atañe a la organización de la catequesis, parece esencial el impulso de Trento: no solamente por su efecto sobre la celebración de concilios provinciales y sínodos diocesanos, de tanta importancia para la organización de la catequesis, sino por haber creado un catecismo universal que, a su vez, serviría de modelo para catecismos particulares.

Este efecto de estimular la producción de catecismos regionales a través de un modelo universal no fue sino a lo que los mismos padres conciliares aspiraron. Como la historia de la catequesis lo demuestra, la Iglesia siempre ha estado convencida de la necesidad de la adaptación del mensaje a las facultades de los feligreses, y de la necesaria aculturación. En consecuencia, en la *Quaestio XI* del prólogo al *Catechismus Romanus* se destacó que los destinatarios del mismo –los párrocos– no debían imaginarse que les haya sido confiada "una sola clase de almas" y que "por consiguiente, les es lícito enseñar y formar igualmente a todos los fieles en la verdadera piedad, con un único

---

[23] *Sínodo de Lima* (1585: 46 ss.). Constitución 39.

método y siempre el mismo". Al contrario, como también lo reproduce el prólogo del *Catecismo de la Iglesia Católica* de 1992

> Que sepan bien que unos son, en Jesucristo, como niños recién nacidos, otros como adolescentes, otros finalmente como poseedores ya de todas sus fuerzas [...]. Los que son llamados al ministerio de la predicación deben, al transmitir la enseñanza del misterio de la fe y de las reglas de las costumbres, acomodar sus palabras al espíritu y a la inteligencia de sus oyentes [...].[24]

En el *Catechismus Romanus*, esta comparación luego se complementa con la imagen de que algunos fieles necesitarían leche mientras que otros requerirían comidas más fuertes [*quibus lacte, quibus solidiore cibo opus sit*] y por una afirmación del apóstol San Pablo, quien dice sentirse igualmente obligado a *graecis et barbaris, sapientibus et insapientibus* [Rom 1,14]. Muy probablemente fueron éstas las partes del Catecismo Romano que motivaron las aseveraciones en los catecismos limenses que sostenían que la redacción de catecismos particulares estaba "en la línea general del Concilio de Trento".[25]

El sistema bipolar del catecismo universal y de catecismos regionales y locales ha perdurado hasta el siglo XX. Actualmente, se considera que la confección de catecismos forma parte del *munus docendi* del obispo, sin que se necesite ninguna *approbatio praevia* de la Santa Sede y se prevé, en el Codex de 1983 (Can. 775, 2), que las conferencias episcopales pueden editar catecismos regionales, pidiendo tal aprobación. Sin embargo, nada inhibe al Sumo Pontífice de hacer uso de su magisterio y publicar un catecismo universal, tal como ha sido el caso del catecismo de la iglesia católica del año 1992, a su vez fruto de un proceso comunicativo entre Roma y el episcopado universal (Tobin 1984, Barrett 1996).

También en lo que atañe a la aculturación, el catecismo de la iglesia católica de 1992 es congruente con la tradición. Como ya se anticipó, no solamente se menciona a Santo Toribio como uno de los cuatro grandes catequistas, sino que se cita extensamente de la mencionada *Quaestio XI* del *Catechismus Romanus*, introduciéndolo con la declaración que el catecismo universal "no se propone realizar las adaptaciones del contenido y de los métodos catequéti-

---

[24] *Catecismo de la Iglesia Católica* (1992), prólogo, n°. 22.
[25] Actio II, cap. 3, citado según Lisi (1990: 125), también lo cita Vargas Ugarte (1951: 266).

cos que exigen las diferencias de las culturas [...]: Estas indispensables adaptaciones corresponden a catecismos propios de cada lugar, y más aún a aquellos que toman a su cargo instruir a los fieles",[26] con lo cual se retoma la idea central de la constitución apostólica *Fidei Depositum* de 1992. En ésta, Juan Pablo II resalta que "el Catecismo de la Iglesia Católica se destina a alentar y facilitar la redacción de nuevos catecismos locales que tengan en cuenta las diversas situaciones y culturas, pero que guarden cuidadosamente la unidad de la fe y la fidelidad a la doctrina católica" (*Fidei Depositum*, n. 4.).

De esta bipolaridad en la organización de la catequesis, establecida en el siglo XVI y mantenida hasta el presente, podrían desprenderse varias observaciones acerca de la historia de la Iglesia en la temprana edad moderna – como por ejemplo la que no se puede reducir Trento a un efecto 'centralizador', sino que habría que insertarlo más bien en otras categorías de análisis, como la de formar parte de un intento de establecer autoridad en un ambiente de pluralización creciente, con su dialéctica respectiva.[27] Sin perjuicio de esto, en el presente contexto parece especialmente notable que este sistema bipolar, expresión de un pensamiento de profundo arraigo en la teología –la posibilidad de pensar una diversidad (cultural) en la unidad (de la fe)–, es una estrategia que evita crear fronteras.

Bibliografía

Albericus de Rosate [Alberico de Rosciate] (1573): *Dictionarium Iuris tam Ciuilis, quàm Canonici*. Venetiis: Guerreos Fratres, & socios.
Acosta, José de, SJ (1984-1987 [1596]): *De procuranda indorum salute*. 2 vols., editado por Luciano Pereña. Madrid: CSIC.
Alvarado, Javier (ed.) (1996): *Historia de la literatura jurídica en la España del Antiguo Régimen*. vol. 1. Madrid: Marcial Pons.
Angenendt, Arnold (²2000): *Geschichte der Religiosität im Mittelalter*. Darmstadt: Primus/Wissenschaftliche Buchgesellschaft.
Barrett, Richard J. (1996): "The Normative Status of the Catechism", en *Periodica de re canonica* 85.1, pp. 9-34.

---

[26] *Catecismo de la Iglesia Católica* (1992), prólogo, nº. 24.
[27] Acerca del 'efecto centralizador' de Trento, Maron (1995). Cf. para un panorama más amplio Reinhard (2001).

BELLINGER, Gerhard (1987): *Der Catechismus Romanus und die Reformation. Die katechetische Antwort des Trienter Konzils auf die Haupt-Katechismen der Reformatoren.* Hildesheim/New York: Olms.

BELLOMO, Manlio (1996): *La Europa del derecho común.* Roma: Il Cigno Galileo Galilei.

BOROBIO GARCÍA, Dionisio (1988): "Teólogos salmantinos e iniciación en la evangelización de América durante el siglo XVI", en Borobio García/Aznar Gil/García y García (eds.), 1988, pp. 7-165.

BOROBIO GARCÍA, Dionisio/AZNAR GIL, Federico/GARCÍA Y GARCÍA, Antonio (eds.) (1988): *Evangelización en América.* Salamanca: Caja de Ahorros y Monte de Piedad.

BRADLEY, Robert I. (1990): *The Roman Catechism in the catholical tradition of the church. The structure of the Roman Catechism as illustrative of the 'classic catechesis'.* Lanham *et al.*: University Press of America.

BRUNDAGE, James A. (1995): *Medieval canon law.* London/New York: Longman.

Catechismus Romanus (1989 [1566]): *Catechismus Romanus seu Catechismus ex decreto Concilii Tridentini ad Parochos, Pii Quinti Pont. Max. iussu editus,* editado por Pedro Rodríguez. Romae/Pamplona: Libreria Editrice Vaticana/EUNSA.

Catecismo de la Iglesia Católica (1993 [1992]): *Catecismo de la Iglesia Católica, versión oficial en español.* Madrid: Conferencia Episcopal.

Conciliorum oecumenicorum decreta (^{3}1973): *Conciliorum oecumenicorum decreta, curantibus Josepho Alberigo et alii.* Bologna: Instituto per le Scienze Religiose.

CORDOUA, Pedro de, O. P. (1544): *Doctrina cristiana para instruccion e informacion de los indios por manera de historia.* México: en casa de Iuan Pablos.

DELLAFERRERA, Nelson/MARTINI, Mónica (2002): *Temática de las constituciones sinodales indianas. Arquidiócesis de la Plata.* Buenos Aires: Instituto de Investigaciones de Historia del Derecho.

Doctrina Christiana y Catecismo para la Instrucción de los Indios (1982 [1584]), en Durán 1982, pp. 363-414.

DOMINGO, Rafael (ed.) (2004): *Juristas universales,* vol 1: *Juristas antiguos.* Madrid: Marcial Pons.

DURÁN, Juan Guillermo (1982): *El catecismo del tercer concilio provincial de Lima y sus complementos pastorales (1584-1585).* Buenos Aires: UCA.

— (1990): *Monumenta catechética hispanoamericana, siglos XVI-XVIII,* vol. 2. Buenos Aires: UCA.

DUVERGER, Christian (1993): *La conversión de los indios de Nueva España. Con el texto de los Coloquios de los Doce de Bernardino de Sahagún* [1564]. México: Fondo de Cultura Económica.

Fidei depositum (1993 [1992]), en: *Catecismo* [1992] 1993, pp. 5-10.

GARCÍA Y GARCÍA, Antonio (1975): "Los Concilios Particulares en la Edad Media", en *El concilio de Braga y la función de la legislación particular en la Iglesia.* Salamanca: Instituto de Derecho Canónico Raimundo de Peñafort, pp. 131-167.

— (1996): "Derecho romano canónico medieval en la península ibérica", en Alvarado 1996, pp. 79-132.

GARCÍA Y GARCÍA, Antonio/ANDRÉS, Francisco J. (2004): "Introducción", en Domingo 2004, pp. 241-301.

GIL, Fernando (1993): *Primeras 'doctrinas' del Nuevo Mundo. Estudio histórico-teológico de las obras de fray Juan de Zumárraga (m. 1548).* Buenos Aires: UCA.

LANDAU, Peter (2003): "Seelsorge in den Kanonessammlungen von der Zeit der Gregorianischen Reform bis zu Gratian", en *Folia Canonica* 6, pp. 57-81.

LEVILLIER, Roberto (ed.) (1919): *Organización de la iglesia y las ordenes religiosas en el virreynato del Perú en el siglo XVI.* Madrid: Rivadeneyra.

LISI, Francesco L. (1990): *El tercer concilio limense y la aculturación de los indígenas sudamericanos.* Salamanca: Universidad de Salamanca.

MARON, Gottfried (1995): "Die nachtridentinische Kodifikationsarbeit in ihrer Bedeutung für die katholische Konfessionalisierung", en Wolfgang Reinhard/ Heinz Schilling (eds.), *Die katholische Konfessionalisierung.* Gütersloh: Gütersloher Verlagshaus, pp. 104-124.

MARTHALER, Bernard L., OFM (1995): *The catechism yesterday and today, The evolution of a genre.* Collegeville, Minn.: The Liturgical Press.

MOLINA, Alonso de, OFM (1565): *Confessionario breue, en lengua Mexicana y Castellana.* México: en casa de Antonio de Espinosa.

— (1565 [²1569]): *Confessionario mayor, en lengua Mexicana y Castellana.* México: en casa de Antonio de Espinosa.

REINHARD, Wolfgang (2001): "Das Konzil von Trient und die Modernisierung der Kirche", en Paolo Prodi/Wolfgang Reinhard (eds.), *Das Konzil von Trient und die Moderne.* Berlin: Duncker & Humblot, pp. 23-42.

RESINES, Luis (1997): *La catequesis en España. Historia y textos.* Madrid: BAC.

RICARD, Robert (³2002 [²1986]): *La conquista espiritual de México. Ensayo sobre el apostolado y los métodos misioneros de las órdenes mendicantes en la Nueva España de 1523/1524 a 1572.* México: Fondo de Cultura Económica.

RODRÍGUEZ, Pedro (1998): *El Catecismo Romano ante Felipe II y la Inquisición española. Los problemas de la introducción en España del catecismo del concilio de Trento.* Madrid: Rialp.

ROEST, Bert (2004): *Franciscan literature of religious instruction before the council of Trent.* Leiden/Boston: Brill.

SÁNCHEZ HERRERO, José (1988): "La legislación conciliar y sinodal hispana de los siglos XIII a mediados del XVI y su influencia en la enseñanza de la doctrina cristiana. Los tratados de doctrina cristiana", en *Proceedings of the Seventh International Congress of Medieval Canon Law.* Città del Vaticano: Biblioteca Apostolica Vaticana, pp. 349-372.

— (1989): "Alfabetización y catequesis en América durante el siglo XVI", en *Derecho canónico y pastoral en los descubrimientos luso-españoles y perspectivas actuales*. Salamanca: Universidad Pontificia de Salamanca, pp. 113-173.

— (1992): "La enseñanza de la doctrina christiana en América durante el siglo XVII a través de los concilios y sínodos", en Sarabia Viejo, vol. 2, pp. 61-86.

SARANYANA, Josep-Ignasi (ed.) (1999): *Teología en América Latina. Desde los orígenes a la guerra de sucesión (1493-1715)*, vol. 1. Madrid/Frankfurt a.M.: Iberoamericana/Vervuert.

SARABIA VIEJO, María Justina (ed.) (1992): *Europa y América: cinco siglos de intercambios. Actas del IX Congreso Internacional de Historia de América, Sevilla 1992*. 3 vols. Sevilla: AHILA/Consejería de Cultura y Medio Ambiente de la Junta de Andalucía.

Sínodo de Quito (1996 [1594]): *Sínodos de Quito 1594 y Loja 1594, celebrados por Fray Luis López de Solís*, edición crítica de Fernando Campo del Pozo/Félix Carmona Moreno. Madrid: Revista Agustiniana.

Sínodo de Tucumán (1978 [1597]): *Los Sínodos del antiguo Tucumán, celebrados por Fray Fernando de Trejo y Sanabria*, ed. por José M. Arancibia/Nelson C. Dellaferrera. Buenos Aires: UCA.

Sínodo de Lima (1970 [1585]): *Sínodos diocesanos de Santo Toribio 1582-1604*. Cuernavaca: CIDOC.

TINEO, Primitivo (1990): *Los concilios limenses en la evangelización latinoamericana. Labor organizativa y pastoral del tercer concilio limense*. Pamplona: EUNSA.

TOBIN, Joseph (1984): "The diocesan bishop as catechist", en *Studia Canonica* 18, pp. 365-414.

VARGAS UGARTE, Rubén (1951): *Concilios Limenses (1551-1772)*, vol. 1. Lima: Tipografía Peruana.

LA CORRESPONDENCIA DEL OBISPO RODRIGO DE BASTIDAS (1526-1567), TESTIMONIO SOBRE EL TRATO DE LOS INDIOS EN EL CARIBE

Micaela Carrera de la Red (Valladolid)

1. LA PERIPECIA VITAL DEL OBISPO BASTIDAS

Ugarte (1992: 55) habla del obispo Rodrigo de Bastidas como de alguien "objeto de elogios y de críticas adversas de los historiadores". Hijo de un hombre crucial en el descubrimiento del Caribe, el adelantado del mismo nombre, Rodrigo de Bastidas, él mismo fue clave en la Iglesia caribeña del siglo XVI. Alcanzó un elevadísimo grado de aclimatación al nuevo continente, al que llegó de muy niño, hasta el punto de hablarse de él como de un criollo, con el significado de "hombre de la tierra".[1] Como tal lo trata a mediados del siglo XVII el cronista, también criollo, Luis Jerónimo Alcocer (Rodríguez Demorizi 1942-1945), quien lo incluye en la nómina de personajes ilustres de la Iglesia dominicana. Alcocer hace referencia explícita a la capilla que construyó para sí Bastidas, bajo la advocación de Santa Ana, situada en el este de la nave sur de la magnífica catedral dominicana de Nuestra Señora de la Encarnación, primera y primada del Caribe hispánico, una joya de arquitectura en la que se mezclan los estilos gótico y renacentista, a cuya construcción contribuyó de manera decisiva desde su cargo de deán.

La dilatada vida de Bastidas corre prácticamente en paralelo con la del emperador Carlos I. Los años de esplendor de éste se convierten en los años de esplendor de Bastidas. Santo Domingo, de cuya catedral fue primeramente deán y después obispo (1521-1522/1545-1546), era su hogar, mientras demora en el tiempo su incorporación al obispado de Coro, en Venezuela (1532-1533/1542). Su incorporación al obispado de San Juan de Puerto Rico (desde 1542 hasta su muerte en 1569) obedece a sus deseos de abando-

---

[1] Su español era el de un descendiente de andaluces que, fruto de la educación en el ámbito de la escritura, no dejaba transparentar rasgos andaluzantes en su grafía (Carrera de la Red 1993).

nar Coro, que él consideraba una tierra pobre e inhóspita, así como a la creencia de que en la isla de San Juan ampliaría sus posesiones con más ingenios
de azúcar y más hatos de ganado, que juntaría a los que tenía en La Española. Y, sobre todo, le atraían las pesquerías de perlas de la isla Margarita, asunto que fue el detonante (implícito, por supuesto) de su enfrentamiento con
Francisco de Montesinos y los otros padres dominicos, encargados al fin por
la Corona, en vez del obispo, para ir a velar por los indios e indias de aquella
isla. En la década que va de 1542 a 1552 destaca la pugna que mantuvo Bastidas para imponer su autoridad en la Iglesia y sociedad de San Juan de Puerto Rico. Desde entonces da comienzo a una etapa marcada por el declive,
que se agudiza tras la abdicación de Carlos I en 1556 y la subida al trono de
Felipe II.

2. CRONOLOGÍA Y TIPOLOGÍA DE LOS DOCUMENTOS DE RODRIGO DE BASTIDAS

Los documentos, cerca de cincuenta, procedentes del Archivo de Indias, se
encuentran en la sección Audiencia de Santo Domingo (legajos Santo
Domingo 95, 172 y 218, sobre todo) y con ellos se pueden formar los
siguientes grupos:

(i) Período de 1526 a 1529-1530, al que pertenecen dos documentos
fechados en la ciudad de Santo Domingo. Están firmados como deán de la
catedral, puesto para el que Bastidas fue nombrado en 1521 y del que tomó
posesión en 1524. La tipología diplomática los califica como información y
propuesta de cargo de canonjía en esta catedral para un bachiller y como
consulta o parecer sobre tratamiento de indios, según formulario solicitado
por la Audiencia de Santo Domingo. Este último documento no tiene fecha,
aunque, como se verá más adelante, ciertos detalles históricos permiten colo-
carlo a finales de la década de los años veinte.

(ii) Período de 1533 a 1537. Comprende documentos fechados en la ciudad de Santo Domingo, pero como obispo de Venezuela, aunque, durante
estos años y hasta 1545, Bastidas conservará su calidad de deán de la catedral
de Santo Domingo y recibirá de ese puesto el sueldo principal asignado a su
dignidad, esto es, los diezmos. La tipología documental comprende once cartas-informe y una carta de presentación para cargo eclesiástico.

(iii) Año de 1538. En ese año están fechados cuatro documentos, en calidad de obispo de Venezuela. Esta vez firmados en la ciudad de Coro, provincia de Venezuela. Uno de ellos es una *Relación de la provincia de Venezuela* y los otros tres son cartas-informe.

(iv) Período de 1543 a 1567. Se reúnen cerca de treinta documentos, la mayoría de ellos autógrafos de Bastidas, si bien en esta etapa hay algunas cartas heterógrafas, siempre respaldadas con la firma de Bastidas. Junto a las cartas firmadas por Bastidas se encuentran textos firmados por otros eclesiásticos –de la Orden de Predicadores, sus peores detractores– que denunciaban a Bastidas. Además, van incorporadas dos minutas de cédulas reales del rey Felipe II, fechadas en la década de los sesenta. Las cartas están fechadas de forma alternativa en San Juan de la isla de Puerto Rico y en Santo Domingo de la isla de La Española. Bastidas firma como obispo de San Juan, pero de su lectura se desprende que, en la primera parte de este período, aún es deán de Santo Domingo.

La mayoría de ellas son cartas-informe, si bien se contienen cartas de presentación a cargo eclesiástico, maestrescolía y canonjía de la catedral de Santo Domingo (1546 y 1549). Hay una información sobre San Juan de Puerto Rico, firmada conjuntamente con el gobernador, los oficiales y los religiosos (1553), un memorial (1561), una carta poder de Bastidas (1561) y una carta poder de Francisco Montesinos, el provincial general de los padres dominicos, rival encarnizado del obispo Bastidas y promotor de su censura. El último documento es una carta de Bastidas, escrita desde Santo Domingo y fechada en 1567, dos años antes de su muerte, pidiendo se le releve del obispado de San Juan de Puerto Rico.

3. BASTIDAS, COLECTOR Y NUNCIO EN EL CARIBE

Según afirman los estudiosos de la historia eclesiástica (Riccardi 2000: 98), la estructura político-organizativa de un estado como el Vaticano se sitúa casi tal cual la conocemos hoy día en la temprana Edad Moderna, momento en el que el complejo entramado de relaciones entre instituciones se resuelve en el ámbito de la diplomacia. Los principios del funcionamiento de esa 'diplomacia' pueden concretarse en (i) la conexión entre política y religión, y entre el poder secular y el poder eclesiástico, y (ii) en las opciones políticas que estaban constantemente condicionadas por sus relaciones con Roma y por la necesidad de obtener o conservar el apoyo de la Curia Romana, que a lo largo de la Edad Moderna dispensó oficios y beneficios a soberanos y nobles.[2]

Nos interesan dos instituciones del Estado Vaticano: los *legati nati* o *perpetui* y los *colletori*.[3] En vísperas del descubrimiento de América, a mediados del siglo XV, la fuerza del pequeño Estado político-religioso que era el Vaticano hizo que creciera mucho el sistema de 'colectores' hasta convertirse en un auténtico aparato de representación diplomática. Entre los primeros países en recibir embajadores oficiales desde la Santa Sede estuvo la España de los Reyes Católicos. En los comienzos de la instalación de lo europeo en el Nuevo Mundo la estrategia diplomática del papado y de la Corona toman en cuenta las figuras de colector y nuncio.

Cuando con la vista puesta en la figura de Bastidas, Ugarte (1992), historiadora dominicana, dice que desempeñó 'funciones pontificales' en Santo Domingo, se refiere a que, con matices de cambio en el perfil de las tareas motivado por el trasplante a una nueva realidad, es un colector y nuncio. Su carácter de autoridad eclesiástica no impide que en su actuación dependa del monarca español, quien, a su vez, es el transmisor de los mandatos emanados del papa, como cuando envía a las sedes episcopales el anuncio de la celebración del Año Jubilar, según Bastidas en cartas de 1533 y de 1536:

> + Vuestra Magestad me enbió a mandar se publicase en estas partes el sancto jubileo que Su Santidad conçedió a la cristiandad. Yo le publiqué, con toda la más solenidad y devoçión que yo pude. Y, a gloria de Dios Nuestro Señor, ovo grande ayuntamiento de jente que vinieron a lo ganar, por lo qual es de alavar a Nuestro Señor, que en estas partes tal nos dexó ver. Y bessamos los reales pies y

---

[2] Frigo 2000 coordina un volumen en el que se analizan la política y las prácticas diplomáticas de los estados italianos en la temprana Edad Moderna. Lo que allí se afirma implica a otros estados como el español, por ejemplo, del que dependían políticamente algunos de esos estados italianos.

[3] Los primeros (arzobispos, con funciones y derechos especiales) tenían como mandato de naturaleza religiosa y doctrinal la vigilancia sobre la disciplina eclesiástica y la observancia de la fe, y estaban investidos para conducir inspecciones en las diócesis menores bajo su jurisdicción. Los 'colectores', en cambio, desempeñaban un papel eminentemente secular como agentes fiscales despachados por Roma para recoger beneficios feudales para la Cámara apostólica. Realizaban también funciones diplomáticas y, como fiduciarios de la Santa Sede, trataban materias estrictamente políticas y diplomáticas. Eran útiles, sobre todo, en aquellos territorios europeos más distantes de Roma (Feldkamp 2004: 33-46).

manos de Vuestra Magestad, por la merçed que en enbiar nos lo hizo (12 de marzo de 1533).

Bastidas actúa como colector cuando en 1533, llegado de uno de los pocos viajes que hizo a la corte, en la Península, procede a hacer de visitador de la diócesis e isla de San Juan por mandato de la Corona y del Consejo de Indias, recabando información sobre distintos aspectos:

> [estado de la isla] + Lo primero que Vuestra Magestad me mandó fue me informase del estado en que estava la dicha isla. A esto digo que yo lo procuré de saver, y ella se va poblando de cada un día mas, y sienpre se descubren muy buenas minas y buenos naçimientos y, sin dubda, es muy buena cosa la dicha isla.
>
> [probanza de gobernación y de la justicia] + Assi mismo, me informé e hize probança de la governaçión y administraçión de la justiçia seglar de la dicha isla, la qual hallé bien governada y rregida y en toda paz, como Vuestra Magestad lo verá por la provança que a ese Real Consejo enbio.
>
> [hacienda] + En lo tocante a la hazienda de Vuestra Magestad, yo visité su cassa real y su harca de tres llaves y libros y çédulas y provisiones reales por Vuestra Magestad, a sus ofiçiales alli enbiadas, en lo qual hallé todo buen Recabdo y que guardavan y cumplían, lo que por Vuestra Magestad y por sus instituçiones reales les es mandado y encargado, eçepto el thesorero que no tenía libro conforme a la instruçión, el qual luego lo hizo y en lo que a Vuestra Magestad pertenesçe de sus rentas reales no ay la diligençia que conbernia en cobrarse. Y esto cáussalo estar la thessorería en tenençia, que fue informado que cada seis o siete messes avian mudado un thesorero, de lo qual biene perjuizio a sus rentas reales de Vuestra Magestad, y tanbién me pareçe grande inconbiniente que la contaduría y veedoría están en tenençias. Solamente el fator es el que reside por su propia persona. Paréçeme que Vuestra Magestad lo deve de remediar y proveer en ello lo que mas servido sea (20 de enero de 1533).

Cuatro años más tarde, Bastidas, tras la insistencia de la Corona, que le había enviado diversas 'advertencias severas' (Ugarte 1992: 55), comienza a planificar su viaje a Coro, que era en realidad su sede episcopal. En la motivación de una de las cartas enumera los mandatos que lleva y éstos son de naturaleza tanto civil como eclesiástica:

> + S. S. C. M. En otros navios, que partieron deste puerto puede aver un mes y medio, escreví a Vuestra Magestad dándole rrelaçión de las cosas de la provinçia de Veneçuela e su governaçión, asi mismo sinificando a Vuestra Magestad mi

deseo e voluntad açerca de le ir a servir en lo que por Vuestra Magestad me esta
mandado en la dicha provinçia haga en el tomar de quentas a sus ofiçiales y tene-
dores de bienes de difuntos y a visitar mi obispado (1 de enero de 1537).

El propio Bastidas se delata en la urgencia que tiene por compaginar esas dos
facetas de su quehacer, al manifestar que no desea dedicarse sólo a lo eclesiástico. En permanente comunicación con la Corona, Rodrigo de Bastidas
explicita constantemente su doble vocación de servicio, a Dios y al monarca:

> [...] yo luego efectuara mi hida, y, si Vuestra Magestad es servido que yo me
> empeñe para ello y venda ese poco de patrimonio que tengo, mandándomelo
> Vuestra Magestad, lo haré y porné a todo riesgo mi persona, por que todo será
> bien empleado en serviçio de Vuestra Magestad, speçialmente que yo me estoy
> oçiosso en esta isla y solamente entrado en administrar actos pontificales en ella,
> de lo qual hay harta neçesidad sienpre (16 de abril de 1534).

4. BASTIDAS Y LA CREACIÓN DE UN LINAJE

Las clases poderosas en las sociedades renacentistas europeas descansaban su
tranquilidad en la creación y posterior mantenimiento de dinastías o linajes,
cimentados, claro está, en la tarea central de la no pérdida de los patrimonios.
Bastidas sostuvo en la isla de La Española también una especie de lucha de linajes hispánicos, base de la pequeña élite dominicana de entonces y con un notable grado de éxito, como se verá en el devenir de los siglos futuros. De entre
ellos aparecen en primera línea tres linajes: los Lebrón, los Bastidas, los Fernández de Oviedo. El origen de los dos primeros eran sendos adelantamientos y el
del tercero, una alcaidía y el cargo de cronista real. Las interrelaciones se resuel-
ven en un resultado de alianzas y enfrentamientos. En el primer documento,
fechado en 1526, nos encontramos con una de las primeras actuaciones de Bastidas en su calidad de deán de Santo Domingo: el apoyo para la concesión de
una canonjía [en la catedral de Santo Domingo, con la peculiaridad de que
apoya a un candidato bachiller pero desconocido frente a un personaje de categoría social mucho más elevada, Jerónimo Lebrón, hijo de Cristóbal Lebrón.
Los argumentos se sustentan en la moral de Jerónimo Lebrón:

> Iten si saben etc. que el dicho Gerónimo Lebrón, aun que tiene la posesión
> de la dicha canongía, nunca la ha servido ni rresidido, antes anda en avito de lego

e usa del exerçiçio de la miliçia en juego de cañas y en todas las otras fiestas que los cavalleros y legos exerçitan (17 de noviembre de 1526).

Pero esto es sólo aparentemente, ya que en realidad hay un enunciado en el que la argumentación toma toda su fuerza: Lebrón quiere crear linaje delegando en su hermano la dignidad. Dice:

> Suplica a Vuestra Magestad le haga presentaçión de la dicha canongía, que el dicho Gerónimo Lebrón ha tenido y tiene ocupada sin la servir ni residir, la qual está vaca más ha de un año, conforme a la hereçión, puesto que el dicho Gerónimo Lebrón haya hecho de ella resignaçión en cabeza de un hermanito suyo, que será de hedad de ocho años (17 de noviembre de 1526).

Es curioso, pero no sorprendente, que los enfrentamientos se den entre dos eclesiásticos: el hijo de Lebrón y el hijo de Bastidas, mientras que las alianzas se produzcan algo más tarde entre un eclesiástico, Bastidas, y un civil, Fernández de Oviedo, que aparecen ambos en el segundo documento recogido de finales de la década de los años veinte, de1529, emitiendo pareceres sobre los indios de la isla de La Española. Los dos personajes claves de los orígenes dominicanos terminarán en un trato de mayorazgos de ambas familias, con el acuerdo de que, siempre que se produjera una unión matrimonial entre miembros de alguna de las dos familias, se conservarían los apellidos. La primera unión fue la del sobrino del deán, su homónimo también, Rodrigo de Bastidas, alcaide de la fortaleza de Santo Domingo por delegación de su suegro, y la hija de Gonzalo Fernández de Oviedo.[4]

5. BASTIDAS ANTE LOS NATURALES DE LAS INDIAS

Toca ahora centrarse en Bastidas y en su percepción de aquellos que le rodeaban, pertenecientes, según su consciencia y su particular cosmovisión, no a

---

[4] Una carta de este sobrino sirvió en otro contexto de estudio lingüístico para fijar diversos testimonios de seseo en el Santo Domingo de 1556 (Carrera de la Red 1997: 59). En un auto del siglo XVIII un descendiente de Bastidas reclamaba la dotación perteneciente al linaje creado en el siglo XVI por el obispo y su madre ("Cartas y expedientes de personas seculares", años 1737-1758, AGI, Santo Domingo, 297).

una esfera social distinta ni a civilizaciones diferentes, sino hallados por los españoles con el destino de servicio. Queda claro que en Bastidas la frontera principal no es de tipo étnico, sino que, a la hora de elaborar su información y de llevar a cabo su actuación, aquellos grupos de personas socialmente marcadas por la no pertenencia a la clase de los más nobles o detentadora de poder se le presentan con connotaciones muy similares (sean españoles, sean naturales o sean esclavos negros). Su medición del otro en este ámbito es simplemente la eficacia y el rendimiento de que sean capaces en la consecución de los objetivos que marcan las líneas de actuación. Esto es, un "rasero escuetamente pragmático", en términos aplicados por Pérez de Tudela (1959: lxiv) a Fernández de Oviedo, del que ya se ha dicho que creó patronazgo con los Bastidas y que, sin ninguna duda, influyó de manera decisiva en la personalidad del obispo. Su discurso es muy parecido tanto si se trata de los españoles que pasaban en las flotas a ocuparse de tareas del campo como si hablaba de los indios o negros que se mostraban útiles para esas mismas tareas y otras 'granjerías' que se les asignaran, con las que contribuirían a la prosperidad económica de las islas o de la Tierra Firme, en su caso.

En la Edad Media castellana los personajes de rango social alto contribuían a crear jurisdicción, como venía haciéndose, con el fin de gobernar los territorios que iban allegando en Europa y en el Mediterráneo, tras disputárselos a enemigos declarados e infieles (árabes, turcos, etc.). Con la misma mentalidad se actuó durante todo el siglo XVI y gran parte del XVII en América frente a 'otros infieles', los indios naturales (concretamente, hasta 1680, fecha de publicación de la *Recopilación de las leyes de los Reynos de Indias*, que inaugura otra etapa). En la temprana Edad Media, según Luque Talaván (2003), no existen fronteras entre el ordenamiento jurídico de lo civil ni de lo canónico ni siquiera del mismo derecho natural: todo ello se llevó a América compendiado en el llamado derecho común, que allí recibió el especificativo 'de Indias' o 'indiano', cuyas fuentes jurídicas eran el derecho romano, canónico y real (Luque Talaván 2003: 138) y construido a base de "un universo de opiniones", como recoge el título de la obra de este autor, emanado de los pareceres de filósofos y teólogos que a la vez se dedicaron a cuestiones jurídicas (Francisco de Vitoria, Domingo de Soto, Juan Ginés de Sepúlveda, Bartolomé de las Casas, entre los más destacados y vinculados al núcleo salmantino de San Esteban).

Al deán Rodrigo de Bastidas le tocó emitir opinión de autor sobre los naturales de Santo Domingo (Luque Talaván 2003: 85). Esto responde a una situación muy concreta. La sublevación de los indios taínos bajo el cacicazgo del indio Enrique, trasladado a la documentación como Enriquillo y a las cartas de Bastidas como Enriquejo, provocó que le tocara responder a la consulta sobre cómo actuar con los indios, según cuestionario enviado por el Consejo. Conservado en el mismo legajo que la consulta a los jerónimos (Indiferente General 1624), cronológicamente hay que situarlo trece o catorce años más tarde (ca. 1529-1530). La argumentación para proponer estos años nos la da un parecer que dio sobre el tema de los indios alzados en La Española el cronista Fernández de Oviedo (1959: lvii), que ha requerido la atención de los historiadores y que se conserva al lado del parecer de Bastidas. El parecer de Fernández de Oviedo, por su estilo discursivo polémico y la agresividad de sus argumentos, sirvió para avivar la controversia sobre cómo tratar a los indios, y coloca la responsabilidad de la sublevación de los indios en las teorías de teólogos tipo Las Casas, que habrían prendido en el obispo de Santo Domingo y en muchos otros frailes:

> Asi mismo se puede aver por çierto que una de las cosas que ha alterado aquella isla ha seido las pedricaçiones que los han hecho a los indios, dandoles a entender que son libres e que hagan deso lo que quieren. A lo qual el obispo por su parte y los frailes por la suya han dado tanta ocasión que todos los que algo saben tienen por averiguado que de esto les ha nasçido las alas, y ven ya los indios que los que pudieran pelear con ellos y no darles lugar a sus malos pensamientos se van de la tierra e son idos a poblar otras, e que los que quedan son ya mas frailes que legos, y gente de plaça y no del campo (Fernández de Oviedo ca. 1529-1530).

En el título nuevo referido a la asimilación y a la condición de los naturales, Fernández de Oviedo contribuye al peso de la 'opinión' que apoyaba y defendía la inexistencia de impedimento ético, moral o catequético en todo lo que se emprendiera para hacer avanzar la aún llamada en aquellos momentos conquista del Nuevo Mundo (término sustituido más adelante por descubrimiento).

Bastidas, no obstante, se mostró más cuidadoso de su imagen y empleó una dosis mayor de cortesía en sus respuestas. Al igual que Fernández de Oviedo, tiene superado el dilema sobre si los españoles tienen derecho a estar en las Indias e invadir el mundo de los indios, cosa que otros filósofos y teólogos y juristas del momento no veían tan claro (por ejemplo, Fray Bartolomé de las Casas). Habla, sobre todo, desde las claves de otro 'título justo'

indiano, el que se refiere a cómo se ha de gobernar a los hombres recién hallados. Y esto es lo que responde:

- que se den los indios perpetuos sin tardar ni poner pegas en el repartimiento
- dar tierras e indios a los conquistadores
- emplear los intereses de los repartimientos en llevar labradores
- prohibir la venta y traspaso de repartimientos
- aumentar la tarea de poblar
- dar licencia a los cristianos para comprar heredades de indios
- dar repartimientos también a conquistadores muertos en guerra
- 'no es inconveniente' que alguien vigile el buen trato de los indios
- revocar una cédula que permitía indios contratados
- conveniencia de la existencia de visitadores
- eliminar las 'leyes de achaque' (multa/sanción por indisposición/enfer-
  medad).

Sorprende que con sus respuestas logre moverse en un terreno en el que se
obvia todo problema desde el punto de vista ético ni catequético. En realidad, Bastidas responde al formulario como si se tratara de un encomendero.
Tan solo en la última pregunta, la quince, cierra a modo de colofón la estructura argumental con una amplificación de la idea dada en la pregunta inicial,
al defender con todo su empeño como única solución admisible la incorporación de los pueblos de indios bajo la jurisdicción de los 'cristianos': "en las
cassas y serviçio de los cristianos". Aplica a los indígenas el calificativo de
"bestiales e incapaces", con toda la carga nocional subyacente que encierran:

> [...] biviendo por si y apartados de la comunicación de los cristianos, no tienen
> capaçidad para las cosas de nuestra fee. Y aunque hayan sido industriados, apar-
> tándose de la dicha comunicaçión de los dichos cristianos, se tornan a sus Ritos y
> çirimonias y manera de mal bivir. Y algunos que ha avido industriados y han
> pareçido cristianos y asi han muerto, han sido aquellos que estavan en los pue-
> blos y en poder y dentro de las cassas y serviçio de los cristianos y, si algunos se
> han salvado, pienso son estos y los niños, que los que fuera están, en sus pueblos
> o en estançias, y minas y grangerias, todos son bestiales e incapazes, y asi biven y
> mueren bestialmente. bastidas decanus (1529).

Es digno de observar que tres años después —y ya con trece años de rebelión
continuada de los indios— las 'opiniones de autor' dadas por Bastidas sobre la

guerra del Bahoruco y del indio Enrriquejo (Enriquillo) parece que tan sólo descansan en el poder de la fuerza representada en la persona del gobernador Francisco de Barrionuevo recién nombrado para pacificar la tierra y en los hombres que trae de refuerzo:

> + Hanrriquejo con los de su Baguruco y los demás indios alçados, handan mal tratados y ausentados. Con unas quadrillas de spañoles que esta audiençia trahe por esta isla, benido Barrionuevo, pienso, mediante Dios, se podrá con la jente que truxiere, dar horden cómo se acabe de allanar y asegurar esta tierra (20 de enero de 1533).

> Los indios del Bahoruco estavan los dias passados recogidos, sin que salían a perjudicar a nadie, y de pocos días acá, han salido a robar, y han muerto çiertos spañoles. El Capitán Françisco de Barrionuevo es hido allá con sus quadrillas. Plega a Nuestro Señor de le encaminar con que a esta jente apazigue (3 de junio de 1533).

No es extraño, pues, que en una tercera carta de ese mismo año, fechada poco días después de alcanzado el acuerdo de paz con el cacique taíno y su gente, se muestre Bastidas sorprendido por el feliz desenlace. En pocas ocasiones se ve en las cartas de Bastidas un estilo discursivo tan llevado por la emotividad como en la comunicación de esta noticia a la Corona:

> + De la paçificaçión del Bahoruco de Hanrrique y sus indios estamos todos muy alegres, y tiénese por muy çierto mediante Dios, según la paz se ha hecho, sin ningún travajo, que ha sido en el buen subçesso de Vuestra Magestad. Las particularidades de esta cossa no scribo a Vuestra Magestad, porque esta su real audiençia lo scribira largo, mas de çertificar a Vuestra Magestad que ha sido muy cossa de Dios e importante a la población e bien de esta isla (1 de septiembre de 1533).

La emoción se expresa mediante enunciados de alegría aparente, porque el contexto discursivo que los rodea nos permite descubrir que se trata más bien de un recurso argumentativo lleno de cierta dosis de ironía. Además, Bastidas acudía a la situación conflictiva en La Española como justificación para sí y para su actuación en lo referente a su no incorporación a la sede de su obispado en Venezuela, de forma que se le permitiera continuar en Santo Domingo, donde tenía amplísimas posesiones entre hatos de ganado vacuno e ingenios de azúcar. Así que, concluida esta rebelión taína, se quedaba sin el principal argumento válido para no ir a Coro. Esto explica también que no quiera alargarse en explicaciones, que curiosamente dice le toca a la Audiencia, esto es, a la autoridad secular de Santo Domingo. El contexto ulterior también corrobora como irónica la manifestación alegre de Bastidas, dado que entonces éste traslada la argumentación a otro escenario: la escasez de recursos económicos con los que sustentarse en aquella tierra y, por tanto, en aquella diócesis es tanta que a quienes se lo propuso no quieren viajar hasta allá. Mediante un refuerzo argumental de lo negativo en realidad consigue –piensa él en su lógica personal– persuadir de la bondad de su acción. Además, no querer ir era precisamente lo que le achacaban a él sus detractores.

> Yo he procurado de llevar algunos religiosos a mi costa en esta jornada que hago, para que, si dispusición oviese, se quedasen en la tierra, para converçión de los indios de la dicha provinçia y consolaçión de los españoles que en ella están, y ninguños [sic] quieren pasar allá, ni sus perlados dalles liçençia, porque no les paresçe que la tierra les satisfaze para bivir a su contento. Y estoy algo sentido, porque se acusan de los trabajos y no quieren estar ni residir sino adonde tengan conventos bien probeidos y no les falte cosa. Por tanto Vuestra Magestad mande proveer en que, quando los religiosos que acá quieren pasar y a Vuestra Magestad suplican por socorro y limosna para su pasaje, sea para que vengan a parte donde dellos mas neçesidad ay (16 de abril de 1534).

En el párrafo precedente al de la negativa de los religiosos a acompañarle para procurar la conversión de los indios, Bastidas ha hablado de que los barcos van y vienen de Venezuela a Santo Domingo. Menciona, en concreto, tres carabelas que salen de Santo Domingo y vuelven con 500 indios, mano de obra tan necesaria en la isla, destinada a convertirse en naborías en las casas de los españoles. Aumenta la gravedad del hecho el que fueron tomados de 'poca buena entrada', principio inalienable de la literatura jurídica indiana, que hasta Fernández de Oviedo parecía haber comprendido. Bastidas lo expresa por medio de enunciados del estilo siguiente:

> [los indios se tomaron] estando de paz –y durmiendo en sus casas– no en ninguna cosa guardando la ynstruçion y mando que les fue dado [... y concluye] y, como obispo de aquella tierra y protector por Vuestra Magestad de los indios della, pedí e rrequerí al presidente e oidores desta Real Audiençia çierto pedimiento, el qual no se efectuó (16 de abril de 1534).

La argumentación sería perfecta, con todos los valores de humanidad atingente a una autoridad eclesiástica, si no fuera porque la defensa a los indios importados a la isla desde Tierra Firme en realidad es más bien un ataque a sus enemigos los belzares, porque falta señalar que los indios fueron capturados en la gobernación de los belzares, lo que les convierte en los responsables últimos del delito.

En el párrafo de conclusión se menciona otra responsabilidad que detenta, la de *protector de indios*. Se trata de un cargo integrado en el derecho indiano y que, en los pareceres de 1529, Bastidas no veía inconveniente en aceptar como parte del mejor proceso de tratamiento de los indios. En una carta escrita en enero de 1535, a la vuelta del viaje de seis meses que hizo a Coro, habla en esta ocasión del teniente del protector:

> + Por teniente de la proteçión de los indios dexé a mi provisor, por ser, como es, persona de ispirïençia y que sienpre se ha hallado en la tierra después que se pobló, el qual creo que lo exerçitará con toda fidelidad, porque en lo de hasta aquí, los naturales han seido del governador y gente muy maltratados y molestados, a cuya cabsa han venido en muy grande diminuçión. Para que de todo punto no se acaben, es muy nesçesario que Vuestra Magestad les mande muy de fecho sean favoresçidos, porque en verdad todos los que yo vide es muy buena gente, domésticos y dispuestos para que en ellos inprima qual[quier] virtud, lo qual en ellos a de inprimir por buenos tratamientos y no por otros medios, no les faltando en lo que se les prometiere (20 de enero de 1535).

La respuesta al discurso de denuncia y queja vino en forma de un documento dispositivo, una carta real o real provisión, según de deduce de una carta de más de dos años después. El discurso de Bastidas sigue estando cargado de celo apostólico, con una actuación ante los poderes seculares, para los cuales recibe también reales provisiones. Para entonces otro documento dispositivo (una cédula real) ya dejaba de ser efectivo, porque el indio a quien iba destinado había fallecido:

> + En merçed tengo a Vuestra Magestad el favor que con sus Reales provisiones me hizo merçed de me enbiar sobre los naturales del dicho mi obispado, y las que para el presidente e oidores desta Real Abdiençia venían, yo se las di, los quales he visto que çerca dello han puesto y ponen diligençia, y las demás tengo para quando yo vaya, dispusiçion aviendo de yr o enbiar al dicho obispado.
> + En la çedula del caçique don Marcos, al tiempo que llegó, él era ya muerto y su pueblo y gente por los cristianos saqueados (2 de noviembre de 1536).

No obstante, comprender el pensamiento verdadero de Bastidas sobre los indios es más complejo de lo que a primera vista puede parecer. Los califica de 'muy buena gente', 'domésticos' y 'dispuestos' (para la virtud). La duda que asiste al lector es la siguiente: la defensa que prepara Bastidas de los indios, plenamente acorde con el espíritu de piedad propio de una persona impregnada de humanismo cristiano respecto a los más débiles, ¿es auténtica?, ¿es lo que piensa realmente?, ¿piensa sola y exclusivamente en el buen tratamiento de los indios o encierra cierta manipulación del lenguaje con una intencionalidad distinta?

El propio Bastidas descubre esas intencionalidades en otros enunciados de esas mismas cartas. A través de ellos se descubre que quizás su defensa de los indios es, en realidad, una manera velada de encubrir la lucha que mantiene con las autoridades civiles de la provincia de Venezuela, los belzares, a quienes les achaca de hecho su condición de extranjeros así como su despotismo con los españoles de esa zona de la costa venezolana. Pero, al final del enunciado coloca lo que más le afecta y duele: el afán de éstos por trasladar indios a otras gobernaciones y despoblar de naturales su obispado. Veamos ejemplos de ello:

> + Acá se pasa grandísimo trabajo en esto de hazer esclavos en la tierra, porque la justiçia de allí, el governador sienpre los hazen a su voluntad, sin guardar la forma e instruçiones que Vuestra Magestad les ha mandado dar, o los sacan de la tierra y enbian a esta isla e a otras partes, en lo qual tenemos muchas controversias, asi, por mi parte, en esta Real Abdiençia en los defender como mi teniente de protetor en la provinçia. A Vuestra Magestad suplico sean faboresçidos e mande se les haga todo buen tratamiento, porque si, como Vuestra Magestad lo tiene mandado, se guardar, Santo e justo sería por Vuestra Magestad. Crea que se dan allá otros mil entendimientos, como sea en provecho de los que allí están en la pobreza de la tierra, da cabsa a ello, porque de presente no tienen otro interese ni grangería, sino esto de indios (8 de junio de 1537).

> [...] vna caravela vino de Cubagua por esta costa y hizo mucho daño en las islas de Aruba y Curaçao y llevó de allí indios (8 de octubre de 1938).

Diez años después, las cartas de la etapa de obispo de San Juan de Puerto Rico dejan ver el efecto último de este tráfico de naturales: la extinción de éstos y el hecho de que sean ya los negros el grupo étnico destinado a los trabajos duros como la construcción de la iglesia catedral de San Juan de Puerto Rico:

[...] a Vuestra Magestad suplico, en nonbre desta iglesia, sea servido de mandar hazer limosna, para ayudar a la dicha obra, y de diez o doze negros, de los que Vuestra Magestad tiene en esta çiudad que fueron de la obra de la fortaleza y Vuestra Magestad los tiene dados por tiempo limitado a esta çiudad para obras publicas, las quales en verdad no se han hecho, y dellos no se han bien aprovechado, sobre lo qual yo he hecho a los regidores mi pareçer, porque los han traído alquilados [...] (8 de febrero de 1543).

Y diez años después aun, como cualquier persona de condición social alta sin ningún atisbo de su calidad de eclesiástico, pide a la Corona criados de raza negra para él mismo:

[...] ya Vuestra Magestad Real sabe como en estas islas no hay indios de seruiçio y, aunque los huviera, yo no pretendo dellos ser servido, y los salarios de españoles son muy grandes, que no lo sufre la Renta y possibilidad. Supplico a Vuestra Magestad se me dé liçençia para poder traer de cabo uerde o de otra parte seis negros de que tengo nesçesidad para mi serviçio (20 de junio de 1559).

COLOFÓN

Ha sido rescatado del semiolvido Rodrigo de Bastidas, un hombre con su circunstancia personal marcada de manera esencial por la experiencia acumulada durante su vida en el Nuevo Mundo. Aún han quedado en el tintero muchos rasgos que completen ese retrato en el espejo del tiempo, pero en lo que se ha expuesto se encuentran buen número de las claves de comprensión de la estructura eclesiástica, social y económica del Caribe hispánico de la primera parte del siglo XVI. Bastidas, pese a su carácter de 'hombre de la tierra' y pese a desenvolverse en un mundo esencialmente diferente, no vio dificultad en repetir allí los esquemas de actuación que supo existían en la Península por sus años de formación en ella, concretamente en la ciudad de Sevilla.

Es la suya, además, una actuación guiada por un principio que se asentaba en el pragmatismo más puro y duro. Es ese mismo pragmatismo el que le hace construir en piedra las iglesias catedrales de las diócesis a las que va, para que no desaparezcan pasto del clima de aquellas zonas. Es el que le hace instalar sus reales en Santo Domingo, la ciudad mejor acondicionada, para cuidar de su madre, el mismo pragmatismo que le hace compartir destino con otros poderosos de la época. Y también es ese pragmatismo el que le hace consciente de la gran necesidad de llevarse bien con los naturales, de los cuales depende muchas veces el éxito de las acciones emprendidas y la rentabilidad de las empresas acometidas. O, en su defecto, le hace pedir abiertamente la importación de negros, más baratos que los criados españoles, tan sólo para que le sirvan…

El discurso argumental nuclear en las cartas de Bastidas es que todo servicio precisa una merced o favor como contrapartida, para proceder de una manera eficaz. Quizá ayer y allí, como hoy y en todas partes, aplicó la máxima de que "el que resiste gana" y estaba dispuesto a resistir y a ganar. Con cierta ironía podría decirse que, como buen eclesiástico, quería ganar el paraíso ya en esta tierra, desde su puesto privilegiado de renombre y predicamento, al menos hasta la recta final, en la que abrumado por la "vejez y enfermedades" (1567) se rindió ante el avance de otras fuerzas religiosas –los padres dominicos y el Tribunal de la Inquisición, que se esforzarían en instalarse en Santo Domingo– con no menos poder en aquellas tierras a partir de la segunda mitad del siglo XVI que aquel que él había logrado reunir en torno a su persona a lo largo de la primera mitad de aquel siglo.

BIBLIOGRAFÍA

ALCOCER, Luis Jerónimo (1945 [1650]): "Relación sumaria del estado presente de la Isla Española en las Yndias Occidentales, de sus poblaciones y cosas notables que ai en ella, de sus frutos y de algunos sucesos que an acontecido en ella, del Arçobispado de la Ciudad de Santo Domingo de la dicha Isla y vidas de sus Arçobispos hasta el año de mill y seis cientos y cinquenta, questo se escriue", en Rodríguez Demorizi (ed.) (1942-1945), vol. 2, pp. 193-267.

ARREGUI ZAMORANO, Pilar (2000): *Monarquías y señoríos en la Castilla moderna. Los adelantamientos en Castilla, León y Campos, 1474-1643.* Valladolid: Junta de Castilla y León.

CARRERA DE LA RED, Micaela (1993): "Documentos de criollos de Santo Domingo: estado de lengua (ca. 1529-1650)", en *Anuario de Letras* 31, pp. 525-557.

— (1997): "Fonología diacrónica del español de Santo Domingo (siglos XVI y XVIII)", en *Lingüística* (ALFAL) 9, pp. 51-74.

FELDKAMP, Michael F. (2004 [2000]): *Los legados pontificios en la Edad Media. La diplomacia pontificia.* Madrid: BAC.

FERNÁNDEZ DE OVIEDO, Gonzalo (1959): *Historia General y Natural de las Indias,* edición y estudio preliminar de Juan Pérez de Tudela. Madrid: BAE, 117/1.

FRIGO, Daniela (ed.) (2000): *Politics and Diplomacy in early Modern Italy. The Structure of Diplomatic Practice, 1450-1800*. Cambridge: Cambridge Unversity Press.

LUQUE TALAVÁN, Miguel (2003): *Un universo de opiniones, la literatura jurídica indiana*. Madrid: CSIC-Instituto de Historia.

PÉREZ DE TUDELA, Juan (1959): "Vida y escritos de Gonzalo Fernández de Oviedo. Estudio preliminar", en *Historia General y Natural de las Indias* de Gonzalo Fernández de Oviedo. Madrid: BAE, 117/1.

RICCARDI, Luca (2000): "An outline of Vatican diplomacy in the early modern age", en *Frigo*, 95-108.

RODRÍGUEZ DEMORIZI, Emilio (ed.) (1942-1945): *Relaciones históricas de Santo Domingo*. 2 vols. Trujillo: Archivo General de la Nación.

UGARTE, María (1992): *La catedral de Santo Domingo, primada de América*. Santo Domingo: Comisión V Centenario.

LOS INDIOS EN EL CARIBE COLONIAL
A LA LUZ DE DOCUMENTOS INÉDITOS

Martha Guzmán (Múnich)

> e queria sacar oro para el Rey e criar puercos e gallinas
> e servir a dios como xristiano.
>
> (Anaya, indio,
> a propósito de la 'experiencia' de 1531)

1. INTRODUCCIÓN

Quizá deba comenzar admitiendo que lo que contienen estas páginas no es resultado de una búsqueda premeditada de información en textos coloniales. Han sido, más bien, los propios textos los que me han llevado a emprender este trabajo cuando, durante la lectura y transcripción de documentos del Caribe de los siglos XVI y XVII, encontré numerosos fragmentos, o incluso textos enteros, en los que se trataba de la situación de diversos grupos de indios, o en los que se podía, a través de la legislación y el castigo, inferir no poco acerca de su estatus, de los conflictos que con respecto a ellos se daban y de su espacio y funciones en la sociedad colonial.

Numerosos textos editados hace decenios o incluso siglos han sido tomados, no siempre con el sentido crítico deseable, como testimonios para intentar reconstruir o acercarse a la realidad de los indios del Caribe en la época colonial.[1] En ellos encontramos datos sobre los repartimientos, la población, las costumbres y religiones, así como sobre la vida y avatares de estos indios en los primeros años de la colonización y sobre los propios proyectos y estrategias de catequización y de 'ubicación' de los mismos en la sociedad colonial. Resulta harto conocido, sin embargo, que durante la colonización española de América se produjo una cantidad ingente de docu-

---

[1] Entre otros, Panné (1974), Las Casas (1994), *Codoin-Ultramar* (1885-1932, vols. 1-2), Colón (1984), Gil/Varela (1984), Wesch (1993).

mentación y que una grandísima parte de ésta aún se encuentra intacta, o ha sido apenas consultada, en diferentes archivos americanos o españoles. En los últimos años, con fines que no tienen que ver con este trabajo, han caído en mis manos no pocos textos inéditos redactados en el Caribe en los siglos XVI y XVII.

Dichos textos, y esto es muy importante, tratan sobre los más diversos aspectos de la cotidianidad del Caribe colonial. En su mayoría, no fueron escritos con el fin de ser enviados a España para dar cuenta de los sucesos americanos y que, justo por eso, podrían ilustrar facetas o enriquecer nuestra visión general acerca de los diferentes grupos de indios en las Antillas de la época. Algunos, tal vez los más interesantes, llegan a ofrecer informaciones que no concuerdan del todo, o que incluso contradicen la visión que suele preponderar sobre el tema de los indios en el Caribe colonial; capítulo que se suele cerrar mencionando la temprana y abrupta desaparición de los mismos.

En las páginas que siguen intentaré poner en común lo encontrado en estos textos, centrándome en las siguientes preguntas: ¿qué estatus poseían y qué funciones ejercían en la sociedad colonial los diferentes grupos de indios que habitaban el Caribe?, ¿qué estrategias de ubicación y de asimilación del indio a la sociedad colonial –repartimientos, encomiendas, pueblos de indios o integración en las ciudades coloniales– se pusieron en práctica en la región?, ¿cómo funcionaron dichas estrategias y qué conflictos generaron?, ¿qué relación puede apreciarse entre estas formas de ubicación y la catequización? Lo que se pretende aquí no es, ni mucho menos, dibujar una historia más verdadera que la que ofrecen los textos ya editados, ni ofrecer como dignos de toda fe los detalles que estos textos recogen. Se trata de otra tentativa más de acercamiento, a partir de otras fuentes y tipos de textos.

Estos textos no son, por inéditos, más fidedignos, ya que ningún texto es igual a la historia que recoge y cada texto, según su propia y determinada orientación pragmática, ofrece una representación más o menos interesada o sesgada de las realidades que intentamos conocer. El interés de los textos aquí analizados reside en el hecho de que, en su mayoría, no tienen como fin describir, narrar u ofrecer opiniones sobre la situación de los indios en esta región, sino que recogen –en el marco de diferentes contextos como las discusiones sobre los problemas de ciudades o pueblos, la concesión de terrenos dentro o fuera de las ciudades, etc.– numerosísimos datos sobre disímiles aspectos de la vida de estos pobladores.

2. TRADICIONES DISCURSIVAS EN TEXTOS COLONIALES DEL CARIBE

Los textos que sirven de base a este trabajo fueron escritos en el Caribe en los siglos XVI y XVII y se encuentran hoy en diversos archivos españoles o americanos.[2] La mayoría de estos documentos tiene como marco de producción o recepción las diversas instituciones gubernamentales, jurídicas o eclesiásticas de las Antillas, tales como los cabildos seculares o eclesiásticos, las capitanías generales o la Audiencia de Santo Domingo. Dentro de ellos se da, sin embargo, una diferencia esencial entre aquellos documentos que fueron producidos por dichas instituciones y aquellos que fueron dirigidos o simplemente recogidos por las mismas, pero redactados por personas con intereses muy diferentes. Dentro de esta documentación encontramos diversas tradiciones discursivas:[3] informaciones de sucesos, actas de cabildo, pareceres, testimonios de visitas, etc. Antes de continuar conviene revisar algunas características de las tradiciones que con más frecuencia mencionaremos, con vistas a poder calibrar mejor los contextos y la información que contienen.

Las informaciones de sucesos son documentos que recogen averiguaciones sobre un suceso o asunto con vistas a castigar a alguien o planificar una política para el futuro. Se realizaban sobre la base de un cuestionario al que respondían diversos testigos. Incluyen la explicación del problema y las respuestas de los testigos. Suelen contener, asimismo, un resumen a modo de conclusiones.

Las actas de cabildo son protocolos que se tomaban en las reuniones de los cabildos, instituciones para el gobierno de ciudades o pueblos.[4] En ellas se recogen discusiones sobre problemas cotidianos —el precio de la carne y la abundancia de moscas en las ciudades, por ejemplo— o sobre problemas de la sociedad colonial, tales como las tensiones entre los distintos grupos sociales o étnicos. Incluyen, por lo general, acuerdos para solucionar problemas de índole local. A pesar de su carácter oficial se trata de documentos que sólo

---

[2] AGI, Archivo General de la Nación (Santo Domingo), Archivo Histórico Nacional de Puerto Rico, Archivo del Centro Histórico de la Ciudad de la Habana/ACHCH (Cuba), Archivo Nacional de Cuba.

[3] Para el concepto de tradiciones discursivas, cf. Schlieben-Lange (1983), Oesterreicher (1997 y 2003).

[4] Recordemos que los cabildos americanos poseían o podían poseer muchas más funciones que los peninsulares. En ellos se repartía la tierra, se discutían las órdenes venidas de España y podía acordarse la aplicación de castigos a vecinos, indios o africanos.

persiguen dejar constancia de lo discutido. No se enviaban a España y es más que dudable que fueran consultados por autoridades superiores. Las abundantísimas repeticiones, faltas de concordancia o frases inconclusas que rara vez son corregidas hacen pensar en una escritura rutinaria que no presuponía receptor alguno.

Los pareceres son documentos que recogen la opinión de una o varias personas cuyo juicio se consideraba digno de tener en cuenta, sobre un asunto determinado, por ejemplo, dónde se debía edificar una fortaleza o qué tipo de cultivos convenían a una zona. También pueden versar sobre temas como la política que debía seguirse con los indios en un futuro. Un ejemplo especialmente útil para este trabajo lo constituye el texto de 1533, *Parecer hecho por Manuel Rojas sobre la libertad de los indios*, en el que se recoge la opinión de varios vecinos sobre la capacidad de los indios para gobernarse.

Por último, en las relaciones de sucesos se narran, de una manera más bien formularia, hechos que tenían lugar en los territorios americanos, tales como ataques de piratas o rebeliones de indios o vecinos. Si bien la base de las relaciones es la narración ofrecida por testigos presenciales, estas aportaciones apenas se perciben bajo una rígida estructura y un formularismo cercano al de los textos jurídicos. Un ejemplo de esta tradición discursiva es la *Relaçion sobre los françeses que han ido a poblar la Florida* de 1564.

3. ESTATUS LEGAL Y SOCIAL DE LOS INDIOS

Tras esta breve panorámica acerca de los textos podemos comenzar con el primer núcleo temático que se pretende abordar: el estatus y lugar en la sociedad colonial, que, según puede inferirse de esta documentación, tenían los diferentes grupos de indios que habitaban el Caribe.

Cabe señalar que cuando hablamos aquí de grupos de indios nos referimos a una peculiaridad que caracteriza a las grandes Antillas: el hecho de que allí convivieron con los grupos étnicos encontrados por los españoles a su llegada[5] otros grupos numerosos de indios 'extranjeros'. Éstos, que habían sido

---

[5] Diferentes grupos de la familia arahuaca: taínos (Puerto Rico, Cuba, La Española y Jamaica), ígneri (Puerto Rico, La Española) y ciguayos (La Española), así como otros grupos no arahuacos como los siboneyes (Cuba y La Española).

cazados, intercambiados por mercancías o trasladados desde otras islas o costas cercanas, fueron traídos para paliar la escasez de mano de obra o evitar las
obligaciones que conllevaban los naturales de las Antillas Mayores.

Recordemos que mientras numerosas cédulas ordenaban cristianizar y
respetar a los pobladores de las islas gobernadas por los españoles, los caníbales[6] no sólo quedaban fuera del proyecto evangelizador; sino que, en tanto
que enemigos de la Corona y de la fe, podían ser esclavizados, según lo expresa una real provisión en 1503.[7] Ello llevó a que se comenzaran a traer a las
Grandes Antillas indios cazados intercambiados por mercancías, que, de más
está decirlo, no eran obligatoriamente caníbales. La presencia de indios
'extranjeros', no desconocida pero sí obviada en las discusiones sobre la desaparición o supervivencia de la población autóctona de las Antillas, no puede
ser dejada de lado en ninguno de los temas que se pretende tratar.

A estos diversos grupos de indios se suma la presencia numéricamente
importante de otro grupo, los africanos, esclavos o libres. El traslado de esclavos africanos al Caribe comienza ya, según muestra la correspondencia entre
Nicolás de Ovando y el rey durante el gobierno del primero sobre La Española (1502-1509), en los primeros años de la colonización. Si bien el centro
de atención de este trabajo son los indios y no los esclavos africanos, he considerado necesario, por varias razones, tomar en cuenta también a estos últimos. Primeramente porque, dado que la posición del esclavo africano resulta
más clara, su consideración puede servir de punto de referencia para evaluar
la posición en la que se encontraban los diferentes grupos de indios en la
sociedad colonial, esto es, el estatus que poseían. Además de ello, puesto que
en el Caribe colonial no se dan dos etapas delimitadas con claridad –una
india y otra africana–, sino existe un período largo de convivencia entre estos
grupos, no puede hablarse de uno sin tomar en cuenta la dinámica entre
ambos.

Antes de entrar en los detalles que sobre el estatus y el lugar en la sociedad
pueden ofrecernos, por ejemplo, los múltiples casos en los que los acuerdos
de cabildos o gobernadores les concernían directamente previendo incluso

---

[6] Término en principio asociado a los caribes que se convirtió en una denominación apli-
cada a indios belicosos.

[7] "que si todavia los dichos canibales se resistieren […] los puedan cautivar y cautiven
para los llevar a las tierras o islas donde fueren […] y para que los puedan vender y aprovecharse dellos" (Real Provisión, AGI, Indiferente 418, Núm. 1, 121).

castigos para ellos, resulta crucial ver qué dice la documentación que he manejado acerca del origen étnico de los habitantes del Caribe colonial, un tema que sigue ocupando a arqueólogos e historiadores. Lo primero que salta a la vista es que no se hace ninguna alusión a indios caníbales o caribes. Frecuentes son, sin embargo, las referencias a otros muchos grupos como los lucayos (procedentes de las Bahamas),[8] los guanajos (procedentes de las actuales islas de la Bahía, en la costa de Honduras), los indios de la Florida, los indios guachinangos (al parecer denominación genérica para indios de diferentes zonas de México) y un grupo numéricamente importante, los indios llamados en la documentación analizada 'de Campeche', procedentes de Yucatán. Esto indica que en las Antillas Mayores, a diferencia de otras zonas de América, se formó un verdadero mosaico étnico, dándose entre las diferentes islas notorias diferencias por lo que se refiere, tanto a la procedencia étnica de los indios 'extranjeros', como al número de los mismos.

Más allá de los datos sobre los diferentes grupos que convivieron en las Antillas y su cuantía, los textos que sirven de base a estas páginas ofrecen numerosos detalles sobre la posición en la que se encuentran los mismos, sus derechos y actividades en la sociedad colonial, así como los conflictos que se dieron en torno a ellos. Muy ilustrativos en este sentido han resultado los comentarios que aparecen en documentos como las visitas o pareceres, así como lo que se acuerda sobre las funciones que han de cumplir estos diferentes grupos o lo que se narra sobre ellos en relaciones e informaciones de sucesos.

Particularmente reveladores han sido los datos procedentes de las actas de cabildo sobre los castigos que recibían o se disponía que recibieran los diversos pobladores. En éstas, además de recogerse discusiones y acuerdos referidos a los indios, se hace alusión a situaciones o problemas, muchas veces cotidianas, en cuyo marco aparecen también indios y esclavos africanos. No podemos dejar de mencionar, a este respecto, los documentos en los que, de una manera u otra, intervienen directamente los indios. Tal es el caso de las actas de cabildo en las que los indios elevan quejas de las peticiones presentadas, al menos presumiblemente, por indios, y las visitas o experiencias en las que, de algún modo, se da cabida a la opinión de los propios indios. Estos

---

[8] El nombre *lucayos* para referirse a los indios de las Bahamas aparece ya en Cristóbal Colón (Varela 1995: 109). Puede ser de origen arahuaco o tratarse de una identificación de Colón de cierta isla con Lucay, isla del Atlas de Cresques (mapamundi hecho por Abraham Cresques en 1373, hoy en la Biblioteca Nacional de París).

textos dejan traslucir, a pesar de que el objetivo general de la documentación no es transmitir la opinión de los indios, rasgos de desconcierto, de incertidumbre e incluso de claro descontento de éstos hacia medidas oficiales o autoridades.[9]

En cuanto al estatus de los diferentes grupos, sería previsible que entre indios y africanos, esclavos o no, se hicieran grandes diferencias, siendo los segundos relegados al último nivel de la sociedad, con trabajos y castigos más duros, por ejemplo. Sobre todo si tomamos en cuenta que los indios que habían sido traídos como esclavos habían, en principio, dejado de serlo a partir de 1542, año de promulgación de las Leyes Nuevas. Sin embargo, la realidad que nos presentan los documentos, no escritos para ser enviados a España, es bien distinta: africanos, incluso esclavos, e indios son, en las discusiones y los acuerdos de los documentos administrativos, con frecuencia puestos al mismo nivel. Con vistas a ilustrar lo dicho, veamos algunos fragmentos, que no constituyen ejemplos tomados al azar, sino que reflejan las tendencias más generales que pueden percibirse en estos textos.

Acta del cabildo de la Habana, 29 de enero de 1552

Otrosi fue acordado [...] que por quanto por yspiriençia se ve el atrevim*iento* q*ue* tienen yndios e negros e avn españoles de hurtar canoas y cavallos de carga de lo q*ual* se Recresçen muchos daño [*sic*] a los señores de los cavallos e canoas e para lo Remediar proveyeron e mandaron q*ue* de oy en adelante cualquier yndio o esclavo q*ue* hurtare e tomare cavallo o canoa de la p*ar*te e lugar donde lo toviren puesto sus dueños por la p*rime*ra vez q*ue* lo hiziere demas de q*ue*dar obligado a pagar el daño a su dueño caiga e yncuRa en pena de dozientos açotes e por la segunda vez demas de los açotes le sean cortada la la [*sic*] vna oreja. ACHCH [véase nota 2], L. 1.

Acta del cabildo de la Habana, 5 de julio de 1555

mandaron q*ue* d*e* aqui adelante las p*er*sonas q*ue* montearen o truxeren carne de monteria de puerco no la puedan vender a ojo como hasta aqui lo an hecho [...] y la persona q*ue* de otra manera lo vendiere sin pesar o a mas p*reç*io caiga e yncuRa en p*e*na de tres duc*ad*os [...]. E si algund negro o yndio lo vendiere [s] e no ti*e*ne de que pagar la d*ic*ha p*e*na le den çient açotes por las calles pu*blic*as desta villa con la carne al pescueço. ACHCH, L. 1.

---

[9] Véase en este sentido la 'experiencia' sobre la libertad de los indios de 1531 (AGI, Patronato 177, Núm. 1, Ramo 12) o la carta de los indios de la Trinidad al gobernador 1562.

Acta del cabildo de la Habana, 22 de agosto de 1565

En este dicho cabildo pedio por petiçion alonso de rrojas [...] que negros ni yndios no monteen ganado bacuno porque hazen daño en los hatos y los dichos yndios por se andar a montear se adebdan y no labran conucos lo qual es en gran daño desta villa porque las flotas y armadas que a este puerto ocurren no hallan bastimientos pidio que con pena no consintiesen monteasen ganado bacuno [...] e visto por los dichos señores justicia e Regidores [...] mandaron se pregone publicamente que ningun negro horro ni esclavo sea osado de montear [...] y en quanto toca a lo que pide de los yndios su merçed del dicho señor gobernador lo vera y proveera lo que mas convenga al servicio de su magestad bien y perpetuydad de los dichos yndios. ACHCH, L. 2.

En estos fragmentos, que como ya se ha apuntado reflejan las tendencias generales de la documentación analizada, puede apreciarse, además de la frecuente igualación de grupos, que mientras en lo prescriptivo, o a la hora de prohibir, se suele diferenciar entre esclavos africanos, esclavos indios e indios no esclavos, una vez cometido el delito –a la hora de aplicar el castigo–, no suele hacerse distinción alguna. Con respecto a los negros horros o libres, si se hacen diferencias, se trata normalmente del precio del trabajo, como muestra el ejemplo siguiente.

Acta del cabildo de la Habana, 17 de agosto de 1566

que se tomen jornaleros y peones y se abran la zanja para traer el agua a la dicha ciudad [...] e que se pregone que quien quisiere enviar negros jornaleros llevando cada uno dellos su hacha o azadon se le dara tres reales por cada dia y a los indios por ser gente de menos trabajo se le daran a dos reales. ACHCH, L. 2.

Si bien los casos de igualación entre africanos e indios no desaparecen en la documentación al alcance, sí se va dando una diferenciación del estatus de estos dos grupos, que corre paralelamente con la disminución de la población indígena y el aumento de la africana. Hemos de apuntar que a partir de la segunda mitad del XVI se trata por lo general de una igualación entre indios y africanos horros, quedando en un estrato inferior los esclavos africanos, tal y como se recoge en el siguiente fragmento.

Acta del cabildo de la Habana, 1 de abril de 1569

fue acordado [...] que porque al presente ay falta de Reales en esta villa y los negros e yndios no quieren tornar la plata coRiente por algunas cosas que venden mandan [...] que los negros e yndios tornen la dicha plata coRiente al preçio questa [pre]gonado e mandado so pena de diez dias de carçel e dozientos açotes al negro que lo Rehusare si fuere c[au]tivo los dichos açotes e al yndio e negro hoRo los dichos diez dias de carçel. ACHCH, L. 2.

Al margen de la diferenciación que hagan las autoridades, esclavos africanos e indios comparten, en ocasiones, de espaldas a la sociedad, espacios y estatus similares. Ya en 1502, Nicolás de Ovando escribía que los taínos y los africanos muy a menudo huían juntos, usando el conocimiento que los indígenas tenían de sus tierras. Mucho después, en 1555, en La Española, encontramos, por ejemplo, que una patrulla española que exploraba costas no pobladas descubrió cuatro pueblos no conocidos de indios, a los que también iban los africanos que huían. Estas alianzas funcionaron al parecer también a la hora de comerciar con los corsarios y piratas, llegándose incluso a hablar de 'indios bucaneros', lo que debe entenderse como que hacían bucán —'carne secada al sol'— de la cual se abastecían corsarios y piratas.

En cuanto a los diferentes grupos de indios, resulta claramente apreciable que, en algunos grupos, se produce un cambio radical del estatus social: pasan de ser esclavos y de tener el mismo estatus que los esclavos africanos a una integración que no excluía el que se les diera solar dentro de la ciudad. En dichos casos no puede dejar de apreciarse una influencia, si bien con algún retraso, de las Leyes Nuevas. Sirva de ejemplo el siguiente fragmento:

Acta del cabildo de la Habana, 29 de enero de 1557
Fue pedido en este dicho cabildo [...] por alonso yndio guanaxo le agan merçed de vn solar en que tiene enprençipiada vna casa en esta villa que alinda con solar del señor juan de Rojas e por la otra parte el monte e los dichos señores le hizieron merçed del dicho solar sin perjuizio de terçero. ACHCH, L. 1.

Digno de atención resulta en este caso la ubicación del solar que colindaba nada menos que con la casa de Juan de Rojas, gobernador de la isla de Cuba, y se hallaba situado en el centro de la ciudad.

4. ESTRATEGIAS DE UBICACIÓN Y CATEQUIZACIÓN DE LOS INDIOS

Con este ejemplo entramos ya en el segundo complejo temático que se pretende tratar en este trabajo: las particularidades de las formas de ubicación del indio (repartimientos, encomiendas, pueblos de indios o integración en las ciudades del Caribe) y los conflictos a ellas asociados, así como la relación entre las mismas y la catequización. No podemos perder de vista que, por una parte, estos espacios van asociados a diferentes estatus, funciones y derechos, así como a diferentes estrategias e intensidad de catequización. Además de ello, constituyeron formas diversas de actuar sobre su cultura e identidad.

Por otra parte, la puesta en práctica de determinados modelos de ubicación del indio en la sociedad colonial –'integración' resulta en este contexto una palabra desproporcionada–, está en relación con los disímiles, variables y a veces contradictorios intereses y correlaciones de fuerzas tanto en las colonias como en España. Ha de apuntarse que no se persigue aquí una representación detallada de estos temas, sino, partiendo de lo ya conocido, destacar y comentar aquello que encontremos en nuestros textos que resulte más característico de la región y pueda enriquecer nuestro conocimiento o arrojar una nueva luz sobre estos aspectos. En tal sentido, dejaremos de lado las encomiendas, de las que encontramos noticias en numerosos textos editados, y nos ocuparemos, por ejemplo, de la realización de experiencias.

Antes que nada hemos de señalar que el lugar en el que, con más conveniencia para la ciudad y, en principio, para los propios indios, deben residir éstos, es un tema frecuentísimo en documentos del más variado carácter. Ello nos da la medida de la importancia que tenía el asunto en la sociedad colonial para autoridades religiosas o civiles, para los vecinos y para los propios indios. Fuera para su conversión, para su control o para su explotación como mano de obra, se trató de evitar la movilidad de los indios y de ubicar a los mismos en un lugar determinado, tal como podemos apreciar a continuación.

Acta del cabildo de la Habana, 12 de junio de 1554

[...] se trato y comunico en este cab*ildo* por quanto los yndios q*ue* abitan y moran en esta p*ro*bynçia despues q*ue* por su m*andamient*o les fue conçedida la live*r*tad andan derramados y vagabundos de vnas pa*r*tes a otras de cuya cabsa no se puede tener q*uent*a ni rrazon con ellos ansi pa*r*a lo q*ue* toca a las cosas de la dotrina *christi*ana como pa*r*a q*ue* bivan en horden y buena poliçia y p*i*dio pa*r*a estos efetos y pa*r*a q*ue* hagan conpania a la poblaçion desta villa [...] q*ue* se junten e*n* vn sitio y hagan pueblo porque *e*stando ansi juntos se podra tener q*uent*a y rrazon con ellos [...] y pa*r*a señalar el lugar y punto donde hagan pueblo sus mercedes nombraron y señalaron a los senores pero blasco alcalde juan de lobera y antonio de la torre Regidores [jun]tamente con el d*ic*ho señor [...]co y por vista de ojos vean los d*ic*hos sitios y elixan y escogan el que les paresçiere ser mas

conbeniente y provechoso para el bien y aumento destos yndios y acrescenta-
miento desta villa y en la parte donde se señalare el sitio del pueblo se les de a los
dichos yndios tierra conveniente para hazer sus casa [sic] y tener sus grangerias y
estançias. ACHCH, L. 1.

Los textos consultados nos permiten apreciar además que en el Caribe las
diferentes ubicaciones del indio (pueblos, convivencia en las ciudades, etc.)
no fueron formas que, una vez desestimadas, se sustituyeron por otras, sino
que van siendo probadas, discutidas y en ocasiones desechadas y vueltas a
aplicar, llegando a coincidir varias en diferentes períodos. Estas alternancias
están relacionadas con los intereses de los diferentes grupos que vivían en la
región, con los vaivenes de la política hacia la población indígena dirigida
desde España y con diversas olas o estrategias del proyecto catequizador. Otra
característica de la sociedad colonial del Caribe que podemos observar es que
no se da una oposición estricta entre dos espacios, uno de indios (los pueblos
o experiencias) y otro de españoles (las villas). En un mismo período, mientras algunos indios viven agrupados en pueblos, otros indios, e incluso indias,
piden y se les concede solar para vivir en la ciudad. Veamos otro ejemplo de
las numerosas peticiones y concesiones de terreno a indios que recogen las
actas de los cabildos coloniales y un fragmento del mismo año sobre la situación de un pueblo de indios.

Acta del cabildo de la Habana, 24 de enero de 1576

En este cabildo pidio por petiçion blas g[arcia] yndio natural desta villa le
hagan merçed d[e un] solar para hazer vna casa en el anoria entre los solares del
señor tesorero y de geronimo vaca e que en ello Reçebira merçed. ACHCH, L. 3.

En este cabildo se trato que conbiene al seruiçio de su magestad que en el pueblo de yndios de guanabacoa termino desta villa aya vn Relijioso que los dotrine e
aministre los divinos ofiçios en el dicho pueblo e que de presente estan e an venido
a esta villa los Relijiosos e frayles de san françisco a fundar monesterio e casa en
esta villa los quales estan proves e ques cosa conbiniente al bien de los dichos
yndios que tenga vno de los dichos Relijiossos cargo de los doctrinar e dezilles los
divinos ofiçios en el dicho pueblo acordaron que se escriua a su magestad sea seruido de mandar que serva vno de los frailes en lo suso dicho. ACHCH, L. 3.

En cualquier caso hemos de advertir que la convivencia de españoles e indios
en las ciudades coloniales no significaba automáticamente una ventaja para

estos últimos, como muestra el siguiente fragmento de una carta, insertada en un documento en el que una mano escribe la introducción y el final y otra la 'carta' de los indios.[10]

Carta de los indios de la Trinidad al gobernador, 1562

al tienpo que desta villa salio el doctor don ber*naldi*no de villalpando obispo electo desta ysla a besitar los lugares e pueblos della a ystançia de los vezinos de la villa de sancti spirictus nos mando a todos los de la trenidad que dentro de dos meses nos pasasemos a beuir a la d*i*cha villa de sancti spirictus e ordeno q*ue* mandaua a los al*ca*ld*es* de la d*i*cha villa nos quemase los buhios y estançias y labranzas y nos quitase los demas ap*r*obechamientos que tubiere lo qual si asi se hiziese nosotros Reçiuiriamos muy gran daño y per*j*uizio porque nosotros somos naturales de la d*i*cha villa de la trenidad […] y lo que peor es y mas en n*uest*ro perjuizio es que abiendo como hemos Residido e*n* la d*i*cha villa desde que esta ysla se poblo y teniendo como tenemos en ella n*uest*ras casas estançias conucos labranzas e corrales de puercos cauallos y bacas mudandonos a otra parte sera perdello todo y primero y antes que otro tanto hagamos e*n* la d*i*cha villa de sancti spirictus nosotros e n*uest*ros hijos nos moriremos y sera causa a que la ysla se despueble […] quanto mas q*ue* si los vezinos de la d*i*cha v*ill*a lo pidieron fue por sus p*r*opios yntereses e p*ara* ap*r*obecharse de n*uest*ros terminos e labranzas y de seruirse de nosotros no lo pudiendo ni deuiendo hazer siendo como somos personas libres (AGI, Patronato 177, Núm. 1, Ramo 17).

Resulta digno de atención en este documento que los indios apelen al gobernador con quejas acerca del obispo visitador, el cual, según el texto, no sólo acarrea el mal de los indios, sino que, en complot con los vecinos, facilita su utilización como mano de obra. La autoridad civil, por el contrario, es quien parece velar por los derechos de los indios e incluso, en un fragmento no reproducido, se ocupa de que reciban asistencia religiosa. Todas estos datos deben ser, sin embargo, tomados con cautela, pues no podemos perder de vista que se trata de un texto elaborado en un ámbito institucional secular. Además de ello, el grado de elaboración del discurso y el hecho de que los indios utilicen como argumento el despoblamiento de la isla –preocupación

---

[10] Esto nos deja varias posibilidades: o bien los indios se expresaron oralmente en alguna lengua que no era español y, no el escribano, sino otra persona que los entendía, tomó nota, o bien los indios trajeron realmente una carta que luego se trasladó y posiblemente se reelaboró al incorporarla al documento.

y jerga ajena a su ámbito– hacen suponer la existencia de un intermediario cuyos intereses desconocemos. Con ello queda abierto el camino a diferentes interpretaciones, siendo posible incluso una instrumentalización de los indios para determinado fin. No obstante, se trata de un ejemplo que no podemos dejar de tomar en consideración.

Otro aspecto digno de mención en estos textos es la abundancia, en diferentes períodos de la colonización, de documentos que mencionan o versan sobre la realización de las experiencias. Con ello se hace alusión a un 'experimento' cuyo fin era, en principio, probar en la práctica el sistema de pueblos en su variante más favorable a los indios, es decir, averiguar si los indios, conviviendo con sus familias, en compañía de un religioso que los adoctrinara y bajo la supervisión de una persona de confianza que velara por sus derechos, eran capaces de subsistir y vivir según ciertas normas y como cristianos. Ya en 1508 se realiza, y fracasa, la primera experiencia en el Caribe.

Alrededor de 1530, el tema es muy frecuente en documentos de las Antillas Mayores. Los documentos encabezados con el rótulo *experiencia* recogen cómo, normalmente con ayuda de un traductor, se comunica a cada uno de los indios que iban a formar parte de la experiencia y en qué consistía la misma, dejando finalmente constancia de que estaban de acuerdo en participar. El punto de partida de esta situación es el año 1525, año en que se ordena tanto a gobernadores como a los superiores de franciscanos y dominicos hacer 'experiencia' en los indios "que al presente hay vacos o de aquí en adelante vacaren"[11], por ejemplo, cuando moría un encomendero. La orden, al ser dada a diferentes autoridades y dificultar la utilización o la explotación del indio, chocó con no pocos intereses, desató numerosos conflictos y contó con la oposición abierta de muchos pobladores. Para dejar algo más claros la forma y los múltiples fines de este modelo, tomemos el siguiente fragmento.

Experiencia sobre de la libertad de indios, Santiago de Cuba, 1531
gonsalo de gusman mando al dicho pero de Ribadeneyra diga a los dichos yndios e les haga entender que su magestad es servido sy ellos tienen abilidad e capaçidad para ello de dalles libertad diferente de la que hasta aqui an tenido e hacerles entender que biviran como labradores de Castilla syn estar encomendados por naborias ni encomiendas a ningund español e que para esto mejor se haga que

---

[11] Experiencia sobre de la libertad de indios, Santiago de Cuba, AGI, Patronato 177, Núm. 1, Ramo 12, 2-3.

ellos bivan como christianos e tomen las costunbres de los christianos se an de
venir a bibir junto a la villa de san salvador e alli hazer por sy sus labranças e tener
su pueblo por sy con vn capellan que los yndustrie e abeze en las cosas de la fee e
asi de criar ganados e sacar oro e dar a su magestad lo que le pertenesçiere como
sus vasallos (AGI, Patronato 177, Núm. 1, Ramo 12, 2-3).

De estos datos, así como de los que se encuentran en los textos sobre las
visitas a las experiencias, puede concluirse que este proyecto 'interdisciplinario', en el que habían de colaborar autoridades de diferente tipo, perseguía no
sólo la cristianización y el pago de tributos a la Corona, sino también la aculturación o cambio de costumbres y el aprendizaje por parte del indio de nuevas técnicas agrícolas y ganaderas, sin excluir, como vemos en este ejemplo, el
trabajo de los indios en las minas de oro. A la realización de las experiencias,
que, al menos por lo que podemos percibir, significaban una mejora del estatus de los indios, se oponen autoridades eclesiásticas, como los obispos de
Cuba, en 1531, y de Puerto Rico, en 1533.

Los objetivos teóricos de las experiencias deben ser contrastados con los
datos sobre el desarrollo de las mismas recogidos en textos posteriores: los indios fueron arrendados y utilizados en cacerías por clérigos mayordomos de
experiencias como Francisco Guerrero y Diego Muriel, quienes además pocas
veces les decían misa.[12] Del mismo modo, los indios de las experiencias fueron utilizados para perseguir a los indios cimarrones. Es decir, que disponían
de poco tiempo no sólo para ser adoctrinados, sino incluso para producir su
sustento. Esta tentativa de ubicación del indio gozó de no poco rechazo entre
los pobladores de las ciudades y pueblos coloniales, ya que reservaba el aprovecharse de esta mano de obra sólo a las autoridades de las experiencias. A
pesar de que esta alternativa se intentó en diferentes islas y épocas, los documentos dan cuenta una y otra vez de su fracaso.

La ubicación del indio vuelve a ser tema predominante en la documentación consultada a partir de 1550. Esta situación, que ha de verse en relación
con las discusiones y con la tardía y parcial influencia de las Leyes Nuevas, se
da de muy diverso modo en las diferentes islas. En Puerto Rico y Jamaica
apenas encontramos muestras ni de oposición a dichas leyes, a pesar de que
éstas ordenaban liberar a los indios esclavos, no crear más encomiendas y, en

---

[12] Información hecha por Gaspar Caro, AGI, Patronato 177, Núm. 1, Ramo 17.

el Caribe, además, no exigirles tributos. En Cuba, donde aún perduraban la economía del oro y las encomiendas, y en Santo Domingo, donde la población indígena, mayoritariamente esclava, se ocupaba de la ganadería y la agricultura, las leyes tendrían mucha más importancia y repercusión.

Si bien, especialmente en Cuba, siguen funcionando por algún tiempo las encomiendas, la situación del indio se diversifica, dándose, además, la convivencia en las ciudades de indios libres o liberados y la formación de nuevos pueblos de indios. También en este caso en la documentación colonial se expresa que se persigue "tener cuenta y razón de ellos [los indios] para lo que toca a las cosas de la vida cristiana y que vivan en orden y buena policia [*sic*]".[13] Del mismo modo puede percibirse un solapamiento de competencias e intereses entre el ámbito civil y el religioso. En este sentido, no son raros los casos en los que las autoridades civiles se ocupan en sus visitas de asuntos religiosos e incluso llegan a castigar las faltas de los indios en la práctica de la doctrina.

A partir de las últimas décadas del XVI las referencias a los indios en la documentación colonial de las Antillas van haciéndose cada vez más escasas, pero no desaparecen. Las alusiones, por ejemplo, a los pueblos de indios, llegan hasta finales del XVII. Este dato y la toma en consideración de que los indios que habían huido, por ejemplo, a las montañas de Cibao en Santo Domingo, ni aparecían en los censos, ni eran una realidad evidente nos llevan a concluir que, a pesar de que las descripciones de Las Casas y de otros tantos documentos mandados a España hagan pensar en la desaparición de los indios en el Caribe, ciertos grupos de indios, oriundos de estas islas o de otras zonas, siguieron viviendo en las Antillas coloniales. El modo en el que esta situación tuvo lugar es, sin embargo, un tema del que debemos ocuparnos en otros trabajos.

CONCLUSIONES

Existen pues, como se ha visto, numerosos textos del período tratado que pueden aportarnos detalles, enriquecer visiones e incluso poner en tela de

---

[13] "Y mando [el gobernador] a los dichos yndios todos hombres y mugeres y niños y muchachos vengan a la doctrina so pena quel q*ue* no viniese le mandara castigar a los padres porq*ue* no ynbiaron a sus hijos a la d*i*cha doctrina" (*Visita a los indios del pueblo de indios de Guanabacoa* [1562], AGI, Santo Domingo, 99, R. 8, N. 26, 3r).

juicio las ideas reinantes sobre el tema de los indios y otros tantos temas de la América colonial. Más allá de los textos en los que, con un motivo u otro, se perseguía escribir Historia, resultan una valiosa fuente aquellos textos que, sin pretensiones historicistas, recogieron tantos y tan variados datos sobre la vida en las colonias. El caudal de documentos aún por explorar que guardan nuestros archivos a un lado y otro del océano promete ofrecernos valiosas informaciones sobre la forma en la que se desarrolló el complejo proceso de la colonización y las implicaciones del mismo para los pobladores del Nuevo Mundo.

Bibliografía

Bethell, Leslie (1986): *The Cambridge history of Latin America*, vol. 1. Cambridge: Cambridge University Press.

Casas, Bartolomé de las (1994): *Obras completas*, vol. 1. Madrid: Alianza.

Codoin-Ultramar (1885-1932): *Colección de documentos inéditos relativos al descubrimiento, conquista y organización de las posesiones españolas de Ultramar*. 25 vols., segunda serie. Madrid: Real Academia de la Historia/Rivadeneyra.

Colón, Hernando (1984): *Historia del Almirante*, ed. por Luis Arranz. Madrid: Historia 16.

Cook, David (1993): "Disease and the depopulation of Hispaniola, 1492-1518", en *Colonial Latin American Review* 2.1, pp. 213-245.

Gil, Juan/Varela, Consuelo (eds.) (1984): *Cartas de particulares a Colón y relaciones coetáneas*. Madrid: Alianza.

Guitar, Lynne A. (1998): *Cultural genesis: Relationships among Indians, Africans, and Spaniards in rural Hispaniola, first half of the sixteenth century*. Nashville, Tenn.: Vanderbilt University Press.

Konetzke, Richard (ed.) (1953): *Colección de documentos para la historia de la formación social de Hispanoamérica, 1493-1810*, vol. 1: *1493-1592*. Madrid: CSIC.

Macías Domínguez, Isabelo (1978): *Cuba en la primera mitad del siglo XVII*. Sevilla: Escuela de Estudios Ibero-Americanos.

Mira Caballos, Esteban (1997): *El indio antillano. Repartimiento, encomienda y esclavitud (1492-1542)*. Sevilla/Bogotá: Muñoz Moya Montraveta.

Moya Pons, Frank (1971): *La Española en el siglo XVI. Trabajo, sociedad y política en la economía del oro*. Santiago de los Caballeros, República Dominicana: UCMM.

Oesterreicher, Wulf (1997): "Zur Fundierung von Diskurstraditionen", en Barbara Frank/Thomas Haye/Doris Tophinke (eds.), *Gattungen mittelalterlicher Schriftlichkeit*. Tübingen: Narr, pp. 19-41.

Los indios en el Caribe colonial a la luz de documentos inéditos   181

— (2003): "Autonomización del texto y recontextualización. Dos problemas fundamentales en las ciencias del texto", en Eduardo Hopkins Rodríguez (ed.), *Homenaje Luis Jaime Cisneros*. Lima: Pontificia Universidad Católica del Perú, pp. 343-387.

PANÉ, Ramón (1974): *Relación acerca de las antigüedades de los indios: el primer tratado escrito en América*, ed. por José Juan Arrom. México: Siglo XXI.

SCHLIEBEN-LANGE, Brigitte (1983): *Traditionen des Sprechens. Elemente einer pragmatischen Sprachgeschichtsschreibung*. Stuttgart *et al.*: Kohlhammer.

VARELA, Consuelo (1995): *Cristóbal Colón. Textos y documentos completos*. Madrid: Alianza.

VILA VILAR, Enriqueta (1977): *Hispanoamérica y el comercio de esclavos*. Sevilla: Escuela de Estudios Hispano-americanos.

WESCH, Andreas (1993): *Kommentierte Edition und linguistische Untersuchung der "Información de los Jerónimos" (Santo Domingo 1517)*. Tübingen: Narr.

Dios, juez y parte en las visitas indianas del siglo XVI

Ofelia Huamanchumo de la Cuba (Múnich)

En los últimos años la lingüística ha acentuado el interés por diferentes temas de la historiografía indiana. Así, se han aportado novedosas propuestas que abarcan desde el tratamiento de los elementos de la comunicación y su funcionalidad en el discurso historiográfico hasta intentos por perfilar tipologías discursivas o textuales. Entre ambos extremos se sitúa la presente investigación, que pretende ser un aporte al estudio de los textos jurídico-administrativos del siglo XVI, ya que aún son escasas las consideraciones lingüísticas en torno a un fenómeno tan polémico como lo fue el de las visitas.

Dado lo extenso del tema he creído conveniente analizar para este trabajo un ejemplo concreto. Se trata de una visita de 1549, llevada a cabo en la región andina de Huánuco, Perú, cuya documentación presenta rasgos puntuales que facilitan un microanálisis que servirá de aproximación al problema. Mi objetivo es ilustrar cómo los planteamientos políticos y religiosos de la América colonial se entremezclan o distancian en el tipo textual 'visita' con su principal protagonista: el tipo social del encomendero.

1. Contornos históricos de la visita

Para una definición del concepto de visita me remitiré en la presente investigación al contexto histórico de la América del siglo XVI[1]. La Corona española mantenía en esta época determinados planteamientos de gobierno indiano, para cuya correcta aplicación contaba con un aparato fiscalizador que los evaluaba a

---

[1] La *visita* como medida jurídico-administrativa existía ya en el territorio peninsular, lo prueban documentos sobre visitas periódicas a las cancillerías de Valladolid, Granada y Navarra, así como a los tribunales de Castilla, entre los siglos XV y XVI (Sánchez Bella 1991: 17-18). Por otro lado, algunos autores reconocen y ubican en el mundo andino una especie de medida fiscalizadora o visita incaica autóctona (Cook 2003).

través de medidas especiales. Las dos medidas políticas principales fueron el juicio de residencia y la visita (Sánchez Bella 1991: 3). Esta última –objeto central del presente estudio– como medida evaluadora se daba también en el fuero eclesiástico. Tanto en lo civil como en lo religioso la visita tenía un carácter fiscalizador: se trataba del hecho de evaluar el estado de cosas a través de inspecciones a los diferentes lugares y de informar por escrito sobre lo inspeccionado.

Las visitas indianas se hacían por ello a demarcaciones tanto políticas (audiencia, pueblo, encomienda, repartimiento, tierras de particulares) como eclesiásticas (obispado, arzobispado, diócesis), o a instituciones (un cabildo, una fortaleza militar, un convento, una iglesia, una cofradía). Había entonces dos tipos bien diferenciados de visitas: por un lado, visitas realizadas con fines de evaluación política, económica y social y, por otro, las que tenían fines religiosos de control de la catequesis y evangelización. Las primeras eran reguladas por el derecho civil o regio, y las segundas por el derecho canónico. En algunos casos donde se entrecruzaban las tareas de los funcionarios se buscaban soluciones alternativas, como se demuestra en la *Recopilación de Leyes* [1943].

El punto común a ambos planos fue la sospecha de que las cosas no andaban bien, como se evidencia en los textos del Tercer Concilio Limense: "La visita canónica es prácticamente el nervio de la disciplina eclesiástica y a éste lo vemos debilitado por la astucia del demonio y la codicia de muchos hombres que de donde había que esperar un remedio a los daños, surgen más bien múltiples quejas y calamidades" (Lisi 1990: 201). Por otro lado, estudiosos del tema en el plano civil sostienen que el motivo más común de las visitas generales, por ejemplo, era la noticia de abusos y excesos importantes, no de carácter local y transitorio, sino generalizados y arraigados (Céspedes del Castillo 1946). Otras muchas visitas fueron también realizadas a causa de pleitos entre encomenderos o señores étnicos (Pease 1978).

Complementariamente a las distinciones funcionales de las visitas, se desarrollaron dos acepciones diferentes:

(i) la visita como medida jurídico-administrativa, utilizada en ambos derechos, civil y canónico, que consistía en el hecho de ir a un lugar para inspeccionarlo. Así lo define Covarrubias (1611) en su diccionario (1943: 1011):[2]

---

[2] Ejemplos de ambos casos se tienen en la *Recopilación* (1943: 516): "Ley xiiij. Que el Visitador pueda nombrar á las personas, que le pareciere, para las diligencias de la visita.

"visitar como juezes o prelados, es hazer averiguación de cómo viven los visi-
tados, cómo gastan la hazienda, cómo guardan sus estatutos, cómo adminis-
tran justicia";

(ii) la visita como documento resultado de la inspección, que informa
sobre la acción misma. Por ejemplo, en las Leyes Nuevas (1542-1543) se
dice: "mandamos que solamente traigan al dicho consejo de las yndias las
residencias y visitas que fueren tomadas a los oydores [...]" (Muro Orejón
1945: 815), y en un oficio de Jerónimo de Ulloa, de 1565, se puede leer:
"[...] de manera que cuando vinieren las dichas visitas y residencias en el
nuestro Consejo, haya toda claridad" (Sánchez 1991: 107). En el fuero eclesiástico, sin embargo, no se menciona expresamente la palabra 'visita' como
documento, sino que se alude sólo a subtextos: "tomar las informaciones
secretas", "llevar acabo los procesos [...] hasta la definitiva exclusiva y sean
enviados sellados al prelado, unidos al juicio del visitador" (Lisi 1990: 203).

2. CARACTERÍSTICAS DE LA VISITA COMO MEDIDA FISCALIZADORA

Según Sánchez Bella (1991), las visitas eran indagaciones realizadas por todo
tipo de visitadores nombrados por el rey, no sólo las estipuladas por el Consejo de Indias, sino también las de la Santa Inquisición, o las de órdenes religiosas. También eran visitas las que disponían los virreyes en el territorio de
su jurisdicción, las audiencias y los tribunales de la Inquisición de Indias en
sus respectivos distritos y las que disponían los superiores de las órdenes religiosas a sus conventos de Indias. La expresión 'visita general' se aplicaba no
sólo a las que se lanzaban desde España, sino a las que los virreyes hacían en
su territorio, cuya amplitud dependía de las comisiones que nombrara para
su misión (Sánchez Bella 1991: 14-16).

El autor, no obstante, advierte que no se pueden reconstruir con exacti-
tud los procedimientos de las visitas a partir de la recopilación de leyes en
torno a su realización como medida fiscalizadora, sino que hay que acudir a
otras fuentes que reflejen la práctica usada por los visitadores. En todo
momento, éstos aparecen actuando según una base legal, es decir, existe una

---

1588", y en el Tercer Concilio Limense: "Capítulo 34: De la visita de monjas: Quando se visi-
ten los monasterios de monjas, [...]" (Lisi 1990: 189).

praxis administrativa y judicial que todos conocen y admiten, aunque en parte no esté reglamentada.[3] De manera que se debe de reconstruir el procedimiento con la ayuda de normas no recopiladas, comisiones dadas a los visitadores, su correspondencia y los propios documentos de aplicación del derecho (Sánchez Bella 1991: 56). Siguiendo esta advertencia, resulta entonces un camino plausible el analizar los documentos en torno al caso de la medida jurídica de visitar en 1546 un repartimiento en la región de Huánuco, Perú.

3. La visita como tipo textual

El aspecto lingüístico de las visitas no ha sido objeto central de estudio alguno entre las pocas investigaciones en torno a los documentos indianos y las tradiciones textuales de los siglos XV al XVII en la América colonial, aunque sí se han hecho anotaciones significativas sobre problemas del léxico, por ejemplo en el aspecto de la intraductibilidad de algunos términos quechuas (Murra 1990: 13-14). Por ello, el punto de partida en este trabajo resulta desafiante, ya que ha de apoyarse tanto en estudios lingüísticos sobre documentos semejantes –las informaciones (Wesch 1998), entre otros– como en reflexiones propias. A medida que se realice el análisis del texto central de este trabajo, se irá dilucidando un perfil de lo que podría haber constituido el tipo textual de las visitas.

Como referencia al contexto histórico de las Indias, cabe recordar que la primera visita general del Perú se dispuso y realizó en 1540, para cuyo cumplimiento fueran redactadas una serie de instrucciones que expidieron Francisco Pizarro y Fray Vicente Valverde. Más tarde sería el pacificador La Gasca quien ordenaría visitas en los Andes, a mediados del siglo XVI (Espinoza 1975: 51-52). En el plano eclesiástico, durante la reorganización del virreinato emprendida por el virrey Toledo en 1569 se ve la necesidad de una nueva demarcación eclesiástica, de ahí que aparecieran los visitadores religiosos (Challco Huamán 1995: 1). La presente investigación pondrá énfasis en las visitas administrativas civiles, sin dejar de tomar como referencia acotaciones

---

[3] Al parecer, un único ejemplar de la *Práctica de visitas y residencias apropiada a los reynos del Perú, y deducida de lo que en ellos se estila*, Nápoles, 1696, autografiado por Pedro Pérez Landero, estaría en la Biblioteca Nacional de Madrid, y trataría de procedimientos y formularios judiciales sobre visitas y residencias de toda clase (Céspedes del Castillo 1946: 994).

a disposiciones del derecho canónico que sirvan para una comparación productiva.

4. El caso de 1549 en Huánuco

El estudio se basa en la publicación de fuentes hasta entonces inéditas, un conjunto de documentos que sacara Espinoza Soriano (1975: 52-61) como anexo a un artículo de índole etnohistoriográfico en torno a una de las tantas visitas ordenadas por La Gasca en 1549. La Gasca tuvo como meta reestructurar más justamente las cuotas a pagar por los indios distribuidos en los distintos repartimientos y encomiendas, a cargo de los encomenderos. Este caso no está constituido por un solo texto, sino que se trata de la transcripción de un conjunto de documentos que Espinoza Soriano encontrara en enero de 1960 en el Archivo General de Indias, Sección Justicia, Legajo 397. Según este investigador, no se trata de las versiones originales de 1549, sino de unas copias autentificadas, sacadas el 5 de noviembre de 1551 para fines judiciales de particulares, puesto que los textos iniciales habrían desaparecido junto con otros centenares de casos judiciales de visitas debido a un desastroso incendio ocurrido en diciembre de 1884 (Espinoza Soriano 1975: 50-52).

El presente caso judicial se titula "Visita del repartimiento del Cacique Guanca en la provincia de Huánuco, hecha por el capitán Miguel de la Serna y Juan de Espinosa". Está editado en el mencionado artículo, páginas 52-61. Lo he elegido por tratarse de un caso expuesto en textos cortos y que corresponde a una demarcación política mínima: el repartimiento. Eso facilita su estudio en el reducido espacio de este artículo. Los textos en torno a este caso son cuatro, el primero de los cuales, sin embargo, no pertenece al tipo textual visita, propiamente dicho. El texto 1 corresponde a la instrucción dada con anterioridad a la visita, con vistas a ella:

> Texto 1. Instrucción y mandamiento del licenciado de La Gasca para hacer la visitación en ciertos pueblos en Guanca, que era de don Antonio de Ribera, 1549.
> Texto 2. Visitación de Guanca.
> Texto 3. Lo que dicen los visitadores y las preguntas a los indios.
> Texto 4. [Fe de escribano].

Es significativo destacar que, al tratarse de una copia de los documentos de 1549, se puede distinguir un metatexto de marco a los textos originales, constituido por frases, a modo de comentarios, hechas en 1551 por parte del escribano copista que firma Francisco López. Entre el primer texto, la instrucción, y el segundo, la visitación, ya se advierte la conciencia de la visita como tipo textual: "[...] los visitadores en ella contenidos hicieron ciertas visitas [...], como paresce por ellas que están firmadas de sus nombres al fin dellas. E entre las cuales está una del tenor siguiente [...]".

Puesto que de lo que se trata ahora es de reconstruir o abstraer la noción de visita como tipo textual, procederé a revisar los cuatro documentos poniendo especial atención en la formulación de expresiones o referencias en torno a dicho aspecto. Las observaciones que expondré seguirán el orden de los documentos.

Texto 1. Instrucción

En este legajo de documentos el primer texto es la instrucción correspondiente, que solía preceder al tipo textual visita propiamente dicho. Las leyes tanto civiles como canónicas indicaban que los visitadores debían portar estas instrucciones a manera de credencial para no invalidar la visita como medida jurídica (Muro Orejón 1956: 53) o, en el caso eclesiástico, "so pena de pecado mortal" (Lisi 1990: 202). La Instrucción aporta un dato relevante en torno a las dos acepciones de 'visita' en la nomenclatura de la época: ambas tienen como sinónimo la palabra visitación. Por ejemplo, en relación a la primera acepción (como medida fiscalizadora): "salgáis a hacer la dicha visitación", y en cuanto a la segunda acepción (como documento): "E ansí fecha la dicha visitación, pareceréis ambos o el vno de vos ante mí con ella para que vista e comunicada con vos [...]".

El texto, que conforma el conjunto de documentos del caso que estudiamos, corresponde al tipo textual instrucción, según Wesch (1993). Es clasificable según la tipología lingüística propuesta por este mismo autor como un 'documento dispositivo' (Wesch 1998), y sigue las características lingüísticas descritas por este crítico. No he encontrado mayor novedad sobre ello en este documento, aparte del verbo locutivo "encargar" que no es mencionado por Wesch (1993, 1998). Sin embargo, en el texto se hacen significativas referencias a la estructura de la visitación como tipo textual, lo que demuestra una vez más que ya se tenía conciencia de la existencia de la misma como texto. Frente a todo el ceremonial que consistía la medida fiscalizadora de la visita (oír misa, juramentar, buscar escribano, buscar un intérprete, procurar la asesoría del curaca de la región, inquirir, indagar, investigar, remitir la documentación a Lima, etc.), la elaboración del tipo textual 'visita' o 'visitación' debía tener en cuenta en su estructura los siguientes subtipos textuales:

i.   Narración de los acontecimientos que sucedan durante la visita: "se hagan los autos e diligencias que para la dicha visitación convengan".

ii. Empadronamientos o listas: "cotejaréis la información o relación de los caciques e indios con la del encomendero y estanciero".

iii. Descripción de situación y actividades (social, económica, comercial etc.): "por manera que trabajaréis de entender todas las cosas de que los indios viven e contratan, [...] e cuándo e qué tiempo del año andan en ellas [...] E en qué parte o lugares [...] y cómo son tratados".

iv. Declaración de los testigos: "tomáredes su dicho al encomendero o a la persona que en su lugar residiere en los dichos pueblos".

v.   Opinión o comentarios de los visitadores: "y al pie della pondréis vuestro parecer".

vi. Firmas [o Fe de escribano]: "e firmarlo héis de vuestros nombres".

De esta instrucción se desprenden las características del contenido y limitación de los temas a denunciar en las visitas. Mientras que en la *Recopilación* (1943) se percibe la preocupación por las finanzas y por la fe como tema de las visitas, en la instrucción analizada el interés es claramente financiero: investigar sobre tributos que se daban en tiempos del Inca y compararlos con los que se entregaban al encomendero.

El texto nos permite observar que hubo divergencias y acercamientos con los parámetros civiles y eclesiásticos en ciertos aspectos:

i.   Sobre la persona de los visitadores no existía consenso fijo. El Tercer Concilio Limense estipulaba encomendar la visita "sólo a hombres íntegros, de probidad demostrada, industriosos e idóneos" (Lisi 1990: 201), mientras que la *Recopilación* (Ley XVIII, 1588 [1943: 516]) establece: "á la persona que le pareciere, que sea tal, qual convenga, ó enviar la que tuviere por conveniente", a pesar de que en las primeras ordenanzas de Nicolás de Ovando se estipulaba que debía nombrarse sólo al vecino más honrado y caballero (Muro Orejón 1956: 468) y en las Leyes de 1512-1513 se indica "que los tales elegidos sean de los vecinos mas antyguos de los pueblos" (Muro Orejón 1956: 442).

ii. En el caso de los plazos de las visitas dice el Concilio que "los visitadores no deben pasar en la visita más tiempo del que vieren que es necesario" (Lisi 1990: 201). En la instrucción bajo estudio leemos: "e que saldréis a hacer la dicha visitación dentro del dicho mes de abril e no volveréis a vuestras casas hasta hauerla terminado". La visita civil no tenía límites cronológicos (Céspedes del Castillo 1946: 990).

iii. Sobre la retirada del personaje a evaluar durante la inspección, tanto derecho canónico como civil parecen coincidir. Así, en el texto se lee: "Y recibida su declaración [de los encomenderos, OHC] mandarles héis que salgan del dicho pueblo, por manera que los caciques e principales dellos e indios que entiendan que libremente pueden declarar".

En este documento se observa cómo el concepto jurídico se modifica a través de la superficie lingüística modificada. Para el caso de las visitas ordenadas por el rey el visitador tenía derecho a contar con la ayuda de un escribano, un alguacil y algún contador de cuentas (Sánchez Bella 1991: 38). Por otro lado, el tiempo verbal futuro imperfecto del modo subjuntivo se utilizaba comúnmente en el discurso jurídico en oraciones subordinadas para condicionar las conductas a seguir, por ejemplo 'si cumplieres, se os premiará'. No obstante, en la instrucción bajo estudio se emplea este tiempo verbal con otro significado, ya no de condición necesaria para el cumplimiento del segundo sintagma, sino con uno de posibilidad no necesaria para el cumplimiento del aquél: "si ser pudiere, [...] llevaréis un escriuano". Este proceder relativiza la parcialidad de las pesquisas, considerando que se agrega a ello la frase: "E no habiendo escribano, el vno de vosotros asentará los dichos autos e firmar los heís ambos a dos".

Texto 2. Visitación de Guanca

El primer acápite es un texto narrativo, en el que se exponen encadenadamente los acontecimientos sucedidos durante la visita. El sujeto de las oraciones es una forma impersonal que hace referencia a las acciones llevadas a cabo por los visitadores. Cuando éstos son objeto directo o indirecto de las acciones, asumen su condición de primera persona del plural: "En el pueblo [de] Cotas, de la prouincia de Guanuco, *se* comenzó la visitación del cacique Guanca, el cual *nos* salió a rescibir [...]". Del sujeto impersonal *se* pasa a la primera de plural en el CD *nos*.

La lista que se presenta seguidamente contiene información concreta, se asemeja al tipo textual jurídico de *memoria* (Espinoza Soriano 1971: 201-215). Al conjunto de observaciones objetivas de los empadronamientos los visitadores incluyen comentarios personales. Como prueba válida se ofrece la calidad de testigos oculares de los visitadores y la palabra de los indios en la persona del cacique.

Texto 3. *Lo que dicen los visitadores y las preguntas a los indios*

En el primer acápite de este texto los visitadores hacen un breve recuento de lo observado y agregan sus comentarios, antes de iniciar las preguntas. Describen la situación y actividades económicas, sociales, comerciales: "se hallaron cuatro cientos e veinte e seis indios de visitación, [...] los cuales no mostraron hijos suficientes pa[ra] servir, por lo cual es de creer que alguno dellos los tienen porque la costumbre de los indios es de esconderse [...]".

Después se presenta lo titulado por el copista como "Las preguntas a los indios". En los textos judiciales de la época existía un subtipo textual llamado 'interrogatorio', que consistía en una lista numerada de preguntas formuladas en estilo indirecto, que debían ser hechas a los testigos. Por ejemplo: "4. Iten. Si saben que el governador había ido al Cuzco [...]". En los documentos de información, estos interrogatorios constituían un tipo textual subordinado, llamado también 'catálogo interrogativo'. Otro subtipo textual de la información era el parecer: el conjunto de declaraciones o respuestas parafraseadas de los testigos, que se remitían a las preguntas del catálogo, aludidas sólo por el número (Wesch 1993: 61). Por ejemplo: "A la pregunta cuatro el testigo dijo desconocer la ruta que el gobernador había seguido [...]".

En el caso de estas "Preguntas a los indios" que forman parte de la *visita* vemos que a pesar de que se asemeja a una información –en tanto 'documento probatorio' (Wesch 1998: 190-191)–, no contiene interrogatorio. De esta manera, al no existir una lista de preguntas concretas, los visitadores parafrasean toda la pregunta formulada por ellos además de su respuesta, así: "3. Preguntado qué yanagonas indios y mochachos de servicio han dado a sus encomenderos dijeron que doce". Acaso imitan las tradiciones textuales del discurso jurídico que aparecen también en el subtipo textual parecer que conforma la información.

Por otro lado, dentro del subtexto aquí titulado "Preguntas a los indios", se agregan declaraciones adicionales de los testigos puesto que los asuntos a investigar no han sido limitados por un catálogo de preguntas, aunque sí por lo indicado a grandes rasgos en la instrucción de 1549, dada por La Gasca. Del mismo modo, se intercala algún comentario de los visitadores, sin introducirlo con fórmulas como 'preguntado por' o 'declararon más'. Se darán interrogatorios concretos junto a las instrucciones para visitas en el virreinato del Perú sólo en el siguiente siglo.[4]

Finalmente se puede observar que, en el caso de esta visita, de las siete declaraciones sólo una constituye un comentario de los visitadores. Esto resulta un aporte bastante pobre al objetivo principal de contribuir a evaluar la situación de las encomiendas.

Texto 4. [Fe de escribano]

Este último texto no pertenece al caso de la visita de 1549 original, a pesar de que ostenta la firma de un escribano, lo cual debía formar parte de la visita como tipo textual. Se trata de la firma del copista cuyo comentario final complementa el metatexto intercalado entre la instrucción y la visitación, textos 1 y 2, señalado entre las observaciones a ambos documentos.

---

[4] Cabe anotar que otros textos de visitas del siglo XVI posteriores a las ordenadas por La Gasca sí presentan interrogatorios al interior de documentos de información o probanza de servicios, complementarios a las visitas, como las del visitador general Íñigo de Ortiz en Huánuco de 1562 (Ortiz 1967: vol. 2, 420), aunque hay casos como el de la *Visita del repartimiento de los chupapos* en el que se sigue parafraseando la pregunta antes de dar la respuesta (Ortiz 1967: vol. 1, 22). Por otro lado, para las visitas del norte del Perú hacia 1565, el encargado, visitador general Gregorio González de Cuenca, reformó el sistema, mejorándolo con planteamientos más ajustados, como el de dictar un interrogatorio que sirviera de base a las informaciones a conseguir. A partir de las respuestas de la *Visita de Ferreñafe* (1568) se ha podido reconstruir el interrogatorio correspondiente, que parece haber existido y estado también al principio de otra, la *Visita de Tucome* (1568?) (Zevallos 1975: 156-157).

5. Valoración de los elementos lingüísticos observados

El conjunto de los cuatro textos analizados forman parte de un tipo de medida jurídico-administrativa llamada visita, de la cual se dejaba constancia escrita en un conjunto de documentos, conformado por una instrucción (texto 1) y una visita (textos 2-4).

Para el caso de la instrucción de 1549, dada por La Gasca, se ha visto que sigue las características diplomáticas y lingüísticas de su categoría. Sin embargo, se observa también que el tono justiciero que pretende asumir el discurso administrativo –siguiendo las formulaciones jurídicas– no se logra con el contenido del discurso mismo, que resulta parcializado y relativiza su objetividad en algunos puntos. De este modo, resulta crucial la importancia de la utilización coherente de ciertos tiempos y modos verbales que en este documento no se observa. Según la instrucción pareciera que los indios serían la parte a fiscalizar mediante una visita, pero al constituir todos ellos el repartimiento del cacique Guanca –quien, a su vez, es propiedad de un encomendero– la parte a fiscalizar es en realidad un encomendero, que sería juzgado por un cuerpo fiscalizador constituido también por otros dos vecinos encomenderos de la misma región. El encomendero como tipo social juega un papel de juez y parte en el problema.

A esto se agrega que si la meta final de las visitas era la de establecer la justicia entre los indios desprotegidos, no podía ser muy objetivo el hecho de poner como condición 'no necesaria' el escoger un escribano imparcial que pudiera ser uno de los visitadores mismos, finalmente acaso también encomendero. Lo mismo se diría del carácter del juramento bajo la fe cristiana: si no había escribano ante quien jurar, bastaba que jurasen entre visitadores, quienes resultaban así los dioses ante quienes se juraba.

En cuanto al tipo textual visita o visitación, se ha visto que también toma de las tradiciones textuales jurídicas el uso de estrategias de referencia a los elementos de la comunicación. Si bien en el discurso de las informaciones se hacía uso de expresiones no-vocativas para referirse al destinatario (Wesch 1998: 194), para el caso específico de las visitas resulta que narrar los acontecimientos con un sujeto impersonal en las oraciones asume la función de liberar de toda responsabilidad moral a los visitadores, a su vez autores del texto (quienes habrían de ser también sujetos morfológicos de las oraciones). Aunque a primera vista pareciera, por un lado, que aquél habría de ser el rol pasivo que tendrían que asumir los visitadores, por otro, ello dejaba espacio para la falta de precisión y rigor que requería una evaluación de esta calidad,

sobre todo si se considera que la Corona, o el virreinato, tenían como base
fiable estos documentos, a partir de los cuales ejercería y acomodarían sus
estrategias de gobierno colonial.

CONCLUSIONES

Con base en las anotaciones hechas no se puede concluir perspicazmente que
el tipo textual visita fuera instrumento clave de una nefasta estrategia de las
autoridades coloniales a favor de los encomenderos. Lo que queda claro es que
en la América colonial del siglo XVI existía cierta pluralidad de variantes en la
producción y uso de las tradiciones textuales jurídico-administrativas. Un factor a tomar en cuenta en el estudio de dicha realidad es el del grado de instrucción de los visitadores, acaso vecinos encomenderos a su vez. Ellos terminarían
siendo los autores directos de los discursos legales y los promotores de una
peculiar política indiana, una política oscilante entre la iglesia y la corte, donde
el mismo encomendero pudiera ser dios, juez y parte de su propio conflicto.

BIBLIOGRAFÍA

CÉSPEDES DEL CASTILLO, Guillermo (1946): "La visita como institución indiana", en
    Anuario de Estudios Americanos 3, pp. 984-1025.
CHALLCO HUAMÁN, Sonia Martha (1995): Visitas eclesiásticas. Ancash siglos XVII-XVIII.
    Lima: Pontificia Universidad Católica del Perú.
COOK, Noble David (2003): "Introducción. Las visitas en el mundo andino", en
    ídem (ed.), Collaguas. Lima: Pontificia Universidad Católica del Perú, vol. 2, pp.
    XV-XXV.
COVARRUBIAS, Sebastián de ([1611] 1943): Tesoro de la Lengua Castellana o Española.
    Según la impresión de 1611, con las adiciones de Benito Remigio Noydens
    publicadas en la de 1674, ed. por Martín de Riquer. Barcelona: Horta.
ESPINOZA SORIANO, Waldemar (1971): "Los Huancas, aliados de la conquista. Tres
    informaciones inéditas sobre la participación indígena en la conquista del Perú.
    1558-1560-1561", en Anales Científicos de la Universidad del Centro del Perú
    [Huancayo] 1, pp. 5-507.
—   (1975): "Ichoc Huánuco y el señorío del curaca huanca en el reino de Huánuco.
    Siglos XV y XVI. Una visita inédita de 1549 para la etnohistoria andina", en Anales
    Científicos de la Universidad del Centro del Perú [Huancayo] 4, pp. 7-77.

LISI, Francesco L. (1990): *El tercer concilio limense y la aculturación de los indígenas sudamericanos*. Salamanca: Universidad de Salamanca.

MURO OREJÓN, Antonio (ed.) (1945): "Las Leyes Nuevas 1542-1543. Reproducción de los ejemplares existentes en la sección Patronato del Archivo General de Indias. Transcripción y notas", en *Anuario de Estudios Americanos* 2, pp. 812-835.

— (ed.) (1956): "Ordenanzas Reales sobre los Indios. Las Leyes de 1512-1513. Transcripción y notas", en *Anuario de Estudios Americanos* 13, pp. 417-471.

MURRA, John V. (1990): "Introducción", en Marta B. Anders, *Historia y etnografía: los mitmas de Huánuco en las visitas de 1549, 1557 y 1562*. Lima: IEP.

ORTIZ DE ZÚÑIGA, Íñigo (1967): *Visita de la provincia de León de Huánuco (1562)*, 2 vols. Huánuco: Universidad Nacional Emilio Valdizán.

PEASE, Franklin (1978): "Las visitas como testimonio andino", en Franklin Pease/David Sobrevilla (eds.), *Historia, problema y promesa. Homenaje a Jorge Basadre*. Lima: Pontificia Universidad Católica del Perú, vol. 1, pp. 437-453.

REAL DÍAZ, José Joaquín (1970): *Estudio diplomático del documento indiano*. Sevilla: Escuela de Estudios Hispano-americanos.

Recopilación (1943 [1791]): *Recopilación de Leyes de los Reynos de las Indias, mandadas imprimir y publicar por la magestad católica del Rey Don Carlos II. Nuestro Señor*, vol 2. Madrid: Consejo de la Hispanidad.

SÁNCHEZ BELLA, Ismael (1991): *Derecho Indiano: Estudios*, vol. 1: *Las visitas generales en la América española, siglos XVI-XVII*. Pamplona: EUNSA.

WESCH, Andreas (1993): "Das 'documento indiano' des 16. Jahrhunderts und die Traditionen des Sprechens. Anmerkungen zur Textsorte 'instrucción'", en *Neue Romania* 14, pp. 423-431.

— (1998): "Hacia una tipología lingüística de los textos administrativos y jurídicos españoles, siglos XVI-XVII", en Wulf Oesterreicher/Eva Stoll/Andreas Wesch (eds.), *Competencia escrita, tradiciones discursivas y variedades lingüísticas. Aspectos del español europeo y americano en los siglos XVI y XVII*. Tübingen: Narr, pp. 187-217.

ZEVALLOS QUIÑONES, Jorge (1975): "La visita de Ferreñafe (Lambayeque) en 1568", en *Historia y Cultura* 9, pp. 155-178.

LAS INSTITUCIONES ECLESIÁSTICAS Y LA ADMINISTRACIÓN COLONIAL. INVESTIGANDO LAS ACTAS CAPITULARES DE TUCUMÁN

Patricia Correa (Tucumán)

El propósito de este trabajo es probar si, usando métodos lingüísticos en documentos coloniales, se puede penetrar en el mundo de las relaciones interpersonales establecidas entre los funcionarios del cabildo de una ciudad indiana y los miembros del clero asignados a la misma. Me interesa especialmente poner el acento en las intervenciones de los clérigos y en las referencias que se hacen a ellos.

El período analizado es la octava década del siglo XVII, momento en que el asentamiento y desarrollo del proceso colonizador español en las Indias Occidentales ha llegado a su madurez. Ya existían muchas de las ciudades que hoy se conocen y se habían establecido rutas fijas para el comercio y el transporte de productos a todo lo largo del territorio continental, en combinación con los puertos autorizados para las transacciones comerciales. No obstante, el lugar de asentamiento de numerosas ciudades distaba mucho de ser fijo y, por razones variadas, muchas de ellas fueron trasladadas. Los textos que nos ocupan se escribieron en el marco del traslado de la ciudad de San Miguel de Tucumán, situada en el noroeste de la actual República Argentina. Esa región perteneció, hasta promediar el siglo XVIII, a la administración de la Audiencia de Charcas (ubicada en la que es hoy la ciudad de Sucre, Bolivia), uno de los tribunales de justicia que integraban el virreinato del Perú.

1. LAS ACTAS CAPITULARES Y EL DERECHO INDIANO. EL REAL PATRONATO

Las actas capitulares son documentos jurídicos que pertenecen a la justicia civil. En el caso del traslado de San Miguel de Tucumán, se trata de un corpus de 303 folios escritos por los miembros del cabildo, los capitulares. Al igual que la mayoría de las autoridades americanas, los cabildos tenían en cierta medida facultades legislativas y las ordenanzas emanadas de ellos, que estaban directamente relacionadas con la vida cotidiana de las ciudades coloniales y con su servicio a la corona, constituyen una de las fuentes del derecho indiano.

La relación que se estableció en las Indias Occidentales entre el estado monárquico y la Iglesia no es fácil de comprender a primera vista, pues dependió de un contrato mutuo que obligaba a ambas partes a cumplir con requisitos de naturaleza moral y logística, conocido como la institución del real patronato. Al derecho obtenido por el estado monárquico de elegir a los candidatos eclesiásticos se contraponía su deber de fundar iglesias y de sustentar a los clérigos y misioneros, es decir, el estado asumiría una gran responsabilidad en la cristianización de las nuevas tierras y poblaciones que conquistaba y colonizaba. La Iglesia renunciaba a su vez a la obtención de los diezmos en favor del Estado.

El estudio de los documentos muestra que a los clérigos también se les atribuyó la función de ayudar a aglutinar a los colonizadores en las nuevas urbes. La hipótesis que postulo es, precisamente, que el análisis pragmalingüístico resulta útil para identificar la función social de los participantes que intervienen en un documento colonial.

2. ACERCA DE LOS TEXTOS. SU TRADICIÓN DISCURSIVA

La selección de estos dos estamentos sociales para la presente investigación, es decir, los funcionarios del cabildo y los clérigos, está ya dada por los textos, situación que se explica por los roles que ambos desempeñaron en la sociedad colonial americana. Esta situación los llevó a vincularse con los documentos ya fuere como escribas, emisores o destinatarios. Desde el punto de vista lingüístico las actas capitulares son tradiciones discursivas del ámbito jurídico-administrativo: textos cuya lengua, estructuración y finalidad vienen ya establecidas, codificadas de antemano por una tradición diplomática y jurídica. Ésta se inició en la Península en el período de la Reconquista y fue perfeccionada posteriormente por la Corona de Castilla.

La estructura de los textos es reconocible a simple vista. Se inician con la datación cronológica y de lugar, seguida por la enumeración de los capitulares (consignando sus nombres, funciones, rangos sociales y jerarquías militares) que se hallaban presentes en la reunión del día señalado. A continuación se asientan por orden sus intervenciones, en forma de discursos en primera persona o bien indirectos, en los que se integran fórmulas que contienen actos ilocutivos de orden, petición o aseveración, entre los más frecuentes. Por último, se cierran con una fórmula del tipo "y lo firmamos ante nos por defecto de escriuano publico y real", que refleja una situación muy común en esos días: no había dinero para pagar los honorarios de los escribanos, ya fueran públicos o reales.

3. Aspectos metodológicos

Al hablar de la lingüística de la enunciación caracterizándola como el estudio de la lengua en uso, Oswald Ducrot sugiere que es posible determinar las relaciones entre los interlocutores a través de la descripción de las funciones que desempeñan en la interacción comunicativa:

> Una lingüística de la enunciación postula que muchas formas gramaticales, muchas palabras del léxico, giros y construcciones tienen la característica constante de que, al hacer uso de ellos, se instaura, o se contribuye a instaurar, relaciones específicas entre los interlocutores. La lengua puede seguir considerándose como un código en la medida en que este último sea visto como un repertorio de comportamientos sociales (así como se habla de un código de la cortesía) y no ya como aquél que sirve para señalar contenidos de pensamiento (Ducrot 1982: 134).

Mi propósito es determinar, en lo posible, cómo se interpela a los clérigos en los textos y cómo responden éstos, es decir, en qué forma los textos transmiten sus dichos. Basándome en el autor citado explicaré antes de pasar al análisis una serie de conceptos metodológicos que considero necesario distinguir.

'Locutor' puede ser tanto el autor de sus propios dichos como simplemente quien los transmite usando su capacidad física y psicológica. Al locutor refieren normalmente las marcas de primera persona. 'Alocutario' es la persona a quien el locutor declara dirigirse expresamente, el cual podría incluso no estar presente en el momento de la enunciación, como en las invocaciones literarias. 'Enunciado' no es lo mismo que oración. Las interacciones comunicativas de la vida diaria están conformadas por enunciados, no por oraciones. Las oraciones son invenciones de la gramática, es decir, objetos teóricos. Los enunciados en cambio son las manifestaciones concretas de las oraciones.

A primera vista quienes emiten enunciados son los locutores, pero si se profundiza el análisis pueden distinguirse otros sujetos hablantes, que dejan oír sus voces por medio de las citas tanto directas, indirectas como encubiertas que hace el locutor. Se entiende por 'enunciación' tanto el hecho de emitir un enunciado cualquiera como la orientación que los actos ilocutivos dan a ciertos enunciados: aseverar, prometer, pedir, mandar. 'Enunciador' es la persona a quien el locutor (o el enunciado) atribuye la responsabilidad de un determinado dicho, acto o texto. 'Destinatario' es la persona a quien el enunciador ha dirigido su discurso, lo que llega a nuestro conocimiento por medio del locutor (o del enunciado). 'Polifonía', en suma, es el hecho de que en un discurso intervengan varias voces que no pueden confundirse con la del locutor, pues existen recursos textuales y pragmáticos que permiten diferenciarlas.

En el sentido de una aplicación modelo de los conceptos propuestos, analicemos un ejemplo sencillo. Se trata de un enunciado en discurso indirecto. He elegido esta técnica por dos razones: el discurso indirecto es el recurso más usado en los documentos y es una forma práctica de diferenciar locutor y enunciador. Una persona le transmite a otra un mensaje: 'María me ha dicho que tienes que pasar a buscarla hoy'.

El locutor está representado por el marcador 'me'. Es quien pronuncia estas palabras y las dirige a su 'alocutario', la persona señalada expresamente por la segunda persona del verbo. 'María', que no está presente en esta interacción es, según el locutor, el 'enunciador', la autora real del mensaje que hay que transmitir a su 'destinatario', esa persona que el locutor tiene ahora enfrente.

Según el locutor, la 'enunciación' de María ha sido una aseveración (o una orden), pues no la reproduce usando, por ejemplo, formas atenuativas como podrían ser 'me ha pedido que te pregunte si puedes' o 'se ha preguntado si te sería posible', manifestaciones que podrían transmitir una petición. Sea como fuere, está claro que no es el locutor quien asevera, ordena o pide, sino el enunciador, información que el locutor ha transmitido en este 'enunciado' particular, pronunciado según se lo indicaron las circunstancias del momento. Si bien es él quien articula el enunciado, no ha hecho sino reproducir (aunque a su modo) los dichos de otra persona. De este modo, la voz de otra persona se ha hecho audible por medio de la actividad física y psicológica del locutor.

Como comprobaremos al estudiar los textos, las actas capitulares explotaban al máximo esta capacidad de la lengua, en este caso la castellana del siglo XVII, en su especialización administrativa.

4. Análisis. La interacción entre cabildo y clérigos

Antes de introducirnos en el estudio de los documentos para dilucidar la cuestión planteada en los apartados anteriores, explicaré de qué manera están presentadas las fuentes. He escogido quince folios del corpus de actas capitulares en los que identifico nueve textos. Para facilitar el análisis he asignado una letra a cada uno de los textos y he numerado los párrafos originales de manera arbitraria, siguiendo el orden en que se citan. El material consta en el Archivo Histórico de Tucumán, Actas Capitulares, Volumen I, invariablemente. Así que es suficiente, cada vez, con la indicación de los folios, que no son siempre consecuentes. Cito de los folios 44-47, 156-158, 193-194, 198.[1]

Los documentos datan de los años 1681 a 1687. El asunto que se comenta en todos es el traslado de la ciudad de Tucumán, efectivamente realizada en aquella década. El texto A, de 1681, presenta la decisión del cabildo de trasladar la ciudad, para lo cual nombra a un representante que se ocupará del asunto y dirige una petición a los clérigos. En los textos B a E, de ese mismo año, se recogen las respuestas de los clérigos a dicha solicitud. En el texto que sigue, F, del año 1685, se da a conocer la cédula real y la serie de disposiciones que originó. En G, del año 1685, se presenta un fragmento de la cédula misma. En el texto H, del año 1687, se decide exhortar al vicario general para que nombre un cura permanente en la nueva ciudad. El texto I, de ese mismo año, muestra la decisión que tomó el cabildo con respecto a la respuesta del vicario a dicha exhortación.

Texto A, folios 44-45, año de 1681
[El cabildo dirige una solicitud de conformidad y apoyo a los clérigos]
[1]   en la ciudad de san miguel de tucuman en beinte dias del mes de henero de
      mil y seisientos y ochenta y un años nos juntamos a estas casas de cauildo es
      a saver el capitan Juan nuñes de auila alcalde ordinario de primer voto [...] y
      no auer mas capitulares mediante el decreto por nos proueido a la petiçion
      presentada por el procurador General desta dicha ciudad en que se comfirie-

---

[1] La transcripción de documentos exige el uso de ciertos símbolos con el objetivo de representar el original lo más fielmente posible. En la presente contribución hay dos de ellos que requieren aclaración: las barras // señalan material añadido posteriormente, = es un símbolo original de las actas capitulares, usado para indicar el final de un texto o repetir, al final del mismo, las correcciones y agregados que se hubieran hecho, con el fin de que no se invalidara el documento.

se la forma que podia hauer para la puntual execusion de la trasladasion [*sic*] de esta di*c*ha ciu*da*d al sitio reconosido o que se redificase esta por lo imfirmo y caido que estaua

[2]   y tratada la di*c*ha materia y comferida entre nos para poder resoluer en el caso con los f*u*ndam*en*tos y fixeza que el negosio pedia hallando ser combeniente la di*c*ha traslasion por las causas referidas en los autos de la materia [...] fue de comun acuerdo por este cauildo el que vna persona de el fuese electa con el mesmo poder y facultad que este mesmo cauildo tiene [...] [fol. 44v] discurrida por este cauildo la persona que podia ser hallamos ser muy a proposito la persona del sarg*en*to m*ay*or D*on* felipe Garcia de valdez alferez real propietario para que vsse de lo antesedente propuesto en la mesma forma que ba referido y hallandose presente como di*c*ho es

[3]   dixo que estimaba el agasajo que por este cauildo se le hace [...], y que ofrese hacer todo aquello que pudiere [...]

[4]   [fol. 45r] [...] y porque el negoçio es arduo y necesita de ser noticiados todos los prelados de las religiones y principalm*en*te a su merced el señor m*aestr*o D*on* Diego lino de figueroa cura rector Jues eclesiastico [...] y al muy r*eve*re*n*do p*adr*e predicador juuilado ministro prouinçial fray Domingo Carballo que lo es en esta prou*inci*a del tucu*ma*n de la ciu*da*d del asumsion y rio de la plata [...] y al r*eve*re*n*do p*adr*e fray nicolas de leiba predicador y comendador de esta di*c*ha ciu*da*d del orden de redemptores y al r*eve*re*n*do p*adr*e jeorge arias maldonado retor del colejio de la comp*añí*a de jesus de esta di*c*ha ciu*da*d para que noticiados de lo que este cauildo a resuelto por la parte que les toca faumentados [sic] asistidos por di*c*ho cauildo y por la persona q*ue* con poder del queda di*c*ho cada y quando que del fueren notiçiados por di*c*ho alfe*rez* real, salgan a aprehender y rreconoser los sitios y parajes que les toca para que asistidos como di*c*ho es se comiençe a obrar. La qual proposision se les hace por las antesedentem*en*te hechas y admitidas por di*c*has religiones que por este cauildo se les pide mas de la assistencia cojiendo por [su] cuenta el costeio de los templos, libran[do] [fol. 45v] a su cuydado la disposision de ello en comformidad de los medios ofrecidos y que se ayudara con la solisitud de buscar mas pidiendo para el efecto al concurso de la rrepublica y viandantes por ser la obra tan pia y de bien comun sobre que pedimos rogamos ex[or]tamos a los di*c*hos prelados con el rendimiento q[ue] deuemos y que por su parte seamos asistidos y atendidos a aprehender y consegir el questa c[iudad] no se destruya por el sitio donde reside segun costa [sic] por los autos de la materia

[5]   fecha esta diligencia y asentada [*sic*] al pie lo rrespondido por los di*c*hos prelados se junte esta resolusion y determinasion en los libros de cauildo [...]

En [4] los capitulares manifiestan la necesidad de que los clérigos sean los primeros en recorrer el sitio escogido para trasladar la ciudad y elijan los lugares donde se habrán de levantar sus respectivas iglesias. De acuerdo a lo que sabemos de la institución del patronato, el cabildo cumple con el rol asumido por el estado al declarar que tomará por su cuenta el costo de la edificación de los templos. Sin embargo, la tarea solicitada a los clérigos –colaborar en el traslado de la ciudad, permitiendo que el cabildo les edifique los templos en el nuevo sitio, con el propósito, como lo comprobaremos más adelante, de que los pobladores españoles se vean persuadidos a trasladarse también– no se encuadra perfectamente en ese contrato entre el estado monárquico y la Iglesia, en el cual el papel del estado era esencialmente de apoyo a la cristianización.

Probablemente ésa sea una de las razones de la enunciación de tipo peticionante del párrafo. Los capitulares suplican a los clérigos que los asistan en esta obra que se ha emprendido porque es muy "pía y de bien común". En su carácter de locutores los capitulares se dirigen a los clérigos como a sus alocutarios, a través de los textos, usando verbos performativos: "pedimos rogamos ex[or]tamos, a los dichos prelados con el rendimiento q[ue] deuemos". De hecho, no se dirigen a ellos como a sus superiores, sino como a quienes tienen el deber de responder, aunque su condición imponga un trato sumamente respetuoso.

Textos B-E, folios 46-47r, año de 1681[2]

[Se recogen las respuestas de los clérigos]

[6] en la ciudad de san miguel de tuquman en beinte y vn dias del mes de henero de mil y seissientos y ochenta y vn años nos el cauildo justicia y regimiento [...] venimos a las casas de la morada de su merced del señor maestro don diego Lino de figueroa y mendoza cura rector y vicario juez ecleciastico desta dicha ciudad y su juridicion y en conformidad del auto por nos proueydo se le hizimos notorio y auiendolo oydo dijo

[7] que de su parte agradecia el cuidado y piadozo Zelo del bien y vtil desta republica y seruicio de Ambas magestades a que acudira como la ocasion lo pidiere y como se le exorta hazta conseguir cosa tan ymportante y que si en el caso se ofresiese otra cosa que dezir lo haria en forma y esto dio por su res-

---

2 Las citas [6] y [7] corresponden a texto B, [8] y [9] a C, [10] y [11] a D, [12] y [13] a texto E.

puesta y lo firmo su merced por ante nos a falta de escriuano publico y real.
Maestro Don Diego Lino de figueroa de Mendoza [y otras firmas]

[8] Luego yncontinenti en conformidad del auto por nos el cauildo justicia y
regimiento probeydo venimos al combento de nuestro seraphico padre san
francisco y le leymos y hizimos notorio dicho auto al muy Reverendo padre
Predicador jubilado fray domingo caraballo dignissimo Prouincial desta
santa Prouincia del tuquuman la asumpsion y rio de la plata, y auiendo lo
oydo y entendido dijo su paternidad muy Reverenda [fol. 46v]

[9] que constandole de la Zedula de permisso de su magestad que Dios guarde
/a quien toca pribatiue darle/ y estando la ciudad mudada en forma de su
parte estaua presto de yr a ella y dando los medios nessesarios y ofresidos y
esto dio por su respuesta y la firmo con nos y ante nos a falta de escriuano =
a quien toca pribatiue darle = fray Domingo Carballo [y otras firmas]

[10] Luego yncontinenti en conformidad del auto antesedente por nos el cauildo
justicia y regimiento desta dicha ciudad probeido venimos a este combento
de nuestra señora de la merced y leymos e hizimos notorio el dicho auto al
muy Reverendo padre predicador fray nicolas de leyba comendador atual del
dicho combento y auiendolo oydo con el resto de su ylustre familia dijo

[11] que cada y quando la ciudad se mudare esta presto luego a mudar su combento admitiendo como tiene admitido y admite los medios que estan dados
y la oferta de solisitar mas y esto dio por su respuesta y la firmo con nos y ante
nos a falta de escribano. fray nicolas de leiba comendador [y otras firmas]

[12] en la ciudad de san miguel de tucuman en bein [fol. 47r] te y dos dias del
mes de henero de mil y seis sientos y ochenta y vn años el cauildo justicia y
regimiento desta dicha ciudad en conformidad del auto por nos proueido
venimos al collegio de la compañia de Jesus y leymos e hizimos notorio
dicho auto exortatorio a su paternidad muy reverenda el padre Jorge arias
maldonado rector del dicho colegio quien auiendolo oido dijo

[13] que quando la ciudad se mude en forma y viendo la fixesa suficiente estaba
presto de llebar su colegio y seguir dicha traslasion y esto dio por su respuesta y la firmo con nos y ante nos a falta de escriuano y en este papel
comun a falta del zellado = Jorge Arias Maldonado [y otras firmas]

Dando cumplimiento a lo mandado en el texto A, varios de los capitulares se
dirigen a las moradas de los clérigos para notificarles lo resuelto por el cabildo y recoger sus respuestas en escritos que se levantaban en el mismo acto de
comunicación. La estructura de estos textos, que podemos llamar 'notifica-
ciones', es la misma en los cuatro casos, en los textos B-E. Comienzan con la
datación cronológica y de lugar, sigue la autorreferencia del cabildo como

institución responsable del acto en primera persona del plural, a continuación se destaca que es la institución la que se ha trasladado a las moradas de los clérigos y que allí se procedió a leer en voz alta el contenido del documento donde se solicita la ayuda de éstos. La fórmula "y auiendolo oydo", a la que sólo en una ocasión se le agrega "y entendido" –en [8]– se coloca inmediatamente antes del verbo introductor del discurso indirecto. Con este recurso se asegura al lector que el alocutario está enterado de lo que se le pide y de que su respuesta, por lo tanto, será la expresión de su libre voluntad.

Cada notificación refleja el contexto comunicativo y las actitudes que los clérigos tuvieron durante la interacción. Salvo el primero, los religiosos coinciden en responder que se mudarán cuando la ciudad ya esté trasladada "en forma". Para considerar que una ciudad estaba oficialmente trasladada o refundada se llevaba a cabo una ceremonia muy sencilla que consistía principalmente en plantar el 'árbol de justicia', enarbolar el estandarte real y celebrar las elecciones de los alcaldes ordinarios y otros ministros de justicia. Sin embargo, los religiosos no se refieren a esta situación, sino a que realmente aguardarán a que la ciudad esté completamente trasladada.

Analicemos a este respecto el apartado [9]. Este párrafo llama la atención no sólo por su tono de amabilidad, sino porque parece poner las cosas en su sitio justo: el sacerdote reconoce que el rey, haciendo uso de su derecho, ha emitido una cédula de permiso (no de mandato). Dice que, por su parte, está dispuesto a cumplir cuando todos lo hagan. La cautela aconsejaba ver primero cómo se desenvolvían los acontecimientos y si el proyecto del traslado realmente se convertía en un hecho. A su vez, el primer interrogado, que es juez eclesiástico, responde con prudencia al ser notificado, en [7]. No dice directamente que se trasladará cuando toda la ciudad ya lo haya hecho, sino que "acudirá como la ocasión lo pidiere", teniendo en cuenta el servicio a Dios y al rey, el 'bien público' y la 'república'. Es el único que menciona estos factores, ajenos al discurso de los otros religiosos. Probablemente su función de juez eclesiástico hacía que su compromiso con las cuestiones públicas fuera más estrecho que el de los otros.

Texto F, folios 156v, 157, 158r, año de 1685
[Se da a conocer la cédula real]

Este texto es uno de los pocos documentos del corpus en los que locutor y amanuense coinciden en una misma persona, pues es el escribano real quien

asume la responsabilidad y se presenta en primera persona. Por ser una situación muy poco frecuente, su aparición en el ejercicio de su cargo indica que
lo que se va a tratar es una cuestión de suma importancia. Los discursos de
los otros participantes de la reunión nos llegan, entonces, desde su perspectiva o, lo más probable, desde la de su superior, el gobernador. Por su condición de escribano podemos tener la certeza de que es él quien escribe el texto.

[14] en la ciudad de san miguel de Tucuman [fol. 156v] en dies y siete dias del
      mes de setiembre de mil y seissientos ochenta y sinco años, nos juntamos a
      cauildo la justicia y rejimiento de esta dicha ciudad, como lo habemos de
      costumbre en las cassas de la morada de su merced del señor capitan don
      miguel de salas y valdes, lugar teniente de gobernador justicia mayor y
      capitan a guerra en esta dicha ciudad y su juridission por su magestad que
      dios guarde por estar las cassas de cauildo tan yndesentes por auerse estado
      remendando que no se puede hazer cauildo en ellas [...] y estando asi jun-
      tos y congregados como dicho es /ante mi/ el sargento mayor francisco de
      Olea escribano de su magestad que dios guarde

[15] y su merced el dicho justicia major hizo demostrassion para hazer notorio a
      este cauildo de una cedula del rey nuestro señor despachada en madrid
      a beinte y seis de disiembre de mil y seissientos y ochenta años por la qual
      su magestad manda que el señor gobernador de esta prouincia que en la
      forma que mejor le paresiere mude y traslade esta dicha ciudad al paraxe de
      la toma

[16] en cuyo cumplimiento el señor gobernador don fernando de mendoza matte
      de luna que lo es autual de esta prouin [fol. 157r] cia por auto que probeyo
      [...] manda su señoria se mude y traslade esta dicha ciudad al dicho sitio de
      la toma y despacho recaudo en forma con ynsercion de la dicha cedula y
      dicho auto cometida su egecussion a su merced el dicho teniente y justicia
      mayor y por su ympedimento de enfermedad a este dicho cauildo

[17] para que sin dilassion alguna acudan a la traslassion y mudansa de esta
      dicha ciudad ynponiendo pena de mil pesos a los que faltaren a la egecus-
      sion de dicha cedula y auto [...]

[18] en cuyo obedesimiento dicho justicia mayor probeyo un auto en dies dias
      de este presente mes y año mandando se publicasen dicha real cedula y
      dichos autos [...] y todo bisto por este cauildo y ayuntamiento

[19] [fol. 157v] su merced el dicho alferes real dixo que [...] en su cumplimien-
      to está presto de ir y llebar el dicho real estandarte que esta a su cargo [...]

[20] y los de este dicho ayuntamiento unanimes y conformes obedeciendo como
      obedecen con el acatamiento y rendimiento la dicha real cedula y autos de

gobierno se egecuten y cumplan y se traslade esta dicha ciudad como su mag*esta*d lo manda [...] [fol. 158r]

[21] ce le de noticia al se*ñor* do*c*tor pedro martines de lezana cura rector vicario jues eclesiastico de esta dicha ciudad y visitador general [e]n esta ciudad y su juridission [...] para que siendole notorio todo lo sobredicho por lo que le toca como tal cura rector de esta dicha ciudad traslade la yglecia parroquial su esposa de esta dicha ciudad a la dicha traslassion donde se traslada en esta dicha ciudad y en ella ejersa los dichos sus oficios de cura retor [*sic*] y los demas de suso referidos y administre a los be[ci]nos y demas fieles los santos [sa]cramentos y lo demas de su obliga[sion] dando para ello la forma que fuera serbido que se le dara por este cauildo las asistencias nessesarias y las que su m*erce*d pidiera

[22] [...] con que se aca[bo] este dicho cauildo [...] ante mi Fran*cis*co de olea s*cribano* de su mag*esta*d

Los párrafos [15] a [18] reflejan la presión a que están sometidos los capitulares para acelerar el traslado de la ciudad. La enunciación en ellos es de tono perentorio, se trata de órdenes provenientes de una polifonía de enunciadores poderosos: el rey, el gobernador y el teniente de gobernador. La mayor parte de las órdenes recae sobre el cabildo. Hay todo un proceso administrativo y jurídico ya en marcha y es interesante considerar la forma en que éste se originó. Analicemos, entonces, el acto performativo del rey. Obsérvese que la cédula real es, cronológicamente, anterior a los documentos emitidos por el cabildo. Se escribió en 1680 y dio lugar a que se iniciara el proceso jurídico del traslado, pero sólo apareció en las actas capitulares en 1685 en carácter de traslado, es decir, de copia de un original que se encontraba en poder del gobernador. Por esta razón su foliación es más avanzada que los documentos escritos en años posteriores.

Texto G, folios 169r-v, año de 1685
[Cédula del rey]
[23] /Zedula R*eal*/ El Rey. Mi Gouernador de la prouincia del Tuquman en carta de veintte de Junio del año passado de mil y seis çientos y setenta y nueue rreferís como la çiu*da*d de San Miguel (de Tuquman) que es vna de las de esa Prouinçia q[ue] estaua con resolución de trasladarse a vn paraje llamado la Toma en su Jurisdiçion [...]

[24] [fol. 169v] y aviendo llegado a aquel paraje reconoçisteis avn mas combeniençias de las que por los autos representauan y vistas las defensas con que le avian mantenido y azequia que estauan sacando y haciendo algunos edi-

fiçios y en particular la iglesia matris combento y casas de cauildo y demas
fabricas publicas os pareçio combenir a mi seruicio haçer este imforme
representando en el mediante di*ch*a tranzasion el aumento de las alcaualas
reales y se atajarian los extrauios que pasauan sin ser sentidos asi al peru
como al puerto de buenos ayres por ser la çituacion en paraje tan comodo
que se juntan todos los caminos en el y se seguiran otras combeniençias,
suplicome tubiese conmiseraçion de la di*ch*a çui*da*d cuya fundaçion fue
con el cargo de mudarla en qualquier tiempo combiniente a sus avitadores
[25] y aviendose visto por los de mi consejo de las Indias con lo que en raçon de
todo dijo y pidio mi fiscal en el y consultadome sobre ello e resuelto remi-
tiros (como lo ago) la mudança de la di*ch*a çiu*dad* de san miguel de tuquman al paraje llamado la toma doze leguas de ella como referis para que vos
la hagais executar en la forma que tubieredes por mas combeniente y de lo
que en esto obraredes para que se tenga entendido en el di*ch*o mi consejo
fecha en madrid a veinte y seis de diciembre de mill y seiscientos y ochenta
años. Yo el rey.

En [24] su majestad refleja lo que el funcionario que ejercía como gobernador de la región en ese momento le había escrito acerca del nuevo sitio al que
se quería trasladar la ciudad. En realidad, no podía estar seguro de si todo lo
que se le decía era verdad. En efecto, parece que el gobernador había exagera-
do en cuanto al adelanto que tenían las edificaciones llevadas a cabo en ese
lugar, según lo sostiene un opositor al traslado en el año 1684:

luego que llego a esta çiudad [dicho] sse*ñor* Gouernador, dieron forma y modo
para que se hiçies[se] informe a su Mag*esta*d en su real consssejo para que fuesse
seruido dar permisso para di*ch*a tralaçion suponiendo auia ya iglessia Matris
conuentos y otras obras publicas leuantadas, siendo assi que todo fue siniestro,
pues hasta oy no se hallan en di*ch*o sitio sino tan solamente dies o doçe rranchos
de paja que se an leuantado de poco mas tiempo de dos años a esta parte compo-
niendosse algunos de ellos de familias forasteras que no teniendo comodidad en
otra parte se an albergado en aquel sitio, y vna pequeña capilla y esa leuantada
con madera y teja de la iglessia del conuento de n*uest*ra sse*ño*ra de las mm*ercede*s
de esta çiu*da*d y cor[ta]* men*te adornada. [fol. 113r]

Lo que hizo el rey –o el Consejo de Indias– entonces fue reaccionar posi-
tivamente a la enunciación de la carta del gobernador: una petición formulada de manera convincente. Si bien la reacción de su majestad es positiva, se
manifiesta en una enunciación más bien neutra, pues tampoco ordena que el

traslado se lleve a cabo, sino que lo remite al gobernador, para que aquél proceda como mejor le pareciere. La actitud manifiesta en la cédula es concesiva y no impositiva (cf. [9], a quien no se le ha pasado por alto este detalle).

No obstante, comprobamos en [15] que se ha optado por interpretar la cédula como una orden que justifica todo el proceso posterior: "su mag*esta*d manda que el señor gobernador de esta prouincia que en la forma que mejor le paresiere mude y traslade esta dicha ciudad al paraxe de la toma". Interpretación unilateral, sin duda, que no pasó inadvertida. Sin embargo, no parece ser ésa la explicación de los problemas que existían en relación al traslado. Como se desprende de [17], había dificultades para convencer a los habitantes de que se mudaran a la nueva ciudad, especialmente a los vecinos más poderosos, los encomenderos, que tenían sus feudos en lugares apartados y se negaban a edificar sus casas en la ciudad, evitando de este modo ser estrechamente controlados. Es probable que la única presión que podría hacer efecto sobre ellos fuera una de tipo moral. ¿Es ése el papel de los clérigos? En [21] el cabildo manda que se notifique al juez eclesiástico de todo lo resuelto para que traslade la iglesia parroquial al nuevo sitio y atienda allí a los fieles como es su deber. Por su parte, el cabildo se compromete a cumplir con lo que le corresponde. La enunciación, si bien respetuosa, encierra una orden perentoria.

Texto H, folio 193r, año de 1687
[Se decide exhortar al vicario general]
[26] /Cauildo de 4 de hen*ero* de 87/ en la ciu*da*d de san migu*e*l del tuq*uma*n en quatro dias del mes de henero de mil y seis sientos y ochenta y siete años nos juntamos a cabildo para conferir y tratar las cosas tocantes a la vtilidad y bien de la rrepublica es a saber los capp*ita*nes […] con asistensia de su m*erce*d el m*aestr*e de campo g*eneral* don pedro de auila y sarate lugar teniente de g*obernad*or jus*tisi*a m*ay*or y capp*ita*n a guerra desta d*ic*ha ciu*da*d y su jurisdision por su mag*esta*d que dios g*uard*e y estando en este estado
[27] propuso a este ayuntamiento el d*ic*ho jus*tisi*a m*ay*or que era nesesario exortar al s*eñ*or prouisor y vicario g*eneral* desta prouinsia para que de cura a esta ciu*da*d y vicario por no tenerle esta d*ic*ha ciu*da*d y si le ai es ynterines y que los basallos pagan dos curas asi en esta ciu*da*d como en el citio biexo y que su merced manda colocar el santisimo en esta yglecia pues esta acabada […]
[28] y auiendo bisto las propuestas fechas a este ayuntamiento por el jus*tisi*a m*ay*or desimos unanimes y conformes se exorte al s*eñ*or prouisor de que de

a esta ciu*da*d cura y uicario […] y juntamente mande se coloque el santo
sacramento de la eucaristia y para ello se aga despacho en forma exortando-
le y rrequiriendole y que usando de conmiserasion nos de por cura y uicario al lisensiado antinio [*sic*] ybañes […] por combenir a esta republica

Desde 1685, han pasado dos años y la iglesia matriz de la nueva San Miguel
está terminada. Sin embargo, en la antigua ciudad continúan viviendo numerosos vecinos, como se desprende de [27]. La enunciación en este párrafo es
compleja: el texto cita al justicia mayor, quien realiza el acto de proponer la
exhortación al vicario general para que nombre un vicario permanente en
la nueva ciudad. Este funcionario describe una situación preocupante causa-
da, según se desprende de su enunciado, por el hecho de que la nueva ciudad
sólo tiene un cura en carácter de interino, y es que los vecinos están mante-
niendo a dos curas, uno en la nueva ciudad y otro en la vieja. El problema
parecía consistir en que, mientras los vecinos se veían asistidos espiritualmen-
te por algún sacerdote que tuvieran cerca, no sentían la necesidad apremiante
de trasladarse.

Finalmente, con relación al último enunciado de [28], no puede asegurarse que sea el mismo justicia mayor el referente de "su merced", la persona que
ha mandado colocar el Santísimo en la nueva iglesia. Cabe la interpretación
de que esté citando, a su vez, al vicario general, que sería el verdadero enunciador del encargo de trasladar el Santísimo. En [28], el cabildo muestra su
conformidad mediante un verbo performativo aseverativo: "desimos unanimes y conformes se exorte al *señ*or prouisor", que continúa más adelante con
lo que en realidad es una súplica hacia este clérigo, aunque no tiene esta
forma performativa particular, sino que está ligada al performativo aseverativo: "y que usando de conmiserasion nos dé por cura y uicario al lisensiado
antinio [sic] ybañes". Esta decisión del cabildo dio origen a un documento
del tipo llamado *auto exhortatorio* que fue entregado al vicario general. En el
texto siguiente conoceremos qué uso se le dio a la respuesta del vicario a
dicho auto exhortatorio.

Texto I, folio 198v, año de 1687
[Se decide enviar la respuesta del vicario al gobernador]
[29] en la [ciudad] de s*a*n mig*ue*l de tucuman en doce dias del mes de henero de
      mill y seis*sien*tos y ochenta y siete años nos juntamos a cabildo como habe-
      mos costumbre conbiene a saber el cap*ita*n […] por no aber mas capitula-
      res p*a*ra ber un pliego que trago el cap*ita*n Deigo [*sic*] de r[obles] del s*eñ*or

probisor y v*icari*o gen*era*l don Pedro martines de leçana en [respues]ta del
auto exortatorio y carta que este cabildo le despacho y abiendolo bisto
[30] decimos se despache un tanto del auto exortatorio y respuesta del y carta
deste cabildo al cap*ita*n de cauallos [y co]rasas el s*eño*r d*o*n thomas felix de
argandoña g*o*bernad*o*r y cap*ita*n g*enera*l desta proui*nci*a p*ar*a que bea s*u*
s*eñor*ia como se obra por lo que toca a lo eclesiasti[co] p*ar*a que s*u* s*eñor*ia
conpela y apremie a los vecinos feudatarios y cap[itu]lares a que se muden
y abecinen lo mas brebe que se pueda p*ar*a dar fo[mento] a las obras publicas por que de no acerlo estaremos siempre en un ber y sin adelantarnos
nada y con lo qual se cerro este cabildo y lo firmamos ante nos en este papel
comun a falta del sellado.

Había vecinos feudatarios que no ejercían oficios públicos y otros que sí los
ejercían, es decir eran miembros del cabildo. Entre estos últimos hay algunos
que tampoco obedecen el mandato de edificar su casa en la ciudad, lo que
actúa como una fuerza contradictoria en su propio seno y deja al cabildo sin
capacidad para hacer cumplir dicha disposición. Tanto desde el punto de
vista institucional como estratégico la situación es grave. La ciudad está des-
protegida y la pequeña parte del cabildo que se interesa por ella es impotente
para ejercer presión sobre los vecinos poderosos. Es necesario tomar medidas
más drásticas, que sólo están al alcance de una instancia superior. Estas autoridades buscan de nuevo, a través del factor eclesiástico (el compromiso por
parte del vicario de nombrar a un cura permanente), presentar un argumento
de peso para convencer al nuevo gobernador de que la ciudad está funcionando en el nuevo sitio a pesar de que hay vecinos que se niegan a habitarla.

Conclusión

Nuestro método ha consistido en comparar los textos entre sí escogiendo
como punto de observación el nivel del enunciado. Dentro del enunciado
hemos analizado dos de los factores que intervienen en la enunciación: (i) los
actos de habla como manifestación de la intención comunicativa y (ii) la distinción entre locutor y enunciador como manifestaciones de polifonía enun-
ciativa. Se ha aplicado este tipo de análisis debido a que la forma predominante de reproducción de discursos en estos documentos es el estilo indirecto.
A propósito de este procedimiento textual hemos comprobado que en general logra atribuir correctamente los discursos a sus enunciadores originales,

aunque pueden presentarse dificultades como en el caso de "su merced" en el párrafo [27].

El locutor predominante en los textos es el cabildo, los clérigos aparecen como alocutarios o como enunciadores. El locutor los apela con actos performativos: peticiones y exhortaciones dirigidas a una autoridad espiritual –no a un superior jerárquico– cuya importancia se extiende más allá de lo estrictamente religioso. En efecto, el cabildo reconoce que el servicio religioso puede resultar un factor de atracción hacia la nueva ciudad para los vecinos, como era de hecho un factor de retención de los pobladores en la antigua. Además, su establecimiento en una jurisdicción era un argumento de peso a su favor para esgrimir frente a las nuevas autoridades coloniales. Por todo lo expuesto, no es de extrañar que el estado monárquico insistiera en su derecho de elección de los candidatos eclesiásticos pues, entre otras razones, era consciente de lo decisivo de su presencia para aglutinar a los colonizadores en las nuevas urbes.

BIBLIOGRAFÍA

AUSTIN, John L. (1976): *How to Do Things with Words*. Oxford: Oxford University Press.

CORREA, Patricia (2005): "Una mirada pragmalingüística a las actas capitulares de Tucumán", en Angela Schrott/Harald Völker (eds.), *Historische Pragmatik und historische Varietätenlinguistik in den romanischen Sprachen*. Göttingen: Universität Göttingen, pp. 191-204.

DUCROT, Oswald (1982): *El decir y lo dicho*. Buenos Aires: Hachette.

HAVERKATE, Henk (1984): *Speech Acts, Speakers, and Hearers. Reference and Referential Strategies in Spanish*. Amsterdam/Philadelphia: John Pub. Co. Benjamins.

HERA, Alberto de la (1992): *Iglesia y corona en la América española*. Madrid: Mapfre.

LAFUENTE MACHAIN, Ramiro de (1956): *Patronato y concordato en la Argentina*. Buenos Aires: Editorial RL.

LÜDTKE, Jens (2002): "Ämter im Stadtrecht von Las Palmas de Gran Canaria (1494) und der Beginn einer hispanoamerikanischen Stadtrechtstradition. Eine Wortschatzskizze", en Kerstin Störl/Johannes Klare (eds.), *Festschrift für Hans-Dieter Paufler*. Frankfurt a.M. *et al.*: Lang, pp. 287-300.

OESTERREICHER, Wulf (1997): "Zur Fundierung von Diskurstraditionen", en Barbara Frank/Thomas Haye/Doris Tophinke (eds.), *Gattungen mittelalterlicher Schriftlichkeit*. Tübingen: Narr, pp. 19-41.

REAL DÍAZ, José Joaquín (1991): *Estudio diplomático del documento indiano.* Madrid: Dirección de Archivos Estatales.

SCHMIDT-RIESE, Roland (2003): *Relatando México. Cinco textos del período fundacional de la colonia en Tierra Firme.* Madrid/Frankfurt a.M: Iberoamericana/Vervuert.

TAPIA, Francisco Xavier (1966): *Cabildo abierto colonial.* Madrid: Ediciones Cultura Hispánica.

WESCH, Andreas (1998): "Hacia una tipología lingüística de los textos administrativos y jurídicos españoles (siglos XV-XVII)", en Wulf Oesterreicher/Eva Stoll/Andreas Wesch (eds.), *Competencia escrita, tradiciones discursivas y variedades lingüísticas. Aspectos del español europeo y americano en los siglos XVI y XVII.* Tübingen: Narr, pp. 187-217.

III. ENFRENTAMIENTOS

ÚRSULA DE JESÚS:
LA PALABRA DE DIOS EN EL CUERPO PROPIO

Patrícia Martínez i Àlvarez (Barcelona)
Elisenda Padrós Wolff (Stuttgart)

El presente trabajo es fruto de un experimento: experimento en el sentido de que, por un lado, siendo la una historiadora y la otra filóloga, trabajando sobre el mismo tema desde distintas perspectivas, no sabíamos si en algún punto se cruzarían nuestras ideas. Experimento, por otro lado, en tanto que viviendo una en Lima y la otra en Stuttgart, la posibilidad de trabajar juntas en un mismo lugar, con una comunicación directa, no se nos presentó hasta que nos encontramos en Bremen para el trabajo de sección. Dadas las circunstancias, el presente trabajo está lejos de ser un estudio exhaustivo: es más bien un esbozo de lo que puede llegar a dar de sí el diálogo interdisciplinario entre historia y filología, entre las realidades de dos continentes, además. Y al mismo tiempo es de verdad un diálogo: el público lector atento distinguirá dos voces en lo que sigue.

INTRODUCCIÓN

A Úrsula de Jesús la conocemos a través de los textos que se escribieron en distintos momentos del siglo XVII, en Lima, sobre su religiosidad. Posteriormente otros textos la mencionan de forma más escueta, en el marco de crónicas y biografías de los siglos XIX y XX por la fama de santidad que adquirió. Los textos con los que aquí trabajamos son los primeros que se escribieron.

Desde lo que las palabras de los textos nos han contado sobre Úrsula y desde la voz que hemos logrado escucharle a Úrsula, desde el mundo en el que sabemos que ésta vivió, hemos tratado de transitar de la palabra al contexto, del contexto a la palabra para rescatar del pasado al menos una pequeña parte de lo que fue ella.

En el año 1647 Úrsula de Jesús hizo su primera profesión religiosa. La vida de las mujeres, en la Lima colonial del siglo XVII, transcurrió en gran medida alrededor de los discursos religiosos, de voces y palabras escritas de hombres clérigos y laicos que, en el nombre de Dios, construían idearios individuales y colectivos, morales y políticos para un régimen de relaciones de poder que privilegiaba los significados masculinos, blancos e hispanos del mundo.

Úrsula, una mujer negra, ingresó al monasterio de las clarisas de Lima como esclava en 1616 y al cabo de unos años una de las religiosas compró su libertad. Sus recogimientos y pronto las evidencias de sus visiones y arrebatos místicos la situaron en un escenario distinto: el de la fama de santidad. Muchas de las mujeres y hombres que supieron de las visiones de Úrsula construyeron su significado en relación a los del orden colonial: blanqueada por Dios, Úrsula se convertía con sus sacrificios y con el don divino en un modelo de perfección. Así queda transcrito en la hagiografía que el cronista franciscano Córdoba y Salinas hace de ella.[1]

Sin embargo, en dos documentos similares y distintos a la vez al del cronista, escritos por manos de mujeres, Úrsula es libre más allá de la libertad que le compran y del mundo colonial en el que vive. Estos dos documentos dan cuenta de la historia de una mujer negra cuya piel recreó significados para sí y para otras mujeres: para todas aquellas otras negras a las que Úrsula, en sus experiencias visionarias del purgatorio, veía rodeadas de santas, de santos y amadas por la divinidad.

El análisis de tres de los textos coloniales que narran a Úrsula de Jesús deja espacio suficiente para pensar en el modo en que la concepción y la forma lingüística están entretejidas con la función de cada texto, la cual, a su vez, está inseparablemente unida al género de su autor o de su autora en cada caso. Da margen, por otro lado, para plantear la distancia entre los objetivos masculinos de los discursos construidos acerca de Dios para estructurar las relaciones de poder en el mundo limeño del siglo XVIII y las libertades femeninas que se reflejan en la palabra escrita de las mujeres. Y propone, a la vez, la posibilidad de pensar en un mundo en el que convivieron la construcción de Dios hecha a imagen de los propósitos masculinos del poder y la recrea-

---

[1] Córdoba y Salinas no figura explícitamente como autor de esta hagiografía que encontramos dentro del Registro 17 del Archivo de San Francisco de Lima, pero tanto el estilo y contenido del texto como el hecho de que otros textos de ese Registro se hallen recogidos en la crónica del autor nos hace pensar que la hagiografía tiene su autoría. Córdoba y Salinas fue el cronista de la Orden franciscana y el autor de las biografías de hombres y mujeres que destacaron por su fama de santidad en la familia de clarisas, frailes y mujeres terciarias.

ción de formas de libertad femeninas que pueden ser entendidas como otras formas de 'divinidad'.

Los textos

Los textos a los que antes hacíamos alusión y en los que nos basamos para acercarnos a la persona de Úrsula tienen las siguientes características:

El primero es una especie de diario espiritual en el que Úrsula personalmente dicta –supuestamente a otra religiosa de su convento– las experiencias espirituales, visiones y favores que recibe de Dios. El texto comienza y acaba sin introducción ni conclusión, *medias in res*. Este texto en adelante lo llamaremos *Apuntes espirituales*.[2]

El segundo texto es una corta biografía de Úrsula, escrita por un autor –o autora– desconocido, que relata las estaciones clave de su vida desde su infancia hasta su muerte y funerales. Este texto en lo que sigue lo llamaremos *Biografía*.

El tercer texto es un relato biográfico mucho más extenso y mucho más elaborado sobre la vida y las visiones de Úrsula que recoge, igual que la biografía, la infancia y las estaciones clave de su vida así como muchas de sus visiones. Sin embargo, este texto no recoge la enfermedad, muerte y funerales de Úrsula. Está escrito por un autor –supuestamente masculino– desconocido. Por el tratamiento que le da al texto y por las coincidencias en las noticias que el autor da sobre Úrsula suponemos que se trata del cronista Córdova y Salinas (cf. nota 1). Este texto, en adelante, será denominado *Hagiografía*.

Apuntes espirituales

El primer texto, en cuanto a la cronología de las noticias que contiene, es el de los *Apuntes espirituales*. Se trata de un manuscrito de 26 folios del siglo XVII que no está fechado. En el manuscrito se distinguen hasta siete manos

---

[2] Sobre la denominación de los textos y las posibles autorías discutimos las dos mientras trabajábamos alrededor de la transcripción e interpretación de cada uno de ellos. En Martínez i Àlvarez (2004: 375-377) se propone que los *Apuntes espirituales* fueron escritos por Úrsula y que la *Biografía* fue escrita por una religiosa que vivió con ella.

distintas, todas de letra sencilla de índole no profesional lo cual hace suponer que Úrsula lo fue dictando a compañeras suyas en la medida que éstas estaban disponibles. El texto no lleva signos de estructuración pero sigue un claro orden cronológico: Úrsula describe en primera persona sus experiencias frecuentemente con indicaciones temporales como "oi bispera de rreies" [fol. 1], "el biernes" [fol. 4], pero también "lunes a 21 de abril" [fol. 22], etc., lo que puede hacer pensar que la mayoría de lo relatado lo dictó cuando lo vivido aún estaba fresco en su memoria. Sin embargo, algunas veces Úrsula lamenta que ya no se acuerda de muchas cosas, por lo tanto puede ser que algunas de las visiones fueran recogidas con una cierta distancia temporal.

Úrsula no comenta nada sobre el por qué ni para qué escribe. No se menciona ningún referente masculino que autorice o instigue a la escritura. Cuenta todo tal cual se le viene a la memoria. Por lo tanto, el relato de algunas de las experiencias es muy extenso y contiene la descripción de numerosos detalles, que no parecen de importancia para la situación descrita. Otras experiencias sin embargo sólo las esboza en pocas palabras, a veces de manera tan reducida que no son entendibles sin conocer el contexto, como sucede en el siguiente episodio:

> el biernes adelante comulgaron unas monjas y entre ellas llegando una disen | si quitara todas aquellas cosas fuera bien mas sobre todo aquello [fol. 4].[3]

El texto está escrito en un estilo llano, sencillo. Se distinguen rasgos orales a distintos niveles lingüísticos a través de todo el texto. Así, por ejemplo, son frecuentes los signos de autocorrección:

> una corona de espinas digo de flores [fol. 2]
>
> se me olbido [desir] que me dijo que no temiese ese enbaidor [fol. 3].

También a nivel sintáctico y de léxico el texto está marcado por una fuerte oralidad:

---

[3] Para facilitar la legibilidad de las citas de los manuscritos, en su transcripción hemos eliminado informaciones adicionales como tachaduras, desligamiento de abreviaturas, etc. Asimismo no se señalan los cambios de línea. Lagunas y partes ilegibles están representadas [entre corchetes], omisiones se representan por [...]. En algunas citas hemos introducido el signo | para estructurar el texto y facilitar su lectura. Tengan presente que en estos casos se trata de nuestra lectura.

otra bes bolbia la morena con la monja pidiendo que le pida al padre por la encar-
nasion de su ijo por ellas | io dije por la encarnasion | dijo la angola si por la
encarnasion que si no encarnara ni nasiera ni encarnara ni padesiera ni muriera
que tomo este medio para nuestro rremedio [fol. 5]

aquella desdichada que me dijeron el otro dia estaba en aquel desdichado lugar
tendida de espaldas en una barbacoa y alrrededor muchisimos demonios y todos
atormentando | la boca y ojos y oidos le salian fuego como quando pegan fuego a
un coete balador y no le dejan bolar con aquel rruido [fol. 8]

disenme que quando mi señor jesus llebo al senaculo a sus apostoles y la caridad
con que les labo los pies y luego los enjugo con aquella toalla porque los abia de
comulgar | que esto significaba la confecion que linpiaba y purificaba la confe-
cion los pecados [fol. 9]

io soi lusia la que era de señora ana de san jose [fol. 5 por 'la que era esclava de la
señora Ana'].

A lo largo de todo el texto Úrsula usa denominaciones coloquiales eufemísti-
cas para no tener que llamar al diablo por su nombre: Le titula 'aquel paton',
'ese enbaidor', 'aquel', 'aquel engañador', 'el enemigo', etc. Muy pocas veces
le llama 'demonio'.

Con frecuencia reflexiona sobre sus visiones y los problemas que éstas le
acarrean:

io cuando ago estas preguntas no las ago porque quiero sino que asi como beo i
me ablan sin que quiera asi me asen ablar sin querer | io e menester que me enco-
mienden mucho a dios | todo esto me sirbe de tormento [fol. 2]

yo salgo de alli tan confusa y de pensar para que me bendran a mi con estas cosas
a una pobresita que no bale nada | de que probecho soi yo | algunas beses me quie-
ro lebantar y irme de alli corriendo | ya le digo a dios que bien sabe que no quiero
otra cosa mas que agradalle y que no bengo a que me esten ablando [fol. 8]

despues que paso esto dije al señor que para que queria io ber bisiones que de que
me serbian | disenme que son para que creamos en amor porque los que se aman
mientras mas se comunican mas crese en ellos el amor [fol. 13].

El tema más frecuente en estas reflexiones, sin embargo, es el miedo que
tiene Úrsula de que sus visiones sean tentaciones del diablo, un miedo que a
medida que avanza el texto es cada vez menor, dado que el mismo Dios la
reconforta y le asegura que son inspiraciones suyas:

yo desia entre mi si seria esto enbuste de aquel o si seria mi cabesa | y disenme
[...] aunque mas os quebreis la cabesa pudierais formar nada que lo que aqui os
an dicho [fol. 14]

desianme que tubiera mucha confiansa que quien le deseaba agradar y amar y
yba a sus pies no tenia que temer enganos [*sic*] del demonio | algunos dias antes
desto en otra ocasion que estaba con este temor me dijeron que si yo tubiese dos
personas delante y a la una amase mucho y a la otra aborresiese y estubiese ablando con la que amaba que caso aria de la que aborresia aunque mas chifletas me
ysiese que asi era esto que yo yba derechamente a dios que aunque mas dilijencias
ysiese el enemigo no hisiese caso dellas | yo desia entre mi que yo no tenia quien
lo biera si era bueno o malo | disenme que dios es el berdadero maestro que que
me podia enseñar el padre ni los libros [fol. 14]

yo no quisiera que aquel me biniera con sus enbustes | dios me ayude | luego
disenme que para que ando yo siempre con estas dudas si ba bueno y si es malo si
mengañan si buelbe si torna | que por que gasto el tiempo en eso que si bay [*sic*]
derechamente a dios | y mi entencion es de solo agradarle | que porque desconfio
de quien no me faltara | que sea yo bigilantisima en guardar los mandamientos de
su ley y todo lo que ordena la religion que con esto no tengo que temer [fol. 21].

Una constante en todo el texto son los comentarios de Úrsula sobre su propia
forma de contar, así éstos, por ejemplo:

todo esto ba bocabajo como me acuerdo [fol. 5]

esto ba a pedasitos no como paso con aquel concierto sino salpicado lo que se me
acuerda [fol. 9].

Más aún llaman la atención las frecuentes alusiones a la inefabilidad de sus
experiencias, no usados como tópico sino evidentemente sentidos de corazón:

io no lo se desir como alli paso [fol. 1]

tanto hubo alli que no hai cabesa para apersebirlo [fol. 12]

quien puede desir lo que alli paso [fol. 13]

si yo pudiera rretener en la memoria lo que alli me pasa | no digo de todo mas
que unos pedasitos bocabajo [fol. 17].

Úrsula está consciente y lamenta —casi diríamos le desespera— su falta de recursos
de expresión y memoria para describir fielmente lo vivido. También tiene claro
que lo que está produciendo no es ni tiene por qué ser un texto elaborado:

mucho paso que se me a olbidado como se a pasado tienpo y tanbien como no se a de asentar no pongo mucho cuidado [fol. 15].

Por todos los rasgos textuales mencionados y hablando con los conceptos de Peter Koch y Wulf Oesterreicher (1985), podemos decir que en el caso de los *Apuntes espirituales* se trata de un texto de concepción más bien oral y de un lenguaje de inmediatez. Significa que Úrsula aquí no se nos presenta filtrada por un discurso que le es ajeno, sino en su propia forma de expresarse, muy personal, como una mujer de carne y hueso.

Parece haber sido una práctica común que mujeres de una vida espiritual extraordinaria tomaran apuntes de sus visiones y experiencias religiosas, sea instigadas a ello por sus confesores u otras autoridades religiosas (masculinas, por lo general), sea de *motu propio*, sea las dos cosas a la vez. De esa práctica salieron cantidad de textos de índole muy diversa, desde apuntes de redacción rápida como los de Úrsula hasta literatura como la de Teresa de Jesús. La mayoría de estos textos, sin embargo, siempre y cuando se conserven, no están publicados, sólo existen en manuscritos, muchísimos de ellos desconocidos y no estudiados. Aunque hasta la fecha no hay ningún estudio acerca de ello, textos como los *Apuntes espirituales* de Úrsula forman un género textual femenino digno de investigación: un género que nos permite rescatar del pasado voces de mujeres, sólo filtradas por la letra escrita en el papel, pero no por un discurso masculino, completamente ajeno a la perspectiva femenina. Pero por muchos paralelismos que existan entre los textos de esta índole que conozcamos, el de Úrsula está caracterizado por una 'especialidad' extraordinaria: ella no sólo es visionaria, dotada de unas capacidades espirituales extraordinarias, sino que es negra y, además, esclava.

En los *Apuntes* hay muchos elementos que hablan de cómo Úrsula dialoga consigo misma desde sí misma y para sí misma además. Habla tejiendo expresiones que no son para que el público las escuche, habla metafóricamente como siente:

> que ai en mi para que digan estas cosas | aflijime muchisimo que no me cabia el corason en el cuerpo [fol. 3].

Si en realidad el texto fue escrito al dictado de Úrsula, el respeto a sus propias expresiones habla aquí, de nuevo, de la espontaneidad de una mujer diciéndose cosas a sí misma, pronunciando lo que piensa, lo que le viene a la mente.

Habla espontáneamente de su relación con Dios y desconoce el discurso teológico que los místicos usan para describir experiencias semejantes: "juebes un dia despues de pascua de rreies estando con el señor [fol. 3]". En vez de contar que estuvo recogida, o en oración, habla abiertamente de "haber estado con él", es decir, del hecho simple y a la vez íntimo de permanecer en relación.

Su mundo, que es principalmente el mundo de las mujeres negras en el recinto monástico, aparece continuamente en su relato extendiendo así el sentido de ella misma, de su cotidianidad: son muchas las imágenes de negras y de donadas que le son mostradas, muchas las voces de mujeres negras las que le hablan a Úrsula para seguir mostrándole a Dios.

Úrsula expresa en ocasiones convicciones que no tienen que ver con el mundo que la rodea sino con su propia experiencia y que, hechas palabras en este texto, se convierten en expresiones de libertad: "disenme que dios es el berdader[o] maestro | que que me podia enseñar el padre ni los libros que fuese [—]mo lo que aqui me enseñan [fol. 14]". Parte de su libertad, también, fue expresar su propia vulnerabilidad: la misma que apenas aparece en la *Hagiografía* pero sí en los otros dos textos: "muchisimas cosas me dijeron y me las dieron mui bien a entender sino que no las se desir tan bien [fol. 13]".

En algún momento Úrsula dice que no sabe leer ni escribir y que desearía saber hacerlo. El significado exacto de sus palabras nos es desconocido: ¿lo dice por miedo a ser sospechosa de conocer lo que no debe conocer una mujer negra que vive como esclava? En todo caso su voz se traduce en el texto escrito al que hemos denominado *Apuntes espirituales* de manera que toma cuerpo propio. Escribe o dicta pero finalmente es la voz de Úrsula la que habla en este texto. Una mujer negra y esclava habla en primera persona en un texto escrito. Y al hacerlo da cuenta de una Lima en la que las vidas transcurren mucho más allá de las estructuras de poder que tratan de regirlas.

Al escribir hablando en este texto, Úrsula le da otro sentido a su negritud: le da un sentido de amor divino, de acercamiento y admiración divinos. Al hacerlo, además, se legitima a sí misma en un mundo que ha deslegitimado, por serlo, al cuerpo negro y al cuerpo de las mujeres.

Biografía

El segundo texto en la cronología es el manuscrito que llamamos *Biografía.* Es un manuscrito del siglo XVII no fechado. Consta de 11 folios, todos escritos por la misma mano de letra sencilla que hace suponer que no haya sido escrito por un escribano profesional. El texto está estructurado en párrafos y lleva el título "La bida de la madre ursula de jesuchristo morena donada profesa en este monasterio de nuestra señora de la peña de fransia del orden de nuestra madre santa clara de la siudad de lima", título que indica que es una biografía redactada por una religiosa del mismo monasterio y para uso dentro del monasterio. El texto sigue la estructura prefijada para el género biográfico en tanto que se trata de un resumen en orden cronológico de la vida de Úrsula. En comparación con los *Apuntes espirituales*, claro está, se trata de un texto mucho más elaborado, tanto por la estructura como por el estilo. Sin embargo sigue teniendo rasgos de oralidad a nivel sintáctico y narrativo, como por ejemplo en este pasaje:

> Ultimamente tomo el abito una niña de su selda y dijole a ursula | por que no tomas tu el abito ursula | y rrespondiole ursula | a de aber una gran cosa quando io le tome | dijole la niña |señal a de aber para que tu le tomes | rrespondio ursula | si una gran señal a de aber [fol. 3].

En este ejemplo tanto como a lo largo de toda la *Biografía* la autora hace hablar a Úrsula en primera persona. El estilo de estas citas se parece bastante al estilo de los *Apuntes*, o sea, se trata de un lenguaje marcado por lo oral. Además, igual que Úrsula, la biógrafa evita llamar al diablo por su nombre, usando expresiones como 'el enemigo', etc.

En este segundo texto se mencionan los escritos de Úrsula:

> dios le hasia grandes mercedes como se bera en sus escritos [fol.4]
>
> en sus escritos se beran las grandes mercedes que dios hiso a esta sierba suia [fol. 11].

Suponemos que se refiere a los *Apuntes espirituales* dado que en la *Biografía* se encuentran paralelos textuales con los *Apuntes* como muestran los siguientes dos ejemplos:

> [*Apuntes*] en todo abia la boluntad de su eterno padre | que si quiso que nasiese desya agase tu boluntad | si que padesiese agase tu boluntad | si que muriese agase tu boluntad | de suerte que en todo asia la boluntad de dios | i que io desia no quiero ber ni oir nada [fol. 6].

[*Biografía*] io señor mio y padre mio no quiero ber nada sino amarte y serbirte y haser tu boluntad | dijo christo | si quieres haser mi boluntad como dises no quiero ber nada | yo nunca dije no quiero sino obedesi hasta la muerte a mi eterno padre | si quiso que nasiese en un pesebre dije hagase tu boluntad | si quiso que muriese en una crus una muerte tan afrentosa i dolorosa dije hagase tu boluntad [fol. 5-6].

[*Apuntes*] dia de los inosentes a 28 de disienbre estando recogida delante del señor bi una lus mui grande clarisima y dentro desta lus una bidriera mas clara que los cristales y dentro della a mi padre frai pedro uraco lleno de toda esta lus | y esto bi por espasio de medio [—-] de ora | y disiendo io entre mi como a mi padre jose de carsia serano no bi en esta lus sino en otra menos clara al modo de luna | me digeron porque trabajo mas que el otro [fol. 26].

[*Biografía*] en una ocasion fue elebada en espiritu al sielo y le mostro dios en el a sus dos confesores | el padre frai pedro urraco de el orden de nuestra señora de las mersedes con gran gloria y claridad y al padre frai jose garsia serrano de el orden de nuestro padre san agustin en menos claridad | y pregunto porque estaba en menos claridad que el padre frai pedro urraco | rrespondieronle que porque trabajo mas el padre frai pedro urraco [fol. 8].

Al contrario que en los *Apuntes*, en la *Biografía* se menciona cómo fue que Úrsula empezara a escribir:

fueron tantas las mercedes que rresibio de dios y tan continuas que dijo la rrelijiosa que le señalo el confesor para que las escribiese que era inposible acordarse de todas para escribirlas y que asi asentaria solo las que pudiese apersibir [fol. 5].

Es decir, el confesor como representante de la autoridad masculina la autoriza a escribir y con ello reconoce la 'licitud' de sus visiones. Esta autorización y reconocimiento de los poderes de Úrsula es reforzado por la autorización explícita de sus escritos al final del documento:

aprobaron su espiritu el padre miguel de salasar y el padre antonio rruis de la conpañia de jesus [...] [fol. 11, siguen los nombres de un padre franciscano y dos padres agustinos].

Es decir, al contrario de Úrsula que se ve legitimada en sus experiencias por Dios mismo quien es su maestro, la biógrafa ve la necesidad de resaltar la legitimación por la autoridad eclesiástica.

En resumen se puede decir que en el caso de la *Biografía* se trata de un texto de concepción escrita con algunos rasgos de oralidad. Mientras que los *Apuntes espirituales* sirven como archivo para no olvidar lo vivido, la *Biografía* debe cumplir la función de presentar un modelo de imitación dentro del entorno monástico femenino. Por lo tanto, Úrsula aquí ya no se presenta con todas sus facetas personales sino más esquemática, modélica, lo cual se ve reflejado en el paso del lenguaje de inmediatez en los *Apuntes* a otro más bien de distancia en la *Biografía*.

Y sin embargo presentar a una Úrsula más modélica puede ser interpretado como una forma de acercamiento entre la libertad femenina y el control masculino. En el marco de este tipo de escritos (las biografías religiosas de mujeres en la Baja Edad Media y en el mundo moderno) casi siempre el modelo es construido por voces y palabras escritas de y por hombres que necesitan encauzar, enmarcar, almidonar las expresiones y las vivencias libres de las mujeres. Casi siempre son la norma, el dogma, el decreto los cauces hacia los que son llevadas las vidas de las mujeres. En esta ocasión, sin embargo, otra mujer escribe la vida de Úrsula creando equilibrio entre lo que puede ser dicho, lo que debe ser dicho y lo que quiere ser dicho. Una mujer que la conoce y que conoce el mundo en el que viven y la Iglesia a la que pertenecen vidas como las suyas hace pública la autoridad de Úrsula e intuye que la santidad con la que es vista esta mujer negra puede ir más allá de la aclamación popular. Y por eso la biógrafa reviste su vida. Sin esconderla y a la vez adornándola de las galas necesarias para que ni ella ni la mujer negra caigan en sospecha de herejía. Para que sus libertades –la de la relación entre Úrsula y la divinidad y la de la relación de admiración entre la biógrafa y ella– no sean negadas por una voz masculina.

Este mismo vínculo que establece la biógrafa con la mujer negra es relatado, en los distintos textos, una y otra vez para poner en evidencia el modo en que Úrsula se relacionaba con las mujeres con las que convivía, dando cuenta de cómo las mujeres podían hacer del mundo monástico un espacio propio al margen de los mandatos de relación que imponía el mundo colonial limeño. En la colonia peruana el apelativo que precede a los nombres propios y a los apellidos, por ejemplo, son el modo de distinguirse unos y otros, unas y otras de grupo socio-racial diverso. En el mundo monástico en el que vive Úrsula las mujeres 'doñas' se prestan apellidos con las mujeres esclavas. Se compran y venden las libertades. Se restituyen, en gran medida, las formas de relación entre mujeres que hacen pensar en la existencia de una genealogía que va más allá del parentesco social.

Así como las mujeres recrean la jerarquía socio-racial de la colonia en los monasterios, así recrea la biógrafa la construcción de un modelo entorno a una mujer. El significado de la recreación está, en este caso, en autorizar a Úrsula. En reconocerle autoridad. En reconocerle la libertad que tiene de relacionarse con Dios, de conocer, de ver más allá, y en hacerlo –la biógrafa– en forma pública y por escrito para que esta autoridad sea, a la vez, reconocida por la Iglesia y la sociedad del momento. La palabra escrita, que suele ser atribución masculina en estos contextos, es utilizada por una mujer para autorizar a otra. El modelo biográfico, que suele ser utilizado por voces masculinas para desencarnar a las mujeres y para deshacerlas de sí mismas, es aquí utilizado por una mujer para reconocer a otra y para que la reconozca el mundo.

Hagiografía

El tercer texto cronológicamente hablando es el manuscrito que llamamos *Hagiografía*. Se trata de un manuscrito de 47 folios, es una copia hecha por una sola mano y no está fechado. De hecho parece tratarse de dos textos de los cuales uno está sólo en fragmento. El primer texto empieza con un título general, "Espejo de Religiosas. Vida, Virtudes y Muerte de la Venerable Hermana Ursula de Jesu Christo [...]". Consta de un prólogo (que se explaya en ejemplos de negros que aparecen en la Biblia, como la reina de Saba) y del comienzo de un primer capítulo titulado "Nacimiento y Crianza de Ursula" que acaba al final del folio en medio de una frase. En el próximo folio comienza, escrito por otra mano, otro texto con el título de "Vida de la venerable Madre Ursula de Jesucristo, Morena, Criolla de Lima, Donada Professa en el Monasterio de Nuestra Señora de la Peña de Francia del orden de Nuestra Madre Santa Clara de la cuidad de los Reyes". Este texto está repartido en párrafos, no en capítulos, y no tiene títulos intermedios.

La letra es muy elaborada y adornada, se puede atribuir a una persona muy experimentada en la escritura. Supuestamente es copia hecha por un escribano profesional. No se menciona el autor del texto (que como hemos dicho, es probable que sea el cronista franciscano Córdoba y Salinas). Sin embargo, el autor aparece con frecuencia en primera persona, estructurando el texto y su contenido:

Dejo para otro lugar las demas enseñanzas [fol. 10]

estando [...] bien divertida en coloquios con Cristo Crucificado (como veremos despues) le llevaron los ojos a un horroroso lugar [fol. 12].

Pero no se queda ahí, sino que hasta comenta las visiones de Úrsula:

> Estas y otras muchas cosas dice Ursula, que oyo en la ocasion; pero que de todo se le olvida; y que solo cuando esta trabaxando, y recogida se le ocurren a la memoria. Sin duda no gusta el Señor se manifiesten, hasta que llegue el templo de su Divino beneplacito [fol. 15].

> Solia aparecerle el Santo Angel de la Guarda en forma de Frayle muy hermoso (seria sin duda en traje y habito de Frayle Francisco) [fol. 9].

Una fuente de la *Hagiografía* es sin duda alguna la *Biografía*. El texto recoge prácticamente la *Biografía* entera (excepto enfermedad, muerte y funerales de Úrsula), en ocasiones copiándola palabra por palabra, en general reescribiendo estas citas, refinando su estilo. Por falta de espacio damos aquí solo un ejemplo. El texto original fue citado ya:

> [*Biografía*] Ultimamente tomo el abito una niña de su selda y dijole a ursula | por que no tomas tu el abito ursula | y rrespondiole ursula | a de aber una gran cosa quando io le tome | dijole la niña | señal a de aber para que tu le tomes | rrespondio ursula | si una gran señal a de aber [fol. 3].

> [*Hagiografía*] Ultimamente tomo el santo habito una Niña de su celda y bolviendose a Ursula, la dixo: Ursula porque no tomas el habito? A que ella respondio, como dando a entender un impossible: a de haber una gran cosa, cuando yo le tome. Y dixole la Niña: señal a de aver para que tu le tomes? Y respondio Ursula: si, una gran señal a de aver [fol. 4-5].

Asimismo vuelven a mencionarse explícitamente los escritos de Úrsula que identificamos con los *Apuntes espirituales* y se reescribe el pasaje sobre su autorización. Sea repetida la cita de la *Biografía*:

> [*Biografía*] fueron tantas las mercedes que rresibio de dios y tan continuas que dijo la rrelijiosa que le señalo el confesor para que las escribiese que era inposible acordarse de todas para escribirlas y que asi asentaria solo las que pudiese apersibir [fol. 5].

> [*Hagiografía*] y fueron tantas las mercedes que recibio de Dios, y tan continuas, que dixo la Religiosa que del Confesor fue señalada para que las escribiesse, que

era imposible retenerlas en la memoria todas las circunstancias que contenian para asentarlas individualmente, y que asi escribiria solo lo que pudiese percibir de ellas [fol. 7].

Dexo otras visiones, que tuvo Ursula, de las penas del infierno; y solo hare mencion, de la que refiere por ultimo, en sus escritos [fol. 26].

A la vez, el autor de la *Hagiografía* usa los *Apuntes* como fuente textual, como demuestran las citas siguientes:

[*Apuntes*] entrando oy en la ciesta a los confecionarios que en llegando al arco donde estaba la yglecia a la rega me dio un grandisimo pabor mas fiada de dios lo benci y pase adelante y luego que me puse en los pies del señor recogida me parecio que sentia pasar por donde yo estaba asia la rega que solia aser y con el espiritu quise uyr de alli y fue enposible y luego menpeso ablar aquel saserdote de que se a echo memoria estos dias disiendome que no abia palabras para desir la teribilidad de las penas que padesian y que estaba condenado a ellas por muchos años y que por la birgen santisima se abia librado quel estaba penando en aquel lugar de la rega por [*sic*] gastaba mucho tiempo alli en osiosidades y que quando yba la comunidad al refiterio el se benia apartar y que quando benia gente sescondia en la sacristia y me parese que dixo sestaba escondido todas las oras o bisperas y que ella era religiosa y el ministro de dios que no lo debia aser de aquella manera porque le [—dia] muy diferentes obligaciones y que yo lencomiende a dios [fol. 20].

[*Hagiografía*] En otra ocasion entrando en los Confessionarios le dio un grandissimo pavor, mas fiada de Dios lo vencio y paso adelante; y luego que se puso a los pies del Señor recogida interiormente, sintio azia la reja, bien cerca de si, un Sacerdote difunto y queriendo huir del con el Espiritu le fue impossible; mas confortandola de parte del Altissimo, la empezo a hablar, diciendola que no avia palabras para esplicarle la terribilidad de penas que padecia; y que aviendo sido condenado a ellas por muchos años, por intercession de Maria Santissima se le avia minorado el termino, y que estaba penando en aquel lugar de la reja en correspondencia justa de aver gastado alli gran parte de tiempo en ociosidades hablando con una Religiosa, que por serlo, y el Ministro de Dios, no lo debia hacer por correrle muy diferentes obligaciones, que a los Seglares y pidiendole con muchas instancias, rogasse a Dios por el, se le desaparecio de los ojos [fol. 16].

[*Apuntes*] pregunte que si las negras estaban ai tanbien l rrespondieronme que si que a un lado estaban apartadas que alla pasaban las cosas con gran consierto [fol. 7].

[*Hagiografía*] Y dandole noticia de otros secretos, la dixo, que alla avia grande concierto; que cada uno tenia su lugar conforme a su estado; que las Monjas padecian a una parte, los Religiosos a otra; y asi mesmo los Seglares y Sacerdotes todos estaban en sus lugares con gran orden y concierto; y que asi a indios como a negros y demas naciones se les daban las penas segun la calidad de cada uno, y obligaciones de su estado [fol. 14].

En el segundo par de citas se ve que el autor, aparte de modificar el estilo de Úrsula, modifica también el contenido de lo dicho, agregando detalles que ésta no menciona. Interesantes son también las palabras que el autor de la *Hagiografía* pone en boca de Úrsula:

divise (dice) en un lugar profundisimo unos paredones de cuatro varas en alto, algo mas o menos, y por debajo de ellos unas manos muy grandes con unos cucharones de hierro, echando mucha candela; y sobre los paredones unos palos a modo de barbacoa, en que estaba una Señora de grande authoridad. Y deseando saber, quien era; me dijeron que la Santa Reyna de España. Vila sentada con muchos libros delante, y no era mucho el Purgatorio que padecia. Hasta aqui la Sierva de Dios [fol. 9]

jusgando la Sierva de Dios sería ilusion del enemigo (como ella siempre temia y rezelaba) decia entre si: quien soy yo, para que vengan a mi estas cosas? Quiza sera el Satan que es amigo de marañas [fol. 14].

Conociendo los *Apuntes*, está claro que no deben ser palabras auténticas de Úrsula. El mismo autor argumenta que ésta no se acuerda de los detalles de sus visiones. Sin embargo, aquí hasta la hace mencionar detalles como la altura aproximada de los paredones. Además, en sus escritos Úrsula hace lo posible para evitar llamar al demonio por su nombre, aquí en cambio la hace llamarle 'Satán'.

En resumen se puede constatar que en el caso de la *Hagiografía* tenemos que ver con un texto de clara concepción escrita. El autor reestructura estilo y contenido en función de la finalidad del texto: no tiene el propósito de mostrarnos a Úrsula como persona: ella le sirve tan sólo para rellenar el modelo existente de una vida ejemplar eclesiástica.

La negritud de Úrsula es cambiada de sentido en esta hagiografía escrita por la mano de un cronista que debe construir vidas ejemplares a la luz de los modelos de perfección católica y colonial. El autor de la *Hagiografía* cita constantemente a los negros y a las negras que han aparecido en la tradición bíblica para disculpar a Dios amando a Úrsula, a la mujer negra. Lo disculpa porque el texto convierte a Úrsula en una mujer blanca en realidad. La blanquea a través del modo en que la presenta encajándola en el modelo de perfección socio-religiosa del mundo colonial. La blanquea cuando, en un pasaje, el cronista explica cómo del corazón de Úrsula van desapareciendo los pecados negros hasta que sólo queda color blanco:

> Hizo en fin su confesion general [...]. Y aquella noche, después de la confession, estando en oracion, vio que le estaban raspando el corazon con un guesesito, a manera de cuchillo pequeño, y que se le iba poniendo blanco, y quitando algunas manchas que tenia, como pintitas. Y preguntando que que era aquello le respondieron, sin saber quien: todavia falta [fol. 6-7].

El autor del texto no sólo construye a otra mujer de otro color. Construye, además, otra forma de espiritualidad, de religiosidad. Construye, a partir de Úrsula –que es desplazada del centro de la experiencia– a una mujer que obedece a los cánones socio-raciales del mundo colonial peruano y a los cánones contrarreformistas de la Iglesia del momento. Algunas escenas que son narradas en los *Apuntes* con un sentido que le da a Úrsula autoridad son narradas en la *Hagiografía* con un significado que pone en el centro del ejercicio del poder a clérigos y a verdades divinas. Tan divinas como lejanas, tan lejanas como distintas a cómo aparecen en el cuerpo de Úrsula.

En sus *Apuntes*, Úrsula habla de las imágenes que tiene de una mujer negra por la que Francisco y Clara se habían llegado a arrodillar repetidas veces ante la Madre de Dios. Una mujer que permanecía en el purgatorio y que había tenido amores desordenados. El cronista, en cambio, resalta el pecado de la negra y lo pone como ejemplo de lo que no debe ser vivido. Y le añade al pasaje expresiones que convierten a la mujer en censurada por toda la comunidad con la que vivió.

> [*Apuntes*] otro dia despues de aber comulgado disenme que encomiende a una negra que abia estado en el conbento i la sacaron mui mala a curar i a pocos dia murio i a casi treinta años no me acordaba mas della si no ubiera sido I io me espante i entre mi pense que tanto tienpo I rrespondenme que aquellas cosas en que ella andaba [—] dabanlo a entender que era un amor desordenado que tenia a una monja i toda la casa lo sabia i que mi padre san fransisco i mi madre sancta clara se abian incado de rrudillas a nuestra señora por que alcansase de su ijo la salbasion de aquella alma porque abia serbido aquella casa suia con buena bolun-

tad I luego bi que pendiente de un sinto bajaba de arriba una corona unas espinas grandes casi de [—] en numero no se si fueron sesenta y tantas I dentro de dos dias buelbo a ber a la morena en un rrincon mui apartada como la primera bes que tanbien la bi alli I y me dijeron entonces que penaba en el dormitorio [vie]jo I aora la bi en su propia figura con un faldellin berde y paño en la cabesa y desiame que la gran misericordia de dios la tenia alli que nuestros padres san francisco y clara se abian yncado de rrodillas por ella I y pregunte sin querer me lo asen preguntar y estoi ynteriormente que [co]mo o por que tanto tienpo de purgatorio I diseme I ama dios tanto a sus esposas que quando las be que faltan a sus obligaciones lo siente mucho I los honbres sienten tanto quando no les guardan fidelidad I dios que [—] y rredimio y nos ase tantos beneficios I tanto hubo alli que no hai cabesa para apersebirlo [fol. 12].

[*Hagiografía*] Otro dia, despues de aver comulgado, le pidieron, (sin ver quien), rogasse a Dios por el alma de una negra, que avia estado en el convento, y la sacaron muy mala a curar, y a pocos dias murio; y con ser asi, que avia casi 30 años, que era difunta, todavia estaba padeciendo graves penas. Admirose Ursula de que tanto tiempo estuviesse en purgatorio; y la respondieron, que aquellas cosas, en que ella andaba, no pedian menos castigo; dandole a entender, que era un amor desordenado que avia tenido a una monja, con nota y censura de toda la casa: pero que por intercesion de Nuestro Padre San Francisco, y de Nuestra Madre Santa Clara, que se postraron de rodillas a Nuestra Señora, por que alcansasse de su Sacratissimo Hijo la salvacion de aquella alma, proponiendole que avia servido esta su casa con muy buena voluntad, consiguio verdadera contricion de sus culpas, y commutacion de la pena eterna, que tenia tan merecida, en aquella temporal tan dilatada. Dixeronle tambien a Ursula, que penaba en el dormitorio viejo, y testifica la sierva de Dios averla visto alli repetidas veces, y rogado a Nuestro Señor por ella [fol. 15].

En sus apuntes, Úrsula narra haber visto a un fraile que se había suicidado, el cual se le aparece a la mujer negra para pedirle intercesión ante Dios. Nada dice el cronista ni de este fraile ni de este pasaje.

Conclusiones

En la secuencia que existe entre los tres textos de Úrsula podemos interpretar, por un lado, un intenso proceso de desindividuación. Éste tiene lugar cuando las que toman fuerza son las voces masculinas que crean mandatos sobre la vida religiosa, social y racial del mundo colonial limeño. Y sin embargo, como hemos apuntado ya, podemos interpretar a la vez la creación, texto tras texto, de un proceso de autorización de Úrsula si las voces que predominan son las de las mujeres que hablan en ellos. Cuando leemos los textos priorizando el significado de las voces masculinas que aparecen en ellos, va desapareciendo. Cuando los leemos priorizando el sentido que tuvieron las mujeres que los dictan, los escriben y les dan forma, Úrsula se hace cada vez más presente. Incluso cuando, como en el caso del tercer texto, la palabra escrita se hace eco de una mujer muy distinta a la que es ella en realidad.

Estas dos formas de leer los textos tienen que ver, a la vez, con el modo de entender –y de leer– históricamente, las realidades de las mujeres y los órdenes simbólicos que las han explicado. Una interpretación que parte de las estructuras del mundo para llegar a las mujeres puede conducirnos, como en la lectura de estos tres textos desde las voces masculinas, a no encontrar a las mujeres, a no reconocer sus propios significados. Cuando interpretamos desde lo que sucede en el cuerpo y en el simbólico de las mujeres la realidad, ésta se hace mucho más compleja. Se hace evidente, entonces, la manera en que este simbólico va dando lugar a la vez al mundo.

BIBLIOGRAFÍA

Apuntes espirituales. Archivo de Santa Clara de Lima, sin clasificar, texto 1.
Biografía. Archivo de Santa Clara de Lima, sin clasificar, texto 2.
Hagiografía. Archivo de San Francisco de Lima. Registro 17, 44.

Estudios

KOCH, Peter/OESTERREICHER, Wulf (1985): "Sprache der Nähe – Sprache der Distanz. Mündlichkeit und Schriftlichkeit im Spannungsfeld von Sprachtheorie und Sprachgeschichte", en *Romanistisches Jahrbuch* 36, pp. 15-43.
— (2006 [1990]): *Lengua hablada en la Romania. Español, francés, italiano,* traducido por Araceli López Serena. Madrid: Gredos.
MARTÍNEZ I ÀLVAREZ, Patrícia (2004): *La libertad femenina de dar lugar a dios. Discursos religiosos del poder y formas de libertad desde la baja edad media hasta el Perú colonial.* Lima: Movimiento Manuela Ramos/Universidad Nacional Mayor de San Marcos.

La historia y los intersticios: Don Carlos Ometochtzin, cacique de Texcoco. Estudio de las actas de un proceso inquisitorial

Javier G. Vilaltella (Múnich)

Marco histórico general, coerción y negociación

En los estudios relacionados con la historia de América se ha producido en los últimos años un cambio notable de enfoque. Si tradicionalmente se daba preferencia a los procesos de dominación política, en la actualidad la investigación se dirige preferentemente al estudio de los procesos culturales.[1] Esto no significa que se deba dejar de lado lo político. Los procesos de la conquista son muy variados y el empleo de las armas no es la única forma de implantación, pero algún recurso a la violencia siempre acompañó incluso los planteamientos más pacíficos. No eran guerras de tipo tradicional pero en los momentos críticos fue el uso de las armas lo que decidió la continuidad de la presencia española.[2]

Es cierto que muy pronto se instaura un orden de cosas en el que la convivencia no se rige por los parámetros de una dominación militar. Si se produce en cambio una situación límite, esta última *ratio* del poder reaparece. Entre los varios ejemplos que podrían citarse baste recordar cómo actúa el Estado en las rebeliones de Tupac Amaru en el siglo XVIII en el virreinato del Perú. El hecho más relevante, sin embargo, es que los mecanismos que rigen la gran mayoría de los procesos de intervención del poder son de otro tipo. De alguna manera es difícil de entender el desarrollo posterior a la conquista sin presuponer una serie de mecanismos básicos en el comportamiento indígena que llevaron a una aceptación o un *modus vivendi* con muchas de las propuestas que conllevaba la implantación de nuevas normas culturales como consecuencia de la presencia española.

---

[1] En el estudio de Lockhardt (2003) se da un extenso balance de la evolución de los estudios sobre la historia de Latinoamérica.

[2] En Restall (2003) se ofrece un repaso crítico a una serie de esquemas que se han ido heredando y que no responden a un análisis riguroso de los hechos históricos.

Las razones para este especial desarrollo son múltiples. En primer lugar está el hecho de que numéricamente los españoles en esta primera fase constituían una parte insignificante dentro del conjunto de la población mexicana, de tal manera que su presencia difícilmente podía ser percibida como una amenaza. Esto ocurría a lo sumo en los pocos lugares donde residían las instituciones del Estado.[3]

Aunque se ha intentado reconstruir la llamada 'visión de los vencidos' todavía se está lejos de conocer cómo fueron percibidos realmente los españoles. Tendría que darse un proceso largo hasta que la población autóctona estuviera en condiciones de hacer uso más o menos independiente de la palabra escrita. Mientras, a lo sumo, se pueden hacer algunas deducciones a partir de las conductas de determinados grupos.[4] Todo indica que, aparte de la destrucción de ciertas élites de poder en Tenochtitlan y en los dominios aliados, muchos aspectos de la vida cotidiana siguieron sin cambiar después de la conquista.

Más importantes son las pruebas que aportan las investigaciones de James Lockhart (1992). En ese caso la investigación parte de documentos escritos que no responden directamente al hecho inmediato de la conquista. Se trata sobre todo de documentación de transacciones económicas, documentos jurídicos, etc. En cualquier caso, su estudio permite llegar a la conclusión de que la población autóctona durante un período largo de tiempo conserva las formas de comprensión de la realidad correspondientes a pautas tradicionales. Todo lo nuevo es sometido a un proceso de selección y asumido en la medida que puede ser integrado en lo existente.

Estos datos, aparte de ser bastante llamativos en sí mismos, tienen una serie de consecuencias importantes a la hora de analizar los procesos de trasvase cultural. De alguna manera subvierten los esquemas habituales de análisis: la población autóctona, de pronto, se presenta como un sujeto agente dotado de una amplia capacidad de iniciativa.[5] A este respecto hay que tener

---

[3] Clendinnen (2003). El estudio minucioso de la sociedad maya muestra la capacidad participativa en los procesos de cambio por parte de la población autóctona.

[4] Kellogg (1992). La utilización del concepto de hegemonía de procedencia gramsciana permite destacar la necesidad de colaboración y de acuerdos del poder español con la población bajo su dominio.

[5] García Canclini (1989). Aunque se trata de un estudio sociológico sobre la época actual se muestran muchos ejemplos de la capacidad creativa de los grupos indígenas ante los retos que les plantea la economía occidental moderna.

en cuenta la dramática disminución de la población autóctona debida a causas múltiples, hasta mediados del siglo XVII. Pero aun después de estos cambios la población de origen español sigue constituyendo una proporción mínima de la población total. El esquema básico de intercambio cultural sigue siendo el mismo.

La situación resultante es algo paradójica. Las nuevas estructuras de poder dejan en manos de los españoles las herramientas de coerción que permiten un sometimiento político. Pero por otro lado todo un conjunto de reglas y normas que rigen y organizan los mecanismos de la vida cotidiana de las sociedades autóctonas escapan a su control. Se hace, pues, imprescindible un estudio más diferenciado para poder captar cuáles son las estructuras que permiten la permanencia de una cosmovisión tradicional y al mismo tiempo evitar entrar en conflicto con las nuevas estructuras de dominio político.[6]

El comportamiento de las élites es bastante desigual y lo que se conoce realmente de ellas en esa primera etapa se refiere sobre todo al segmento más alto y minoritario. Una buena parte de los que mantuvieron su estatus social procuraron llegar a un acuerdo con el nuevo poder, con el objetivo de salvar el máximo de privilegios posibles. Cabe pensar que esos grupos se hacen más visibles porque han dejado una huella documental mayor. Los que quizá ofrecieron más resistencia pasaron a un segundo plano y se sabe menos de ellos.

Dentro de este contexto es donde adquiere relevancia un estudio del comportamiento de don Carlos Ometochtzin, cacique de Texcoco. Por sus datos biográficos se sabe claramente que pertenece a las élites que más se vieron afectadas por el proceso de la conquista. Por otro lado, a juzgar por el transcurso de los acontecimientos que se relacionan con su proceso, formaría parte del grupo que no está interesado en conseguir un arreglo con el poder.

Esto es lo que se desprende con cierta seguridad de la lectura de su proceso, pero a partir de ahí la realidad se vuelve borrosa. No está nada claro que sea simplemente una víctima a pesar de su final. El proceso no revela, como intenta mostrar el segundo apartado del presente ensayo, una conducta de

---

[6] En Harris (1992) se ofrecen varios ejemplos en los que una lectura atenta permite descubrir una articulación de lo indígena en la práctica diaria de la experiencia de cristianización frente a un análisis unidireccional que predomina todavía en muchos análisis. Paradójicamente tanto los estudios que se inclinan por un enfoque tendente a justificar la conquista como los que destacan los aspectos destructivos tienden a pasar por alto el hecho de que los pueblos indígenas no tuvieron una reacción de pasividad ante la nueva situación cultural.

enfrentamiento. A pesar de ello el estudio de las actas del proceso inquisitorial contra don Carlos Ometochtzin es bastante iluminador. Las actas permiten acercarse a la realidad del comportamiento concreto de una figura perteneciente a esas altas élites, aunque esa cercanía no proporciona la visión de
un comportamiento coherente. Más bien la conclusión que se saca es que los
procesos de cambio, sobre todo en esta primera fase, son sumamente am-
biguos.

Pero no es una ambigüedad derivada de una actitud táctica sino que más
bien se produce por el hecho de que están en juego una serie de realidades
culturales cuya conformación después de la conquista se negocia día a día en
un proceso inseguro de tanteo. Quizá convenga señalar, en este momento,
que el presente estudio parte solamente de los datos contenidos en el proceso
inquisitorial. En este sentido todos los elementos biográficos sufren un fuerte
proceso de reducción.

Por otro lado, en cambio, la naturaleza del proceso penal instaura una
situación comunicativa en la cual el procesado tiene la oportunidad de articular su voz de una manera muy directa. De alguna manera, pues, se trata de
un texto en que 'la voz indígena' adquiere un protagonismo inusitado. Pero
ello a su vez sólo es posible dentro de la coerción y el ritualismo de las reglas
procesales. Quizá, de todas maneras, estas restricciones que impone el proceso no sean un caso tan singular. Añaden una cualidad adicional a ese texto: se
trata del hecho de que la 'voz indígena' en los casos en que logra entrar en
general en el ámbito público lo hace casi siempre en un marco de comunicación impuesto por la cultura dominante, quedan las estructuras del proceso
jurídico aspiran a conseguir, en cada uno de los pasos, claridad sobre la conducta del imputado.

Pero esto último viene a ser como una tarea especialmente difícil. Las dificultades para conseguir la claridad no proceden del impulso de ocultación
que guía normalmente la conducta del imputado para evitar la condena en
todo proceso penal. Esas estrategias también se emplean aquí, pero la dificultad mayor procede de la confusión en la que vive la cultura autóctona obliga-
da a realizar complejos procesos de adaptación.[7] El proceso pone de relieve

---

[7] Karttunen (1989). Aunque muchos de los casos estudiados se refieren a la función de
intérprete en un sentido estricto, demuestran que ese papel va mucho más que el de facilitar la
mera comprensión idiomática abriéndose todo el espectro de la mediación cultural.

que la confusión se produce en el uso y en la interpretación de las palabras. Al final se produce la sospecha de que la condena es consecuencia de un malentendido, un malentendido cultural. Se pone en evidencia que cualquier acto de comunicación surge de la palabra no dicha. Precisamente son los silencios los que sostienen la palabra hablada o escrita. Silencios cuyo significado sólo en parte puede ser recuperado en un proceso posterior de reconstrucción cultural.

En el momento de fijar estructuras lingüísticas, de delimitar el sentido de las palabras aparece todo el alcance y dificultad de los procesos de comprensión entre culturas. En el proceso de don Carlos Ometochtzin se juzgan conductas, pero para que ello sea posible éstas tienen que ser traducidas a palabras: a juzgar por los resultados éstas son las que le fallaron a don Carlos. No deja de ser una trágica paradoja que eso ocurriera precisamente bajo el arzobispado de Fray Juan de Zumárraga, una de las figuras más preparadas intelectualmente para abordar la complejidad cultural de la situación del México colonial temprano.[8]

El proceso y la condena produjeron un gran impacto. Las autoridades españolas limitaron las atribuciones del tribunal de la Inquisición para juzgar a la población indígena. Ello indica que se percibió que algo fundamental había fallado. Las deficiencias no se debieron a que el tribunal no hubiese aplicado correctamente las reglas procesales. La conclusión que se sacó es que la socialización de los indígenas en el campo de la nueva religión era todavía insuficiente. Por lo tanto no procedía que se les sometiera a las exigencias de comprensión de la nueva doctrina religiosa bajo las cuales tenía legitimidad la actuación del tribunal de la Inquisición (Ibáñez 1979).

Esta solución que se muestra con un rostro protector acabó siendo con el tiempo una condena con grandes repercusiones: se les protegía a base de dejarlos en el limbo de la inmadurez civil. Esto implicó la exclusión del acceso a la mayor parte de los puestos que en el futuro iban a estructurar la vida pública.

---

[8] González Rodríguez (2001). El alto nivel intelectual de los misioneros de la primera generación así como de una parte de los órganos de la administración española son una muestra de que aparte de los fines políticos y económicos había una conciencia clara del reto cultural de la empresa americana.

EL CACIQUE DON CARLOS DE TEXCOCO. MARCO HISTÓRICO PERSONAL

Su nombre completo era don Carlos Ometochtzin Chichimecatecotl, hijo de Netzahualpilli y nieto de Netzahualcoyotl. Ambos habían sido gobernantes de Texcoco, uno de los tres componentes de la Triple Alianza, que luego ha pasado a denominarse, de una manera inexacta, el 'Imperio Azteca'.

Don Carlos, de niño, fue acogido y educado en la corte de Hernán Cortés y luego, en el prestigioso colegio franciscano Santa Cruz de Tlatelolco para hijos de la nobleza autóctona. Posteriormente entró a detentar el mando del cacicazgo de Texcoco en el año de 1531. Estaba emparentado también con el cacique de Tlacopan, el Tacuba actual, y con otra figura de mucho prestigio, don Fernando de Alva Ixtlilxóchitl.

Esta trayectoria brillante experimentó un quiebre inesperado cuando el 22 de junio de 1539 fue denunciado ante la Inquisición por el delito llamado 'dogmatizar'. Los hechos ocurridos en relación con su proceso son los que van a ser objeto del presente análisis. Las especiales circunstancias que acompañaron la conducta imputada lo convierten, sin duda, en un caso singular. En primer lugar se trataba de un indígena sometido al tribunal de la Inquisición.

Este tribunal recién implantado México, llevaba ya más de un siglo de existencia en la Península. En la etapa posterior a la expulsión de los judíos en España, su actuación alcanzó su máxima virulencia dirigida sobre todo a las personas originariamente procedentes de ese grupo que se suponía seguían practicando su anterior religión. El contexto en el que se veía obligado a actuar en México el tribunal era, pues, distinto en varios respectos. Este hecho es el que ponía a prueba muchas de las premisas de su actuación.

La ejemplaridad de esta actuación se deriva del hecho de que confronta a dos culturas en uno de sus ejes fundamentales, el manejo de las creencias religiosas. El tribunal en la Península había pasado a ser una de las herramientas más poderosas de homogeneización. En poco tiempo se consiguió destruir una sociedad caracterizada por un alto grado de pluralidad que había permitido la convivencia de grupos con distintas creencias. Uno de los efectos paradójicos de las actuaciones de ese tribunal es que intentando destruir las creencias que se consideran marginales y perniciosas, en la huella de esa destrucción conserva como en un negativo memoria de la presencia de lo destruido.

La escrupulosidad que imponen las reglas procesales, registradas en las actas inquisitoriales, permite reconstruir, pues, conductas y motivaciones, en este caso de un miembro de la elite indígena, a las que de otro modo difícilmente se tendría acceso. Si se parte de las consideraciones desarrolladas en el apartado anterior la lectura de las actas no pretende en este ensayo reconstruir en las declaraciones de don Carlos un ejemplo más de la llamada 'visión de los vencidos'.[9] Se trata más bien de encontrar pistas en el complicado juego de equilibrios entre las coerciones del poder político y el manejo autóctono de los parámetros culturales que seguían vigentes.

El foco de interés del tribunal impone sin duda una visión muy limitada en lo que respecta a la riqueza de datos biográficos de la persona imputada. Pero esto a su vez permite obtener un especial grado de concentración en uno de los aspectos más complicados del cambio de conductas por parte de la población autóctona en esta primera fase (*Proceso inquisitorial* 1980).[10] Estas fuentes en su carácter esencialmente jurídico, con todas sus limitaciones y su esquematismo permiten vislumbrar cuáles eran los procesos en marcha a partir de los que se iba constituyendo un nuevo sujeto histórico: el 'indígena cristianizado'.

En este sentido pasan a segundo plano cuestiones biográficas como, por ejemplo, la de si el cacique Carlos fue acusado por intrigas de tipo local o familiar, o de si estaba implicado o no en algún tipo de movimiento de resistencia. Ni siquiera es primordial conocer si las frases que se le imputan fueron realmente pronunciadas por él. El hecho de que aparezcan en las actas demuestra que se las consideraba como posibles o verosímiles lo cual ya les da una realidad histórica propia (*Proceso inquisitorial* 1980).

Un proceso de cambio cultural como el puesto en marcha por la conquista requeriría el manejo de un material muy amplio para llegar a alguna conclusión relevante. De todas maneras la conducta de don Carlos por lo menos deja la sospecha de que las oposiciones habituales de 'vencedores y vencidos' son a su vez un reduccionismo empobrecedor. Las respuestas de don Carlos dejan traslucir que, por lo menos indirectamente por parte de los indígenas se podían plantear una serie de cuestionamientos al nuevo poder. Se trataba para ello sobre todo de determinar cuál era el lugar que se les asignaba en la nueva construcción política.[11]

---

[9] León-Portilla (1980). Este enfoque, que en su momento produjo grandes expectativas, posteriormente ha recibido algunas correcciones críticas. A pesar de ello el intento de reconstrucción de esa voz autóctona sigue siendo una tarea primordial.

[10] En este trabajo se utiliza la edición del *Proceso inquisitorial* de 1980, la cual reproduce la de 1910.

[11] De nuevo hay que insistir en que ese planteamiento o cuestionamiento tenía que revestir formas solapadas o encubiertas pero no por ello las conductas tácticas de prudencia eran menos reales y efectivas.

Aunque el tribunal de la Inquisición, en sentido estricto no se instaura en México hasta 1575, desde el primer momento hay siempre alguna autoridad eclesiástica que detenta la potestad inquisitorial (*Proceso inquisitorial* 1980). En el momento de la denuncia contra don Carlos de Texcoco estas funciones estaban a cargo del arzobispo de la Nueva España Juan de Zumárraga. Es importante subrayar que aunque se conocen por lo menos otros 11 procesos inquisitoriales contra indígenas en México anteriores al de don Carlos, lo que destaca a éste son los antecedentes de su biografía y el comportamiento que mostró el acusado a lo largo del proceso. Es posible que las circunstancias del momento histórico también contribuyeran a achacarle importancia. Se percibe a lo largo de todo el proceso que Juan de Zumárraga se implica de un modo especial en él. Probablemente se percibió desde el principio que no se trataba de un caso trivial de extravío teológico.

Cabe pensar que se tenía la sensación de que la actitud de don Carlos amenazaba de una manera frontal los cimientos del edificio de convivencia tal como lo había diseñado la corona. Si con la lectura del proceso se pretende sobre todo llegar a la voz del imputado, como ocurre en el presente trabajo, es inevitable confrontarse con las restricciones de un texto de esta naturaleza. La lectura y análisis de un texto jurídico plantea una serie de cuestiones bastante complejas. En primer lugar se trata de un texto sometido a reglas muy estrictas, es decir, la palabra sólo se puede mover dentro de los cauces establecidos por el derecho procesal. El poder de fijar por escrito esta palabra, venga de donde venga, está sólo en manos de los sujetos debidamente autorizados, en este caso los funcionarios de justicia. El objetivo final es una sentencia en forma condenatoria o absolutoria. Todas las intervenciones, sean de parte de testigos, fiscales o acusados están destinadas a provocar o impedir esa sentencia.

Una lectura adecuada implica pues el conocimiento de esas reglas para poder interpretar de manera adecuada las diversas estrategias, los silencios etc. En el caso de un proceso como el presente hay una complicación adicional que lo hace especialmente intrincado: se trata de determinar en cada caso quién habla realmente a través del texto, qué voz se articulaba de hecho en el proceso. En principio se parte del presupuesto de que en el texto de un proceso se reproduce la voz del declarante. Esto es cierto en líneas generales, pero es un modo muy simplificado de ver la estructura del presente texto. Cuando se trata de procesos contra indígenas esta voz está además mediatizada como mínimo por una doble instancia: los declarantes hablan en náhuatl y en consecuencia necesitan de un traductor, 'el lengua'.

Aunque es cierto que los misioneros en México realizaron un esfuerzo por apropiarse del idioma local cabe pensar que debido a esos filtros se produjeron deformaciones importantes en el momento de interpretar las declaraciones del imputado y de los testigos. Naturalmente no hay ningún modo de determinar en qué grado esto ocurrió en realidad. Pero el hecho de que el traductor apareciera mencionado de una manera explícita en los procesos permite pensar que había una conciencia clara en esos procesos de la mediación idiomática y de sus consecuencias procesales. Aparecen, por ejemplo, fórmulas del tipo siguiente "el dicho Bernabe Tlalchachi, testigo recibido para información de lo que dicho es, habiendo jurado según forma de derecho, el cual lo hizo é prometió decir verdad a cargo dél, por lengua del dicho padre Juan Gonzalez, se le preguntó é dixo lo siguiente" (*Proceso inquisitorial* 1980).

La segunda mediación, quizá todavía más importante, es que las declaraciones traducidas oralmente por el 'lengua' tenían que ser fijadas por escrito por el secretario del Santo Oficio. Todo ello tiene como resultado la producción de un texto bastante opaco y lleno de trampas. Estas dificultades exigirían un examen aparte cotejando muchos procesos y examinando hasta qué punto la función del traductor no entorpecía la marcha del proceso.

Sólo es posible en el presente caso señalar un par de ejemplos con carácter ilustrativo. Si se examina la estructura de las declaraciones sorprende a lo largo del proceso el carácter altamente repetitivo. Así las declaraciones procedentes de testigos diferentes se reproducen casi con las mismas palabras. Esto indica que el secretario, que era el responsable del texto escrito y que lo fijaba partiendo de la información del traductor, realizaba una simplificación considerable del contenido de las declaraciones, concentrándose en los hechos y formulaciones que él consideraba ser relevantes.

A partir de ahí se van desarrollando las estrategias por parte de la acusación y las correspondientes contra estrategias por parte de la defensa para llevar las cosas en una determinada dirección. En principio esto es algo normal en un proceso, pero lo interesante en este caso es que, debido a las múltiples mediaciones, con frecuencia las estrategias de la acusación van urdiéndose a partir de interpretaciones sesgadas de las declaraciones de la otra parte. Es aquí precisamente cuando afloran al máximo las 'deformaciones interpretativas' que manifiestan frecuentes desencuentros culturales

A este respecto, entre los múltiples casos que se pueden detectar baste el siguiente ejemplo. En un pasaje de la acusación se pone en boca de Carlos el haber afirmado: "pues hágote saber que mi padre e mi agüelo fueron grandes profetas é dixieron muchas cosas pasadas y por venir" (*Proceso inquisitorial* 1980). Es uno de los casos más evidentes en el que un contenido tiene interpretaciones casi opuestas según el contexto cultural del cual procedan. Desde el punto de vista del declarante nahua él está hablando simplemente de un tipo de conducta que se deriva de la manera nahua de concebir el transcurso del tiempo. Está transmitiendo un comportamiento de sus antepasados que implica una determinada concepción del tiempo muy diferente a la europea.

En ese contexto cultural el tiempo tenía un transcurso circular según el cual desde ciertos signos del presente determinadas personas estaban en condiciones de hacer previsiones del futuro. Esta noción del tiempo, completamente desconocida e incomprensible para los receptores de las declaraciones de don Carlos y los demás testigos, implicaba que desde la comprensión de los miembros del tribunal la única manera de entender la conducta de los antepasados era que se habían arrogado funciones de profecía. Así pues, ésta es la 'traducción cultural' que queda en las actas pues se habla de "profetas".

La elección de esta palabra no constituye un problema en el sentido de que si es una palabra más o menos adecuada para referirse a lo manifestado por el declarante. Esa elección tenía además graves consecuencias para el denunciado porque lo relacionaba con una facultad que sólo poseen, dentro de las premisas ideológicas de los juzgadores, determinados personajes de la Biblia. El secretario con la elección de esta palabra simplemente estaba reforzando la inculpación de "dogmatizar" que se le atribuía al imputado. La denuncia, como se ha dicho antes, se produce el 2 de junio de 1539 y la realiza un tal Francisco, indio de Chiconautla. De los datos del proceso no es posible conocer qué relación o qué contactos había entre este indio y don Carlos.

Don Carlos en sus declaraciones toma una posición que en principio se mueve dentro del terreno que afecta a lo doctrinal en el marco de la teología cristiana. Pero adicionalmente las formulaciones elegidas a lo largo del proceso implican también de manera indirecta un cuestionamiento de las bases legitimadoras de la conquista. Don Carlos insiste varias veces en que sus declaraciones se derivan de la autoridad de sus antepasados y que el orden nuevo que pretenden los españoles carece de algo imprescindible para él, a saber, que no está legitimado.

Esta exigencia, que tiene todo el aspecto de un acto de rebelión, en un análisis más cuidadoso habría más bien que interpretarla como un producto de creencias tradicionales: al juicio del acusado los antepasados son los únicos poderes legitimadores. Tal tipo de declaraciones probablemente son percibidas por los miembros del tribunal como el indicio de un estado de cosas confuso y amenazante para la estabilidad del nuevo poder político. A pesar de ello sería erróneo sacar conclusiones excesivas. No es tanto un problema de exclusión del orden nuevo sino de que éste, a juicio del imputado, no ha respetado algunas reglas fundamentales dentro de su marco cultural. Hay que dejar aquí en suspenso la cuestión de cuáles hubiesen sido los compromisos necesarios por parte de los españoles para que a juicio de las élites se hubiese considerado que se respetaban esas exigencias.

En una de las declaraciones se afirma que don Carlos en algún momento planteó cuestiones como esta:

> ¿Quién son estos que nos deshacen é perturban y viven sobre nosotros é los thenemos a cuestas y nos sojuzgan pues aquí estoy yo y allí está el señor de México y allí mi sobrino Tezapille señor de Tacuba y allí está Tlacahuepantli señor de Tula, que todos somos iguales y conformes y no se ha de igoalar nadie con nosotros, que ésta es nuestra tierra y nuestra hacienda y nuestra alhaja y posesión y el señorío es nuestro y á nosotros pertenece [...]? ¿Quién viene aquí á mandarnos y apreendernos y sojuzgarnos? que no son [es] nuestro pariente ni nuestra sangre y también se nos iguala [...] pues aquí estamos y no ha de haber quien haga burla de nosotros (*Proceso inquisitorial* 1980: 43).

El proceso no sigue una línea única de acusación en su transcurso. La denuncia que empieza con la acusación del delito de 'dogmatizar' va ampliándose a lo largo del proceso a otros dos delitos: el de 'idolatría' y el de 'mancebía'. Se toman 28 declaraciones de 16 testigos. Las ramificaciones van produciéndose sobre la marcha del proceso. Por ejemplo, un testigo en sus declaraciones nombra a otros participantes en actos en los que don Carlos ha cometido supuestos hechos delictivos y esto provoca la presencia de nuevos testigos y nuevas declaraciones.

Curiosamente la acusación de 'dogmatizar' que fue la que motivó el proceso es la que menos espacio ocupa en las investigaciones de la Inquisición. La mayor parte de ellas se concentran en el delito de "idolatría", es decir, en la existencia de estatuas de dioses aztecas ante las que supuestamente se seguían haciendo prácticas religiosas. La marcha del proceso denota un interés específico de la autoridad eclesiástica en progresar de un modo especial en una determinada dirección dejando de lado a lo largo del proceso otras que hubieran sido viables. Incluso, al seguir las indagaciones en el sentido de descubrir cuán extensas eran las prácticas de la "idolatría", la figura de don Carlos pasa a un segundo plano.

Es posible imaginar que don Carlos se dedicara a espaldas del tribunal a elaborar estrategias de defensa con los testigos. Se va perfilando una línea de defensa según la cual se quería demostrar que muchas de las acusaciones que se ventilaban en el proceso no se derivaban de una conducta específica del cacique don Carlos sino que obedecían a un estado de cosas colectivo.

En este sentido, partiendo de los datos expuestos, ya se perciben claramente muchas de las conductas que va a emplear la población indígena en el futuro para escabullirse en lo posible de las amenazas más apremiantes del nuevo poder político. Se manifiesta una habilidad especial para ir poniendo pequeñas trabas consiguiendo que se posponga o se evite la sustanciación de la prueba definitiva. Así, por ejemplo, el inquisidor dice que se ha observado humo en la cumbre del monte Tlaloc, lo que le hace suponer que se siguen practicando ceremonias religiosas en dicho lugar. Pero los gobernadores, alcaldes y demás testigos interrogados admiten que también ellos han observado el humo pero nunca han sido capaces de ver a nadie. Si alguien actúa, es del pueblo vecino siempre, en este caso, de Huexotzingo. Cuando el obispo reclama que se busquen y se entreguen las imágenes de los viejos dioses a los gobernantes locales no tienen empacho en ordenar que se busque en las cruces que hay por los caminos. Ellos saben que a los pies de las cruces se hallan enterradas muchas de esas imágenes.

Pero al mismo tiempo, como en el caso del humo, siempre se encuentra la manera de esquivar la acusación concreta. Como don Lorenzo Luna, gobernador de Texcoco, quien afirma que "hizo cavar é buscar a los pies de muchas cruces que estaban por los caminos, y que al pie de algunas navajas y pedernales y otras insignias de sacrificios, que lo tiene en su poder, que se averiguó que muchos habían dado en poner aquello y por ser muchos no los había osado prender" (*Proceso inquisitorial* 1980: 16).

Todo lo mencionado podría llevar a la conclusión de que la estructuración de las declaraciones en el proceso no es otra que la de elaborar un conjunto de trucos y estratagemas para escaparse del control de la autoridad eclesiástica, trucos propios de la defensa en cualquier tipo de proceso. Aunque esto sea una parte de la verdad, sin embargo, la situación es mucho más compleja. Para ello puede ser útil concentrarse en la parte final del proceso. El fiscal recoge las declaraciones y eleva una acusación en la que se recogen los tres delitos, que ya hemos mencionado: "dogmatizar", "idolatría" y "mancebía".

Antes de la sentencia final don Carlos tiene que declarar. Primero, contesta a diez preguntas que se dirigen a fijar procesalmente su identificación personal, a cada una de éstas contesta de manera afirmativa. Luego se interrumpe la serie y se le apercibe que "si dixese la verdad, confesando sus culpas enteramente, que se habían con él beninamente y se rescibiría á misericordia conforme á derecho el cual después de ser amonestado: dixo, que está presto de lo así hacer" (*Proceso inquisitorial* 1980: 56). Después de esta amonestación siguen 23 preguntas que esencialmente resumen los puntos de la acusación. A estos cuestionamientos sólo debe responder si está o no de acuerdo.

Lo sorprendente de la conducta de don Carlos es que niega todos y cada uno de los puntos de la acusación. Probablemente él podía saber que esto implicaba la pena de muerte y por el contrario una admisión de la culpa le dejaba libre con penas bastante leves. Ese mismo año ya habían sido condenados también por el delito de 'dogmatizar' los indígenas Marcos y Francisco, de Tlatelolco, y el proceso se había saldado con una pena de destierro de dos años para ambos condenados.

Es preciso concentrase en ese 'no', en la negación del cacique a cada una de las preguntas, pues constituye de alguna manera uno de los silencios centrales de los muchos que acompañan las declaraciones de don Carlos Chichimecatecotl. Sería fácil ver en ello una actitud heroica y estilizar su figura como un representante de la resistencia indígena ante los abusos de la Inquisición. Pero el contexto histórico requiere un modelo de explicación más diferenciado. Para aproximarse a una adecuada comprensión de la reacción de don Carlos se pueden aventurar varias hipótesis. Por ejemplo pensar que todavía le quedaban argumentos a su favor. De hecho es cierto que a partir de esas respuestas la defensa juega a ganar tiempo. Parece que se confiaba en que antes de que se pronunciara la sentencia se pudieran conseguir nuevos testigos de descargo, que al final no ocurrió.

Si la negativa de don Carlos fuera la consecuencia del cálculo de que existía la posibilidad de conseguir más testigos, después de comprobar que este camino había fracasado él tendría de nuevo la posibilidad de aceptar su culpabilidad librándose así de la pena capital. Su conducta es bastante desconcertante, pues parece contradecir la manera de actuar de los indígenas ante el poder, tal como muestran las actas del proceso de una manera ejemplar en el comportamiento de los numerosos testigos: no entrar en el nivel de enfrentamiento sino adoptar siempre una actitud táctica.

La única vía posible de comprensión, de nuevo, es adentrarse en lo que constituían las estructuras del pensamiento nahua en esa fase de la colonia temprana. Como ya se ha señalado en el primer apartado, hay que partir de los resultados que proporcionan las investigaciones de Lockhart (1992). Según ellos la conquista no ha producido ninguna ruptura en la cosmovisión autóctona, siguen siendo válidos los parámetros fundamentales de esa cultura. Esa tesis que se ha visto confirmada en momentos cruciales del proceso, incluso llevada al extremo en algunas declaraciones que parecían ser un desafío directo de carácter político.

Si a lo largo del proceso se comprueba un comportamiento táctico por parte de la defensa, cabe pensar también que, al hacer tal tipo de declaraciones al final del proceso, don Carlos no creía o no pretendía apartarse de esa estrategia. El problema surgió porque el desencuentro comunicativo llegó a un extremo en el que ya no pudo sopesar o controlar sus consecuencias. Cabe pensar que para don Carlos las interrogaciones que se le planteaban en el proceso formuladas como posiciones dogmáticas y excluyentes eran incomprensibles dentro de su esquema de pensamiento. Y que por lo tanto cuando se le imputan posiciones dogmáticas que sólo dejan lugar para el 'sí' o para el 'no' puede responder sin faltar a la verdad que él no ha hecho tal tipo de afirmaciones.

Vistas las cosas así las respuestas no habrían sido efecto de un acto de valentía o de resistencia moral sino que simplemente constituían para él la única forma posible de expresar su pensamiento. Un pensamiento que no encontraba su hueco adecuado en la parrilla de cuestiones excluyentes que constituían el cuestionario del proceso. Deducir de ahí una actitud heroica o de resistencia sería de nuevo la aplicación de un malentendido cultural, que paradójicamente sería del mismo orden que llevó a don Carlos a su condena y ejecución.

Don Carlos Ometochtzin fue ejecutado el 20 de noviembre de 1539. Se afirma que antes de morir amonestó a los asistentes para que vivieran cristianamente. Si se admite esta información como un hecho histórico se estaría de nuevo ante otro giro sorprendente en su conducta. Si lo único que pretendía era explicar su conducta creyendo que no estaba en conflicto con el orden reinante es evidente que fracasó. Quizá el sentido verdadero de sus respuestas se pueda encontrar de una manera más precisa en la conducta de los nobles indígenas de generaciones posteriores a la suya: Rodríguez Camargo, Tezozómoc Alvarado, Fernando de Alva Ixtlilxóchitl. Todos ellos confeccionan largos textos fundamentalmente destinados a dejar constancia del puesto relevante que ocupa cada una de sus familias. Está claro que un objetivo primordial en la mayor parte de los casos era conseguir un reconocimiento oficial de su estatus privilegiado y una confirmación de sus posesiones. Para ello recrean por escrito la memoria de sus antepasados, pero mas allá de las intenciones más o menos transparentes de esa actuación se puede percibir un gran esfuerzo, en muchos de ellos, por conciliar el legado cultural de los antepasados con las realidades del presente cristiano.

Es posible que Carlos Ometochtzin Chichimecatecotl, cacique de Texcoco intentara algo parecido pero la tarea era demasiado difícil en ese momento y su fracaso le llevó al patíbulo. Sus sucesores aprendieron la lección.

El marco de convivencia social creado por el nuevo poder por debajo de una apariencia de armonía y de orden produjo una serie de desencuentros a varios niveles. La defensa de los indígenas por parte de los misioneros creó una especie de valla de contención ante los abusos más manifiestos, pero no logró un reconocimiento pleno de la población autóctona que permitiera a ésta una actuación adecuada en todos los campos del ámbito público.

El estudio de las actas del proceso inquisitorial contra don Carlos, como casi siempre en los casos de un enfoque micro-histórico, deja un resultado que se manifiesta como insuficiente para el tipo de preguntas generales esbozadas en el primer apartado de este trabajo. Pero esta insuficiencia viene de la complejidad de los fenómenos concretos y tiene a su vez la virtud de dejar muchos caminos abiertos y de cuestionar esquemas demasiado simplistas.

BIBLIOGRAFÍA

ANDERSON, Benedict (1991): *Imagined Communities*. London: Verso Books.
CLENDINNEN, Inga (2003): *Ambivalent Conquests. Maya and Spaniards in Yucatan 1517-1570*. Cambridge: Cambridge University Press.
GARCÍA CANCLINI, Néstor (1989): *Culturas híbridas. Estrategias para entrar y salir de la modernidad*. México: Grijalbo.
GONZÁLEZ RODRÍGUEZ, Jaime (2001): *Carlos V y la cultura de Nueva España*. Madrid: Editorial Complutense.
GREENLEAF, Richard E. (1961): *Zumárraga and the Mexican Inquisition*. Washington DC: Academy of American Franciscan History.
HARRIS, Max (1992): "Disguised reconciliations: indigenous voices in early franciscan missionary drama in Mexico", en *Radical History Review* 53, pp. 13-25.
HOBSBAWM, Eric (1992): *Nations and Nationalism since 1780*. Cambridge: Cambridge University Press.

IBÁÑEZ, Yolanda Mariel de (1979): *El tribunal de la Inquisición en México siglo XVI*. México: UNAM.

KARTTUNEN, Frances (1989): *Between Worlds, Interpreters, Guides and Survivors*. New Brunswick: Rutgers University Press.

KELLOGG, Susan (1992): "Hegemony out of conquest: the first two centuries of Spanish rule on Central Mexico", en *Radical History Review* 3, pp. 27-66.

KRISTAL, Efrain (1994): "The degree zero of Spanish American cultural history and the role of native populations in the formation of pre-independence national pasts", en *Poetics Today* 15.4, pp. 587-604.

LEÓN-PORTILLA, Miguel (1980): *La visión de los vencidos*. México: UNAM.

LOCKHART, James M. (1992): *The Nahuas after the Conquest. A Social and Cultural History of the Indians of Central Mexico, Sixteenth Through Eighteenth Centuries*. Stanford: Stanford University Press.

— (2003): *Of things of the Indies. Essays old and new in early Latin American history*. Stanford: Stanford University Press.

Proceso inquisitorial del cacique de Tetzcoco don Carlos Ometochtzin (1980 [1910]). México: Biblioteca Enciclopédica del Estado de México.

RESTALL, Matthew (2003): *Seven Myths of Spanish Conquest*. Oxford: Oxford University Press.

SCHWARZ, Stuart (1994): *Implicit Understandings, Reporting and Reflecting the Encounters Between Europeans and other Peoples in the Early Modern Era*. Cambridge: Cambridge University Press.

VASCONCELOS, José (1966): *La raza cósmica*. Madrid: Aguilar.

WEBER, David J. (2005): *Barbarians, Spaniards and their Savages in the Age of Enlightenment*. Yale: Yale University Press.

LAS RELACIONES DE TENAMAZTLE Y PANTÉCATL: AUTORÍA MARGINAL EN XALISCO, SIGLO XVI*

Rosa H. Yáñez Rosales (Guadalajara)

PRESENTACIÓN

En este trabajo se abordan textos de dos personajes indígenas que se manifiestan desde la alteridad. Conocemos sus relaciones debido a que junto, a su nombre, aparece el de un fraile, Bartolomé de las Casas´en el caso de Tenamaztle, Antonio Tello en el de Pantécatl. Tal vez no los conoceríamos de otra forma. Las coincidencias entre ambos personajes son varias.

Vivieron los dos en la primera mitad del siglo XVI en territorios conocidos en la época colonial como Nueva Galicia. Así, fueron testigos de las primeras entradas hispanas a sus respectivos territorios. Recordemos, entre otros, al pariente de Hernán Cortés, Francisco Cortés de San Buenaventura, Nuño de Guzmán, Cristóbal de Oñate, renombrados por ser los primeros invasores del occidente mesoamericano.

Pertenecían los dos a la clase dirigente de su pueblo: Tenamaztle a la de Nochistlán, en el actual estado de Zacatecas; Pantécatl a la de Tzapotzingo, en el actual estado de Nayarit. Ambos fueron bautizados, incluso con el mismo nombre cristiano, el de Francisco. Los testimonios de ambos sólo se conocen en español. Pero entre ambos también hay diferencias.

Tenamaztle peleó contra los españoles en la guerra del Miztón, 1540-1542.[1] Logró huir y se mantuvo oculto por alrededor de diez años. Fue prendido y lle-

---

* Este trabajo se ha beneficiado enormemente de los comentarios y sugerencias de Ivonne del Valle, de la Universidad de Ann Arbor, Michigan, y de Daniel Barragán Trejo, de la Universidad de Guadalajara.

[1] Esta insurrección representó una amenaza seria para la estabilidad de Nueva España. Fue sofocada violentamente por Antonio de Mendoza, primer virrey de Nueva España. Muchos de los rebeldes murieron ahorcados, descuartizados, lapidados o aperreados. Otros fueron vendidos como esclavos. Después de la represión, la zona se despobló considerablemente por los desplazamientos de indígenas que Mendoza dispuso, con el fin de pulverizar el movimiento (Yáñez Rosales 2001: 79-83).

252 Rosa H. Yáñez Rosales

vado a España a fines de 1552.[2] Estuvo preso en Valladolid. Entre 1555 y 1556 se reunió un breve expediente. Después de 1556, ya no se sabe nada de él, probablemente murió en prisión. Su relación se encuentra en el expediente, acompañada de un breve escrito firmado por Bartolomé de las Casas.

Pantécatl por su parte, no participa en la guerra del Miztón. Algunas décadas después, en 1565, todavía está vivo, registrando hechos en su relación. El texto sería conocido y aprovechado por Antonio Tello, cronista de la provincia franciscana de Santiago de Xalisco. Esto, a mediados del siglo XVII, es decir, un siglo después.

La relación de Tenamaztle es breve, tanto en número de fojas[3] como en número de años. Sólo abarca los de la presencia militar hispana en la zona, es decir, desde 1530 hasta 1550, aproximadamente. Refiere la llegada de los españoles, la violencia con que se apropiaron de los territorios y la mano de obra indígenas, la desazón provocada a raíz de las exigencias de los encomenderos españoles. Pide se le permita regresar. A cambio, ofrece mediar entre los grupos insurrectos en la zona y 'traerlos de paz'.

La relación de Pantécatl, lo que se puede extraer de la *Crónica* de Antonio Tello, abarca desde la época prehispánica, desde que los tecozquines llegaron a la zona de Tepic y Aztatlán. Esboza el culto que éstos le profesan a uno de sus dioses. Continúa el relato de los años de la llegada de los españoles en adelante, de 1524 hasta 1565, aproximadamente.

El objetivo de mi trabajo es identificar las voces de Tenamaztle y Pantécatl en el discurso en que se hallan inmersas, perdidas, apenas audibles. La voz de Tenamaztle, en el discurso de su expediente jurídico; la de Pantécatl, en el discurso de la crónica de provincia franciscana de Antonio Tello.

La relación de Tenamaztle

El breve expediente sobre Tenamaztle se encuentra en el Archivo General de Indias, Sevilla. Fue publicado por primera vez por Miguel León-Portilla en

---

[2] León-Portilla (1995: 21-22) cita dos documentos relacionados con la orden de su traslado, uno de agosto y otro de noviembre de 1552.

[3] El expediente en su totalidad es de 22 fojas. El escrito que se trabajará aquí tiene alrededor de ocho. Desafortunadamente, León-Portilla, como editor, no indica el paso de una foja a otra en la transcripción.

1995. Hasta ese momento, su pista se perdía en 1541, en medio de versiones distintas sobre su devenir, pues el líder indígena cae preso en manos de su encomendero, Miguel de Ibarra, y en una acción posterior, que unas fuentes narran como rescate y otras como negociación, Tenamaztle logra reincorporarse a los grupos insurrectos. Poco antes de las últimas batallas de la guerra del Miztón (Muriá 1980: 343). Como ya mencioné, en 1552 fue llevado preso a España. En Valladolid, coincide de alguna forma con Bartolomé de las Casas quien en esa ciudad y en esos años, a inicios de la década de 1550, había librado el conocido debate con Juan Ginés de Sepúlveda sobre los justos títulos de la conquista.

Lo que aquí llamo relación de Tenamaztle es el alegato que presenta en Valladolid, en julio de 1555, dirigido al Consejo de Indias y que, de acuerdo con León-Portilla, despierta una reacción jurídico-administrativa por parte del Consejo, pues desde la llegada del dirigente indígena tres años antes, no se había levantado un acta, ni orden alguna para definir su situación. El texto está en castellano, aunque se menciona en uno de los testimonios que el líder indígena estuvo acompañado de un intérprete.[4]

En el expediente no hay una acusación formal en su contra. Por un documento ajeno al expediente, localizado en la Audiencia y Cancillería Real de México, sabemos que el virrey Luis de Velasco ordenó su traslado (21-22), mas desconocemos si la orden resulta de un juicio previo. Por la forma como se desarrollan los interrogatorios (véase la nota 5) y otros escritos que integran el expediente en su conjunto, se infiere que no se le juzgó antes de que Velasco ordenara su traslado. De hecho, éste elude la responsabilidad de la decisión de enviarlo a España cuando el Consejo de Indias le pide explicar dicha acción. Todo indica que el virrey deseaba evitar enjuiciar a Tenamaztle en México, y que quería trasladar el caso judicial fuera de su jurisdicción y deshacerse de un problema, en tanto que Tenamaztle se había entregado y pertenecía a la clase dirigente de su grupo. En tal sentido, requería un trato especial, incluso la posibilidad de una negociación, posibilidad que Velasco eliminó.[5]

---

[4] León-Portilla (1995: 149). A menos que se indique de otra forma, todas las citas de este apartado proceden de esa fuente. Remito por indicación sólo a las páginas.

[5] En un primer momento Velasco aduce que fue la Audiencia de México quien decidió su traslado y que él se concretó a ejecutar la orden. Pero luego conocemos el testimonio de uno de los oidores de la Audiencia, quien dice que el virrey fue quien tomó la decisión. Por otra

Los textos presentados por Tenamaztle son tres.[6] En este trabajo me concentraré en el primero, el más extenso, fechado, como dije, en julio de 1555. En él, Tenamaztle narra la serie de agravios sufridos desde la invasión de las tropas de Nuño de Guzmán, cómo fueron repartidos los pueblos en encomiendas. Que se bautizó. Que los primeros encomenderos de la zona, Juan de Oñate, Cristóbal de Oñate y Miguel de Ibarra, iniciaron una serie de injusticias que "no pudieran ser vistas ni pensadas" (141). Que los encomenderos mandaron ahorcar a nueve señores de los pueblos porque los 'comunes' (esto es, los *macehuales*) empezaron a huir hacia los montes al no soportar los malos tratos ni poder cumplir con las exigencias de tributo de los encomenderos (141-142). Finalmente, que él también huyó (143). Después de estar escondido por años, afirma que él sólo "y de mi propia voluntad", vino a ofrecerse

> [...] al Obispo de aquella provincia para que tratase, con los españoles, que yo
> fuese con amistad y humanidad y cristiandad recebido, pues de mi grado venía a
> sufrir la desesperada vida que, a todas nuestras gentes de continuo dan; no airado, como si no hobieran pasado por mi las persecuciones y corrimientos y males
> que me han causado (143).

El obispo, cuyo nombre es omitido en el escrito –pero que por la época es Pedro Gómez de Maraver–, induce a Tenamaztle a ir a la Ciudad de México a ver al virrey Antonio de Mendoza, el mismo que reprimió la guerra del Miztón. Pero cuando están negociando esta solución, Mendoza es enviado a Perú.[7] Tenamaztle permanece con el obispo por un año, en cuyo lapso este último muere. Al querer regresar a su tierra, el nuevo virrey, Luis de Velasco, lo manda apresar y ordena su traslado a España (143-144).

Después de narrar estos agravios, Tenamaztle pide se le envíe de regreso a Xalisco. A cambio, él ofrece negociar con los grupos insurrectos de la región (son los años de la guerra chichimeca) y "traerlos de paz" (145-146). Hay

---

parte, los interrogatorios a los testigos en Valladolid enfatizan averiguar si Tenamaztle era 'señor natural' de la provincia de Xalisco, es decir, si pertenecía a la clase dirigente, esto desde "sus padres y agüelos y antepasados" (147).

[6] A su alegato sigue la petición de interrogar a dos franciscanos y a un soldado que participó en la represión de la guerra. En el tercer texto Tenamaztle responde a una información enviada por el virrey Velasco desde México. Reitera su ofrecimiento a negociar y su petición de regresar a Xalisco. Se mencionan dos escribanos: Vicente Pérez y Juan Fanega.

[7] De hecho, Mendoza murió en Lima, en 1552.

otros escritos en el mismo expediente en los que se da seguimiento a la petición. No hay conclusión sobre los trámites iniciados, no hay sentencia. Como mencioné, probablemente murió preso, en España.

Esto lo digo porque la guerra chichimeca duró toda la segunda mitad del siglo XVI. El negociador de la paz, pues en efecto se tuvo que negociar, no sería Tenamaztle, sino Miguel Caldera, un capitán hijo de madre guachichil y padre español, hacia el final del siglo XVI (Powell 1977). Si Tenamaztle hubiera sido el negociador de esa guerra, su regreso no habría pasado desapercibido: se mencionaría en los documentos. Además, el hecho de que más de diez años después de la represión de la guerra del Miztón, Tenamaztle fuera enviado preso a España, sugiere que el temor a que se diera otro levantamiento estaba presente. A pesar de sus varios años de clandestinidad, era preferible para la Corona mantenerlo preso.[8]

León-Portilla proporciona información procedente de otras fuentes que explican el contexto en que surge el breve expediente. El historiador atribuye la autoría de lo que está firmado por Tenamaztle a Bartolomé de las Casas, asevera que este último 'guió' al líder indígena a decir lo que se encuentra en los escritos. Para él, Tenamaztle sólo siente, no razona. Quien razona por él, supone, es Bartolomé de las Casas. De acuerdo con su apreciación, Tenamaztle actúa con flechas y macanas, objetos concretos. Las Casas actuaría con ideas, como son los argumentos jurídicos, filosóficos y teológicos. Por otra parte, Tenamaztle es informante de Las Casas: el fraile es quien asume la responsabilidad de dar forma a las informaciones proporcionadas por aquél (33).[9] Menciono estas afirmaciones de León-Portilla porque en la relación de Tenamaztle, su voz parece efectivamente perderse. El escrito firmado por el

---

[8] En algunos de los escritos que acompañan el expediente, se observa que Tenamaztle era respetado y seguía ejerciendo cierta influencia, tanto en Nueva España como en Nueva Galicia.

[9] La obra de Las Casas es muy amplia y, a lo largo de su vida, su postura fue radicalizándose. Al final, cuestiona del todo la presencia de las instituciones colonizadoras en América. Creo que el comentario de León-Portilla, en tanto que él no proporciona ninguna de las fuentes que pudieran reflejar la similitud entre la obra lascasiana y el texto de Tenamaztle, remite a la *Brevísima relación de la destruyción de las Indias*, por la referencia al trabajo en minas y que Nuño de Guzmán vendía esclavos para que fueran precisamente a trabajar en ellas. Sin embargo, en la *Brevísima*, Las Casas presenta un dato impreciso: atribuye a Nuño de Guzmán la primera incursión militar en los territorios de Jalisco (Las Casas 1985: 103). Como se verá más adelante, fue Francisco Cortés de San Buenaventura, pariente de Hernán Cortés, el primero en hacer una entrada militar en la región, hacia 1524.

líder indígena pareciera no pertenecerle del todo. Entonces, ¿cómo separar dos discursos que han sido fundidos en uno?

Aquí es preciso comentar lo que pudo suceder entre el fin de la guerra del Miztón y la fecha del escrito. Si bien Tenamaztle logra salir con vida de la represión de la guerra, la clandestinidad a la que tuvo que someterse por varios años, lo lleva a intentar poner fin a tal situación. Se entrega a Gómez de Maraver y éste quiere entregarlo a Mendoza. A todas luces se trata de una traición. No lo logra porque Mendoza se va. Sin embargo, Tenamaztle queda bajo la vigilancia de Gómez de Maraver, hasta la muerte del obispo.[10] Cuando quiere regresar a su tierra, lo prenden y lo mandan a España.

Así, la situación de Tenamaztle cambia radicalmente en poco tiempo: de la clandestinidad pasa a un periodo de relativa libertad, luego a prisión, luego al destierro. La maquinaria colonial ha logrado sujetarlo, diez años después del levantamiento. Una vez que se encuentra en Valladolid, es probable que haya tenido la iniciativa de negociar con tal de regresar a su tierra, de jugar con las reglas que la corona imponía. La única vía hacia ello aceptable para el Consejo de Indias es ofrecer, a cambio de que se le permita regresar a Xalisco:

> [...] traer, sin lanzas ni espadas, dándome Vuestra Alteza un obispo y cierto número de frailes, con que yo vaya de acá, y allá publique y predique lo que suelen los religiosos en las otras partes y las rectifiquen la voluntad de Su Majestad [*sic*]. Y las mercedes que les dicen hacer y les hará, la principal de las cuales es, y ésta pongo por principal condición, para yo cumplir lo que habrá, de lo que a aquellas naciones ofrezco: que Vuestra Alteza me dé carta y provisión real y seguro para allá con todas las fuerzas de privilegio justísimo que se puedan poner, que todos los pueblos y gentes que yo trajera de paz y por mi industria vinieren, sean desde luego incorporados en la Corona Real de Castilla, y que en ningún tiempo, por ninguna causa ni razón, ni necesidad, mientras ellos fueren estables en el su juro y devoción de los reyes de Castilla, jamás serán de ella sacados, ni encomen-

---

[10] Gómez de Maraver es un personaje clave en lo que se refiere a la investigación y acusación de indígenas que se rebelan contra la imposición del cristianismo. Acompañó a Mendoza en su expedición punitiva en la guerra del Miztón. Una vez sofocado el movimiento, el entonces bachiller promovió la esclavización de los indígenas vencidos (Parry 1985: 48). Luego, de 1544 a 1546, se desempeñó como deán de la catedral de Oaxaca. A él correspondió presentar el interrogatorio en contra del cacique, gobernadores y principales del pueblo de Yanhuitlán, en la Mixteca, quienes fueron acusados de reincidencia en ritos idolátricos. Véase la documentación en Sepúlveda y Herrera 1999.

dados a españoles ni particulares, ni dados en feudo, ni por otra vía alguna que pueda ser pensada (145-146).

Aunque los pueblos no serían encomendados, sí pagarían un tributo al rey:

[…] los caciques y señores naturales queden y sean en sus estados y señoríos sustentados y confirmados, y sucedan en ellos sus herederos conformemente a sus leyes y costumbres justas que tuvieren, reconociendo siempre por supremos y soberanos señores y reyes a los reyes de Castilla universales. Y en reconocimiento deste universal señorío darán cierto tributo a ellos, [los caciques y señores naturales] y los que le[s] sucedieren en los dichos estados (146).

En esta propuesta, se manifiesta la misma lógica que Las Casas exhibió en la *Brevísima relación de la destruyción de las Indias*: "Ninguno es ni puede ser llamado rebelde si primero no es súbdito" (Las Casas 1985: 96). Lo que Tenamaztle propone es primero ir con obispo y frailes a negociar, obtener de su pueblo y sus aliados el reconocimiento de los reyes de Castilla, es decir, que se sometan, con la condición de no ser repartidos en encomienda. Entonces pagarían tributo. Nuño de Guzmán sin embargo no respetó este orden. Invadió, arrasó, repartió los pueblos en encomienda a particulares, sin negociar, sin obtener consensos sobre el pago de tributos, como propuso Tenamaztle.

Si Las Casas 'guió' a Tenamaztle, siguiendo el razonamiento de León-Portilla, me parece que no fue de manera gratuita, sino con el fin de utilizar su testimonio. Recuérdese que la crítica de Las Casas a la encomienda influyó en la emisión de las Leyes Nuevas, en 1542. Una de las reformas era precisamente el fin del repartimiento en encomienda, la supresión de su perpetuidad. El ofrecimiento hecho por Tenamaztle, las condiciones a las que lo limita, convalidan uno de los argumentos lascasianos. De otra forma, no se explica que haga su denuncia con datos inexactos. Afirma que Nuño de Guzmán mandaba gente a asaltar las rancherías indígenas para tomar esclavos y luego venderlos en las minas de Nueva España (141). Guzmán efectivamente vendió esclavos, pero los mandó a Pánuco y a la Ciudad de México a trabajar como cargadores (*tamemes*) (Marín Tamayo 1992: 232-233). Es un anacronismo que los mandara a las minas, en tanto que el descubrimiento de las minas y su auge se dan sólo a partir de 1546 (Powell 1977: 26). Guzmán no fue testigo ni actor en este desarrollo.[11]

---

[11] Guzmán salió de Nueva Galicia en 1536 y murió en España, en 1544. Sí se dieron los asaltos que se dicen en la relación de Tenamaztle, pero la autoría de los mismos era de españo-

Si tratamos de imaginar cómo pudo haber sido el testimonio de Tenamaztle, por una parte debemos revisar testimonios recogidos en procesos contra otros indígenas. Por otra, imaginar su versión, sobre la base de la reconstrucción de los hechos. Por supuesto que esto sólo tiene un valor hipotético. Al revisar juicios de indígenas acusados de ser idólatras y hechiceros, observamos que el decir de quienes –igual que Tenamaztle– están presos, son señores de sus respectivos pueblos y seguramente comparten otras vivencias, difiere de lo que Tenamaztle dice en su alegato. En los procesos, el enjuiciado se concentra en defenderse de acusaciones específicas y en aclarar el sentido o la intención de lo que dijo o hizo. Su discurso es puntual.[12]

El testimonio de Tenamaztle no comparte esas características. A pesar de que el requerimiento leído a los insurrectos del Miztón, en 1541, los acusa de apostasía, el documento que exhibe la orden del traslado, en 1552, firmado por Velasco, dice que Tenamaztle:

> [...] indio capitán y principal que fue en el alzamiento y rebelión que hobo en el nuevo reino de Galicia, en Suchipila y el Miztón y en todos los demás pueblos y lugares que se alzaron y rebelaron [...] se envíe a los Reinos de Castilla [...] a Su Majestad y a los señores de su Consejo para que allá se ponga en parte do no pueda volver a estos Reinos, y vaya a costa de Su Majestad [...] (22).

Es decir, Tenamaztle es enviado a España para que no vuelva a alzar indios, esto más de una década después del levantamiento. Con todo, el líder indígena no habla del levantamiento en su alegato, sino que justifica su huida. Al identificarse ante los del Consejo, en el inicio de su escrito, la imagen asemeja la de un animal herido que instintivamente huye:

> Yo he sido enviado a estos reynos de Castilla por el Visorey de la Nueva España, don Luis de Velasco, preso y desterrado; solo, desposeído de mi estado y señorío y de mi mujer e hijos, con suma pobreza, sed y hambre y extrema necesidad, por mar y por tierra, padeciendo muchas injurias y afrentas y persecuciones de muchas personas y con otros muchos y graves trabajos y peligros de mi vida [...].

---

les convertidos en militares-colonos. Respondía a una política de la Corona de permitir las acciones de pillaje, para no invertir más en gasto militar en la zona.

[12] Las obras que recogen dichos testimonios son González Obregón (2002 [1912]) y Sepúlveda y Herrera (1999). Véase también Lienhard (2002).

Porque no ha bastado haberme hecho los españoles tantos y tan muchos y no creíbles por hombres del mundo, daños irreparables haciéndome guerras injustas crudelísimas, matándome en ellas muchos vasallos y gentes y a mis parientes y deudos y a mí corriendo, haciéndome andar huido y desterrado de mi casa y tierra y mujer e hijos, por los montes, muchos años por temor a los que insidiaban y perseguían mi vida [...] (138).

[...] viendo que inhumanamente, a los nueve caciques juntos, sin justicia, hallándolos en sus casas y tierras seguros, habían ahorcado, y muchos e innumerables de mis vasallos habían perecido, no quedando dellos de todos los vecinos de aquel reino una de ciento partes [...] acordé también huir con la poca gente que me quedaba, por salvar a ellos y a mí, como de ley natural era obligado, porque si no huyera yo también, con la misma injusticia y crueldad fuera ahorcado (143).

Hay un énfasis, apenas audible, en la situación de destierro. Con el ofrecimiento de traer de paz a los que siguen insurrectos, él pretende revertir esta situación. Así, Tenamaztle no se defiende de acusaciones de apostasía, sino que justifica haber huido, asume culpa, esto, posiblemente en términos lascasianos.

Aceptemos que Las Casas 'guió' el decir de Tenamaztle,[13] en el recorrido por los vericuetos legales, lo 'pulió' y 'depuró' de aquellos señalamientos que podrían hacer al líder indígena susceptible de ser condenado a permanecer preso en España, como Velasco deseaba. Es decir, Tenamaztle no habla de los motivos que lo llevaron a participar en la guerra del Miztón, dice que viene "no airado" ante el Consejo de Indias. Sin embargo, me parece que además de lo anterior, en el escrito hay una intención contundente de no denunciar los excesos de Mendoza y Gómez de Maraver, personajes importantísimos en la represión de la guerra del Miztón y responsables, finalmente, de la huida de Tenamaztle. El nombre de Gómez de Maraver ni siquiera se menciona en el escrito.

El caso es que el alegato firmado por Tenamaztle no encaja del todo con uno de los líderes más importantes de la guerra del Miztón. Considerando esta lucha y los testimonios de otros indígenas en situaciones similares, sorprende que su testimonio contenga datos inexactos sobre la situación en Xalisco durante las primeras décadas de la colonización. La mención contra

---

[13] De hecho, es poco probable que el texto se hubiera escrito si Tenamaztle y Las Casas no hubieran coincidido.

Nuño de Guzmán refuerza lo denunciado por Las Casas en la *Brevísima relación*, no tanto el testimonio jurídico de Tenamaztle. Entonces cabe preguntar: ¿qué mejor justificación para huir que la represión desmesurada de Mendoza después de la guerra y la esclavización de insurrectos promovida por Gómez de Maraver? ¿Tenamaztle evadió hacer acusaciones directas contra el virrey y el obispo, 'guiado' por Las Casas, para dar la imagen de alguien dócil, en concordancia con lo que promovía Las Casas, y estar en mejores condiciones de negociar su regreso a Xalisco? Retomaré estas preguntas en la parte final.

LA RELACIÓN DE PANTÉCATL

La relación o memoria de Pantécatl se encuentra citada, referida, relatada en la *Crónica Miscelánea de la Sancta Provincia de Xalisco* de fray Antonio Tello, franciscano que llegó procedente de España a los territorios de la demarcación religiosa alrededor de 1620.[14] El autor permaneció en la provincia hasta su muerte, ocurrida hacia 1654. Durante sus más de treinta años en la región, trabajó tratando de difundir el evangelio entre varios de los grupos indígenas que la habitaban.

La *Crónica* fue escrita entre 1638 y 1653, aproximadamente. Consta de seis libros, de los cuales el primero está perdido, mientras que el segundo se divide en tres volúmenes. Como se infiere fácilmente al saber que se trata de una obra muy vasta, Tello hizo una amplísima consulta de fuentes escritas y de trabajo de campo. Las fuentes que reporta son de diversa procedencia: de los jerarcas de la Iglesia católica (bulas papales, disposiciones de los obispos), de los representantes del orden colonial (cédulas reales, cartas de los virreyes, disposiciones del gobierno neogallego, autos del cabildo de Guadalajara), material de los conventos en donde estuvo (como actas de registro de sucesos de índole variada) e incluso epitafios inscritos en tumbas de personajes importantes en su obra.[15] Asimismo refiere información obtenida a través de conversaciones y entrevistas, tanto de los pueblos donde le tocó evangelizar,

---

[14] Un trabajo que se concentra en la crónica de Tello, haciendo evidente la compleja relación que mantuvo con la población indígena de la región occidente, es el de Ivonne del Valle 2001.

[15] Véanse los documentos citados a lo largo del Libro segundo, volumen III (Tello 1984).

como de la ciudad de Guadalajara.[16] En lo que respecta a fuentes indígenas, menciona la relación de Pantécatl y conversaciones con indígenas de los pueblos donde estuvo.

Tello cita sus fuentes de varias formas. Puede transcribir literalmente un documento, parafrasearlo o citar textualmente usando comillas. A veces refiere un documento o persona a través de discurso indirecto, 'dice que'. La información que este autor proporciona sobre la relación de Pantécatl es poco sistemática, escueta, sobre todo si la comparamos con otras fuentes citadas por él mismo o si la observamos a la luz de la obra de religiosos que también accedieron a relaciones de autoría indígena o a códices, prehispánicos y coloniales.[17] Hay que decir además que hay varias fojas faltantes en la obra de Tello, y que corresponden a capítulos donde, por la secuencia de la narración, se habría citado la relación indígena.[18] Veamos ahora la información que sí está registrada. El capítulo III de la *Crónica* inicia de esta manera:

> He querido poner esta relaçión [la de Pantécatl] aquí, por convenir cassi en todo lo dicho en el capitulo passado, y para que se vea y conozca su certidumbre [...]. Don Francisco Pantécatl la dejo escripta a sus hijos y descendientes por memoria, diciendo que lo que en ella refiere lo oyó decir y contar a sus antepasados y abuelos [...] (Tello 1968: 33).

En varios capítulos Tello inserta fragmentos o párrafos parafraseados que tomó de la relación de Pantécatl.[19] Esto se infiere sea porque menciona información en la que alude al señor indígena sea porque haciendo uso de referencia indirecta, cita el supuesto texto. Algunos ejemplos son:

---

[16] Véase por ejemplo en el Libro segundo, volumen III, al estar narrando los supuestos milagros del franciscano Luciano, cita a varios testigos de los hechos, como si hubiera conversado con ellos el día anterior (Tello 1984: 347-352).

[17] Por ejemplo, Fray Diego Durán [2002] consulta otra fuente, compara cuando un dato le resulta poco creíble, exhibe cierto rigor historiográfico. Camelo y Romero, los editores, señalan: "No aceptó incondicionalmente los informes que recibió. Los comprobó cotejando sus datos y expresando sus dudas y su temor de ser considerado un crédulo" (Durán 2002: 29).

[18] Las fojas faltantes o en blanco, corresponden a los capítulos III, IV, V, VI e inicios del VII; VIII, IX, X, XI, XII, XIII e inicios del XIV. Probablemente no todos estos capítulos citaban la relación indígena; en el nivel textual, sí es notoria cierta interrupción en la narración citando a Pantécatl.

[19] Esto ocurre en *Libro segundo*, vol. 1, cap. III, VII, VIII, XLV, XLIX, LIII, LIV, LVI, *Libro segundo*, vol. 2, cap. LXXX, LXXXII, CXII, *Libro segundo*, vol. 3, cap. CXCIII.

En este pueblo pues que llama don Francisco Pantécatl Otlipan, que quiere deçir en el camino [...] (Tello 1968: 216).

Pero dice [don Francisco Pantécatl] que el primer encomendero que tuvieron, se llamó Thomé Gil y que éste les puso una cruz por moxonera [...] (Tello 1968: 217).

En muy pocos párrafos Tello cita lo dicho por Pantécatl textualmente, usando comillas:

> Verdaderamente, que esto es lo que nuestros abuelos y antepasados contaban, y por lo que estos padres diçen, lo hecho de ver, porque es lo mesmo que ellos nos enseñaban, diçiendo que hay un solo dios verdadero, el qual crió todo lo visible e invisible y que tuvo madre en la tierra, de la qual naçio y está en los cielos, y cómo hay infierno para castigo de los malos, gloria y paraíso para premio de los buenos (Tello 1973: 182).

Si nos atenemos exclusivamente al contenido de la relación citado por Tello, la imagen que nos queda de Pantécatl y de su grupo es de un señor indígena afín, incluso sometido a los intereses de los conquistadores, siempre y cuando no se trate de Nuño de Guzmán. La llegada de Cortés de San Buenaventura en 1524, cuyos contingentes fueron los primeros en apropiarse en encomienda de los territorios de la zona en tiempos de Xonácatl, padre de Pantécatl, es aceptada bajo cautela, pero ante todo, resignación. Véase la siguiente cita, extensa, de la que se obtiene la imagen de un dirigente poco beligerante:

> El Catzique Xonacatl los recibió [a los representantes de Cortés de San Buenaventura] con buena gracia y, habiéndoles mandado regalar, después les envió muy contentos. Idos los embajadores, mandó juntar todos los indios nobles y señores que le estaban sujettos assi en las tierras de Acapponetta como en otras provincias, y estando todos juntos, él, como señor principal y catzique, les hizo un raçonamiento en esta manera:
>
> Hijos míos, muy amados [...]: ya sabéis por las tradiciones que hemos tenido de nuestros antepasados [...] cómo siempre hemos estado firmes en no adorar árboles, peñas, sol, luna, ni estrellas, ni diversos dioses como otras muchas naciones han hecho, y que siempre hemos creído que el Dios que nos crió y la madre de quien tomamos carne están en el cielo, y que este Dios crio todo lo universo, lo visible e invisible, asiste en el cielo con gran poder y majestad.
>
> [...] jamás ni nuestros antepasados ni otros hemos adorado a los dioses dichos ni a otro género de dioses más del que nos dice el Dios Piltzintli; y que nuestros

padres, viejos y sabios, decían que en tiempo venidero habían de venir a ocupar nuestras tierras, a asistir y morir en ellas, ciertas naciones de las partes de donde sale el sol; según esto y es a saber, han llegado estos extranjeros ya a Tepic, tan cerca de donde nosotros vivimos; parece se ha cumplido ya el tiempo que por tradición de nuestros mayores teníamos y que infaliblemente son éstos que nos envían mensajeros convidándonos con su amistad; y assí, hijos y vasallos (dixo el catzique Xonacatl)[20], lo que me parece es que sin hacerles resistencia, como hemos hecho siempre a quantos han querido sujetarnos, admitamos esta amistad con que nos envía a convidar esta gente forastera; para esto os he juntado en esta junta; yo os ruego me respondáis lo que os parece a vosotros todos los congregados (Tello 1968: 38-39).

La respuesta de los caciques fue "dar la bienvenida a los españoles". Si confrontamos lo dicho por Tello con lo registrado en la *Visitación* de 1525, texto que forma parte del pleito entre Cortés y Guzmán, escrita a lo largo de los pueblos repartidos en encomienda, la información concuerda en cuanto a no haber hecho guerra Xonácatl a Cortés de San Buenaventura, aunque la *Visitación* evidentemente no indica los posibles motivos por los que se prefirió negociar con los españoles. En lo que respecta a los dioses, Piltzintli está registrado dentro del panteón mesoamericano, pero no es el único.[21] El dios Piltzintli, unas cuántas páginas antes de esta cita, ha sido descrito por Tello como un dios niño, muy cercano al Jesús de 12 años que se extravió a sus padres y fue encontrado en el templo predicando y respondiendo preguntas:

[…] llamaron Piltzintli a aquel dios, porque siempre que le vían se les aparecía en figura de un niño que les hablaba, enseñaba, daba respuestas a sus dudas y consolaba en sus aflicciones, y les decía que supiesen y tuviesen entendido que había un Dios en el cielo de gran poder, y que este Señor había criado el cielo, sol, luna, estrellas, árboles, montes, peñas y lo visible y invisible, y que el cielo era todo de plattaa [*sic*] y había en él muchos plumajes y piedras preciosas y una Señora que jamás envejecía, y que era soberana virgen, y que de ella habían recebido carne todos los hombres; y que confiasen en este Dios y esta Señora, porque como él asistía en el cielo, sabía que les habían de ayudar siempre en sus trabajos y necesi-

---

[20] El cierre del paréntesis falta en el original.

[21] Véanse *Los diálogos de 1524*. En este texto, al hacer los interlocutores franciscanos una relación de los dioses nahuas, mencionan entre otros a 'Piltzintecuhtli' (León-Portilla 1986: 122-123).

dades, y que para que se defendiesen de sus enemigos que entraban a vencerlos y apoderarse de sus tierras les dio armas de arcos, phlechas y carcajes, con que las defendiesen y sus personas, enseñándoles el modo que habían de tener para ussar de estos instrumentos en sus guerras (Tello 1968: 34).

Teniendo a este dios por tan sabio y guerrero que incluso les dio armas, extraña mucho que quienes hasta entonces habían combatido a los que trataron de sujetarlos, decidieran lo contrario ante los invasores españoles.[22] Si seguimos la lectura del texto, nos damos cuenta luego de que en los años de la expedición de Nuño de Guzmán, aunque Pantécatl (su padre había muerto) y su gente se sentían agraviados por el español y los indios amigos que lo acompañaban, ni él ni los suyos "mataron a alguno de los [indios amigos] que se volvían, antes los consolaban, regocijaban y daban de comer, y si era español, no sólo le daban de comer, sino que viéndole desnudo, le daban mantas para que se vistiese" (Tello 1968: 175). Además, en forma contraria a la mayoría de los pueblos de la zona en 1541, Pantécatl no se une a los insurrectos en la guerra del Miztón comentada en el apartado anterior.

Con todo, este comportamiento favorable a la presencia de los españoles, repito, siempre y cuando no se trate de Nuño de Guzmán en persona, Pantécatl parece demasiado bueno para ser real. Con frecuencia se ha cuestionado la veracidad de lo que Tello afirma, debido a que confunde fechas, nombres, lugares, da credulidad a hechos que objetivamente no pueden haber ocurrido,[23] en ocasiones deja la impresión de que inventa información (Galván 1982). Considerando, aunado a lo anterior, que sólo este autor cita la relación indígena y que hasta la actualidad no se ha localizado ni original ni copia alguna, se puede pensar que la relación no existió, que este autor la inventó. Ésta es una conclusión a la que se puede llegar con relativa facilidad.

Sin embargo, si reflexionamos sobre la forma en que muchos de los autores coloniales elaboraron sus obras, si revisamos los capítulos de Tello que exhiben discurso directo e indirecto de Pantécatl o información sobre su persona y su actuar, considero poder afirmar que el texto efectivamente existió. Las bases de mi afirmación son las siguientes.

---

[22] Los motivos de esto pudieron ser que la fama de Cortés de San Buenaventura por la violencia ejercida en el área aledaña a Colima, había llegado hasta Tepic, lo que resultó o en una negociación o en una huida (Yáñez Rosales 2001: 56).

[23] Véase por ejemplo la narración sobre los gigantes de Tala (Tello 1968: 45).

En el nivel textual, si bien Tello no es sistemático para citar las obras incluidas en su *Crónica*, hay suficientes evidencias para afirmar que efectivamente consultó un texto. Las expresiones 'dice que', 'que llama' remiten a otra fuente. La redacción de obras como la de Tello se dio con la participación de informantes indígenas quienes aportaron datos de tradición oral, de pertenencia exclusiva del grupo, sobre su pasado, su tradición religiosa, su lengua. Esta información puede haber sido entregada en códices, o de manera oral.

Si bien las obras consideradas histórico-etnográficas, como las de Bernardino de Sahagún o Diego Durán, difieren de las crónicas de provincia religiosa como es la de Tello, su obra es tan vasta que concentra un amplio rango de discursos, siendo también múltiples las intenciones al elaborarla. Por ello, no es imposible que Tello haya echado mano de información de procedencia indígena en una obra que desde una perspectiva de género textual, sería digna de atributos distintos a los de las histórico-etnográficas.[24]

Para lograr un efecto de coherencia textual, tarea sumamente difícil por la amplitud de la obra, la diversidad de fuentes y las muchas funciones que la crónica cumple, Tello realiza múltiples 'operaciones' sobre sus fuentes. Esta labor, común al historiador, está totalmente presente en la forma en que se apropia de la relación de Pantécatl, la 'disecciona', y desecha lo que no le es útil.

Finalmente, en la relación de Pantécatl, las escuetas referencias a la tradición religiosa mesoamericana, manifiestan un hermanamiento, una raíz en común tanto con el mito de Quetzalcóatl, como con una narración sobre dos personajes coras, Cuaunamoa y Ceautaurit, recogida por Ortega 1732 en la región del Gran Nayar. En ambos textos, el de Pantécatl y el de Ortega, hay asimismo una coincidencia, tal vez fusión, del mito de Quetzalcóatl con el de la narración de la venida del Mesías cristiano.[25] Partiendo de que la relación de Pantécatl sí existió, lo que queda es ver el uso que el autor franciscano le dio.

---

[24] Sobre las diferencias entre una y otra véase Mignolo (1992), Rabasa (1996).

[25] Hay una semejanza más de Piltzintli con Quetzalcóatl-Huemac. Mientras que Piltzintli dejó sus pies y las manos estampados en las tierras de Ixtlaguacán-Nepantlatali […] (Tello 1968: 34), "Huemac imprimió y estampó sus manos sobre una peña, como si fuera en cera muy blanda en testimonio de que se cumpliría todo lo que les dejó dicho" (Alva Ixtlilxóchitl 1985: 8).

¿EN QUÉ CONSISTE LA AUTORÍA INDÍGENA?

El título de este trabajo apunta que tanto Tenamaztle como Pantécatl fueron autores marginales de sus respectivas relaciones. El centro de esta marginalidad lo constituyen Bartolomé de las Casas en el texto de Tenamaztle, fray Antonio Tello en el de Pantécatl. Si bien, en el caso de este último, Tello cita la relación con frecuencia. Al estar transcrita literalmente en capítulos aparte sólo de manera esporádica, nos damos cuenta de que Tello la utilizó de manera discrecional, por decir lo menos. No nos dice en qué lengua estaba, si en náhuatl, tecoxquín o en castellano. Si por estar en una lengua indígena no la cita textualmente y la traduce, o si por mantener cierta coherencia textual, decide tomar y dejar partes de la relación, en cualquiera de los dos casos, se trata de una *reescritura* del texto indígena.

Este término, reescritura, utilizado con mayor frecuencia en traductología para referirse a la reescritura que ocurre en textos traducidos, me parece útil para entender las operaciones hechas por el franciscano y el dominico sobre las relaciones de los señores indígenas.

> Toda reescritura, sea cual sea su intención, refleja cierta ideología y una poética, y como tal manipula a la literatura para que funcione de cierta manera en una sociedad determinada. Reescribir es manipular, una actividad que se lleva a cabo al servicio del poder [...] (Carbonell i Cortés 1997: 64).

Desde esta perspectiva, hay una manipulación inevitable al trasladar un texto de una cultura a otra. Tanto en la relación de Tenamaztle como en la de Pantécatl, hay *reescritura* del texto original, cualquiera que haya sido, un texto náhuatl, tecoxquín o castellano, incluso un texto oral, en el caso de Tenamaztle. Sin embargo, la reescritura hecha por uno de los frailes difiere de la hecha por el otro.

El alegato firmado por Tenamaztle es una reescritura de Las Casas, quien ha vuelto casi irreconocible la autoría del líder indígena. Independientemente de que, en aras de buscar la mejor respuesta por parte del consejo, Tenamaztle asume una postura dócil y se ofrece a mediar entre los que siguen insurrectos y la Corona, el texto no abunda en aquella información históricamente comprobable que le permita fundamentar las injusticias que se le han hecho y por las que tendría el derecho a aspirar a ser enviado de regreso a Xalisco. Considerando que sus posibilidades de éxito eran reducidísimas, dados sus antecedentes como líder de la insurrección del Miztón, que todos los responsables de sus agravios, Mendoza, Gómez de Maraver y Guzmán ya murieron, considerando también la forma como es enviado desde Nueva España, lo que restaba era denunciar la represión ejercida. En cambio, Tenamaztle, 'guiado' o 'reescrito por' Las Casas, acusa inútilmente, a Nuño de Guzmán y guarda silencio sobre los hechos de Mendoza y Gómez de Maraver, tan atroces y tan condenables como los de Guzmán.[26] Aunque ha sido perseguido, asume culpa en la huida, se queja del clima de España, de que está sin su mujer y sin sus hijos.

Las Casas incrusta sentimentalismo en el alegato, estrategia que es común en textos del dominico, porque la versión del líder, cualquiera que haya sido, es una experiencia, un conocimiento 'sometido'. Se trata de "una serie de saberes que estaban descalificados como saberes no conceptuales, como saberes insuficientemente elaborados: saberes ingenuos, saberes jerárquicamente inferiores, por debajo del nivel de conocimiento o de la cientificidad exigidos" (Foucault 2000: 21).[27] Podríamos agregar, por debajo del nivel de eficacia. Por otra parte, Tello, como cronista de su provincia religiosa, ha hecho labores similares a las de un historiador. Michel de Certeau afirma:

> En historia, todo comienza con el gesto de poner aparte, de reunir, de convertir en 'documentos' algunos objetos [no necesariamente textos] repartidos de otro modo. Esta nueva repartición cultural es el primer trabajo [...], consiste en *producir* los documentos por el hecho de recopiar, transcribir o fotografiar dichos objetos cambiando a la vez su lugar y su condición [...], consiste en 'aislar' un cuerpo, como se hace en física, y en 'desnaturalizar' las cosas para convertirlas en piezas que llenan las lagunas de un conjunto establecido *a priori*. Forma la 'colección', convierte las cosas en un 'sistema marginal' [...]; las destierra de la práctica

---

[26] Como ya han dicho otros estudiosos, Las Casas estaba en contra de las 'formas' de la conquista y colonización, no en contra de la institución colonial en sí. En tal sentido, no acusar al virrey ni al obispo está en concordancia con la postura del dominico: uno y otro representaban el orden colonial. Véanse las varias reflexiones que sobre la obra de Las Casas presenta Rabasa 2000. Estuvo en contra del colonialismo sólo hacia el final de su vida, en la década de 1560 (véase la nota 9).

[27] León-Portilla observa esto sin cuestionarlo. La imagen que nos queda de Tenamaztle es de alguien demasiado 'rústico', apenas instintivo, incapaz de razonar, que no tiene una voz propia que sea llevada a los escritos. Es la de Fray Bartolomé la que se escucha, considerada más fuerte, más audible, más 'apegada a derecho'.

para convertirlas en objetos 'abstractos' de un saber. Lejos de aceptar los 'datos', él mismo los forma (De Certeau 1999: 85-86, cursivas y comillas originales).

Tello, en gran medida, hace lo que describe De Certeau: al reescribir la relación de Pantécatl, la 'aísla', la 'desnaturaliza', en tanto que la relación es despojada de sus atributos de memoria colectiva de un pueblo y de todas aquellas características que podríamos imaginar tuvo en su original. La ha reescrito y en tal sentido la ha orientado hacia lo que a él le interesa 'cronicar', 'relatar', esto es, hacer creer a sus lectores, los superiores de su orden, que los españoles, excluyendo a Guzmán, fueron bienvenidos por algunos de los pueblos de la región. Aunque este hecho carece de veracidad, coadyuva a legitimar la presencia de los franciscanos en la zona.

Para concluir, parece apropiado hablar de 'palimpsestos'. La relación de Tenamaztle emite parcialmente la versión del líder indígena; retiene entre las raspaduras y borrones, trazos suyos que van mucho más allá del sentimentalismo que su alegato puede inspirar. La relación de Pantécatl por su parte, también conserva rastros de la historia de un pueblo y su sistema de creencias, más allá de la idea de monoteísmo, de la imagen de afinidad con los españoles que pretende proyectar.

De momento, Tenamaztle y Pantecatl parecen los lados opuestos de una misma moneda. Tenamaztle se levantó en armas, se rebeló, cayó preso y fue desterrado. Pantécatl por su parte, no ofreció pelea, negoció, se mantuvo al margen, intuía que era una lucha perdida. Si alguna vez se encuentra la primera versión de los palimpsestos, independientemente de que confirmen o no lo que los frailes reescribieron, la voz de sus autores y sus respectivos pueblos por fin será nítida, audible.

BIBLIOGRAFÍA

Textos comentados

LEÓN-PORTILLA, Miguel (1995): *La flecha en el blanco. Francisco Tenamaztle y Bartolomé de las Casas en lucha por los derechos de los indígenas 1541-1556.* Guadalajara/México: El Colegio de Jalisco/Diana.

TELLO, Fray Antonio (1968-1984 [ca. 1638-1652]): *Crónica Miscelánea de la Sancta Provincia de Xalisco. Libro Segundo,* 3 vols. Guadalajara: Gobierno del Estado de Jalisco/Universidad de Guadalajara/IJAH/INAH.

Otras fuentes

ALVA IXTLILXÓCHITL, Fernando (1985 [ca 1610–1640]): *Obras históricas. Historia de la nación chichimeca*, edición de Edmundo O'Gorman. México: UNAM.

DURÁN, Diego, OP (2002 [ca. 1577-1581]): *Historia de las Indias de Nueva España e Islas de Tierra Firme*, estudio preliminar de Rosa Camelo y José Rubén Romero. México: Conaculta.

GONZÁLEZ OBREGÓN, Luis (2002 [1912]): *Procesos de indios idólatras y hechiceros*, edición facsimilar y presentación de Stella María González Cícero. México: AGN.

LAS CASAS, Bartolomé de, OP (1985 [ca. 1540–1566]): *Obra indigenista*, edición de José Alcina Franch. Madrid: Alianza.

LEÓN-PORTILLA, Miguel (ed.) (1986): *Los diálogos de 1524 según el texto de fray Bernardino de Sahagún y sus colaboradores indígenas*, edición facsimilar del manuscrito original. México: UNAM/Fundación de Investigaciones Sociales.

ORTEGA, José, SJ (1732): *Confessionario manual que en la lengua cora dispuso [...]*. México: por los Herederos de la Viuda de Francisco Rodríguez Lupercio, en la Puente de Palacio.

SAHAGÚN, Fray Bernardino de, OFM (1988 [1577]): *Historia general de las cosas de Nueva España*, edición de Alfredo López Austin y Josefina García Quintana. México: Conaculta/Alianza.

SEPÚLVEDA Y HERRERA, María Teresa (ed.) (1999): *Procesos por idolatría al cacique, gobernadores y sacerdotes de Yanhuitlán, 1544-1546*. México: INAH.

"Visitación que se hizo en la conquista donde fue por capitán Francisco Cortés [1525]", en "Nuño de Guzmán contra Hernán Cortés. Sobre los descubrimientos y conquistas de Jalisco y Tepic, 1531", *Boletín del Archivo General de la Nación* 8.4 [octubre-diciembre 1937], pp. 556-572.

Estudios

CARBONELL I CORTÉS, Ovidio (1997): *Traducir al otro. Traducción, exotismo, poscolonialismo*. Cuenca: Universidad de Castilla-La Mancha.

CERTEAU, Michel de (1999 [1978]): *La escritura de la historia*, traducción de Jorge López Moctezuma. México: Universidad Iberoamericana.

FOUCAULT, Michel (2000 [1997]): *Defender la sociedad*, traducción de Horacio Pons. México: Fondo de Cultura Económica.

GALVÁN, Cándido (1982): "Tello, mito e historia en su 'Crónica Miscelánea'", en *Lecturas históricas de Jalisco. Antes de la Independencia*. Guadalajara: Gobierno del Estado de Jalisco, vol. 2, pp. 155-172.

GARZA CUARÓN, Beatriz/BAUDOT, Georges (eds.) (1996): *Historia de la literatura mexicana. Las literaturas amerindias de México y la literatura en español del siglo XVI.* vol. 1. México: Fondo de Cultura Económica/UNAM.

LIENHARD, Martín (2002): "Los indios novohispanos y la primera Inquisición: el juicio contra Don Carlos Chichimecatecuhtli, principal de Texcoco (1539)", en Masera 2002, pp. 191-210.

MADRIGAL, Luis Íñigo (ed.) (1992): *Historia de la literatura hispanoamericana. Época Colonial.* Madrid: Cátedra.

MARÍN TAMAYO, Fausto (1992): *Nuño de Guzmán.* México: Siglo XXI.

MASERA, Mariana (ed.) (2002): *La otra Nueva España. La palabra marginada en la Colonia.* México/Barcelona: UNAM/Azul.

MIGNOLO, Walter (1992): "Cartas, crónicas y relaciones del descubrimiento y la conquista", en Madrigal 1992, pp. 57-116.

MURIÁ, José María (ed.) (1980): *Historia de Jalisco*, vol. 1. Guadalajara: Gobierno del Estado de Jalisco.

PARRY, John (1985 [1948]): *The Audiencia of New Galicia in the Sixteenth Century. A Study in Spanish Colonial Government.* Westport: Greenwood.

PASTRANA FLORES, Miguel (2004): *Historias de la conquista. Aspectos de la historiografía de tradición náhuatl.* México: UNAM.

POWELL, Phillip W. (1977): *La guerra chichimeca, 1550-1600*, traducción de Juan José Utrilla. México: Fondo de Cultura Económica.

RABASA, José (1996): "Crónicas religiosas del siglo XVI", en Garza Cuarón/Baudot 1996, pp. 321-350.

— (2000): *Writing Violence on the Northern Frontier. The Historiography of Sixteenth-century New Mexico and Florida and the Legacy of Conquest.* Durham/London: Duke University Press.

VALLE WIARCO, Ivonne del (2001): *El discurso sobre "el otro" en la Crónica Miscelánea [...] de fray Antonio Tello.* Guadalajara: Universidad de Guadalajara.

YÁÑEZ ROSALES, Rosa H. (2001): *Rostro, palabra y memoria indígenas. El occidente de México, 1524-1816.* México: CIESAS/INI.

LA FRONTERA RELIGIOSA: EL CONTACTO DE LOS HUICHOLES CON LA CULTURA OCCIDENTAL A TRAVÉS DEL ANÁLISIS DIACRÓNICO DE LOS PRÉSTAMOS LÉXICOS DESDE EL SIGLO XVI

José Luis Iturrioz Leza (Guadalajara)

1. EL TERRITORIO HUICHOL, RUMBOS Y FRONTERAS

El territorio de los huicholes está hoy repartido entre cuatro estados federados y al menos otros tantos municipios. Se halla principalmente al norte de Jalisco y en la parte oriental de Nayarit, pero se extiende al sur de Durango y Zacatecas. Antes de la conquista, en la mitad norte de México muchos pueblos no eran todavía sedentarios. No había territorios delimitados y la movilidad poblacional era considerable. Los huicholes no tienen una palabra propia para frontera territorial. Con seguridad sembraban cerca de la costa antes de que se vieran obligados a replegarse para protegerse del avance de los colonos europeos, y realizaban libremente sus cacerías por las montañas escalonadas.

Para el territorio habitacional hay que distinguir varios horizontes históricos ya que se ha venido reduciendo por sucesivas invasiones desde la conquista. Hacia el este se desplazan en peregrinaciones religiosas, que antes podían durar meses, para recolectar el peyote y raíces de las que extraen la pintura ritual. El territorio religioso sigue teniendo un horizonte abierto con cinco direcciones, una de ellas el centro móvil, el lugar donde se encuentra el chamán celebrando el rito y entonando el canto, en general el *tuki* o templo mayor de cada una de las cinco comunidades en que se divide el espacio habitacional. Los lugares sagrados representan lugares donde moran linajes de antepasados divinizados, los rumbos de sus desplazamientos con fines religiosos. Los huicholes dicen 'auxuwimexia tepiteniniere (miramos en cinco direcciones) para expresar que distinguen cinco orientaciones o rumbos. Hauxa Manaka se ubica al sur de Durango; Wirikuta, en San Luis Potosí; Waxiewe, en la costa cerca de San Blas; Xapawiyeme, en el lago de Chapala. Desde cualquier lugar externo donde se encuentren, el centro representa otra dirección, la del regreso hacia la confluencia de las otras cuatro.

Entre los pocos documentos civiles que se han podido rescatar figura un acuerdo con la autoridad virreinal, firmado en 1725, para acordonar el territorio de la comunidad oriental de Tateikie mediante una cadena de mojoneras, protegiéndolo así del avance de los colonizadores. Esta frontera material era vigilada por las autoridades militares coloniales a petición de los propios huicholes y es parte esencial de su celosa defensa de la integridad territorial. Las mojoneras, designadas con el préstamo *mukuneru*, fijaron un límite que debía frenar la presión externa, permitía restringir y controlar la libertad de movimientos de los extraños, dar sustento legal a la reclamación de tierras invadidas, filtrar y seleccionar las influencias. El acordonamiento de 1725 no consiguió impedir por completo la invasión y progresiva reducción del territorio, que en la actualidad ha quedado reducido por el lado occidental hasta una línea que corre paralela a la frontera original.

Desde la época colonial la frontera del territorio huichol es una frontera permeable. Por ella se filtran influencias de todos los dominios culturales, incluidos el lingüístico y el religioso, pero de manera controlada. Las personas pasan con frecuencia de un lado a otro, muchos huicholes van a trabajar temporalmente a la costa, levantando cosechas y tienen lugar constantes peregrinaciones a los lugares sagrados repartidos por la geografía mexicana.

Esta frontera era sobrepasada hacia el interior por un camino real que conduce desde Hapuripa (Huejuquilla el Alto) al noreste hasta el fondo legal, un amplio recinto demarcado y reservado por la autoridad colonial en el centro de la comunidad más occidental de Tateikie para sus instalaciones civiles, militares y religiosas. Este fondo legal también fue acordonado, formando una frontera interna que significaba una delimitación de las funciones de las autoridades virreinales y una reducción de su influencia.

Los huicholes han utilizado hábilmente estas fronteras como membranas que filtran los intercambios culturales para preservar su identidad.

2. La frontera cultural

Hasta finales del siglo XIX, los huicholes y su lengua casi no tienen historia documentada. Las crónicas de la época colonial hacen menciones escasas y poco informativas sobre las tribus del occidente de México y sus contactos con la cultura dominante: los perfiles étnicos son muy borrosos y ni siquiera el nombre de la etnia lo reproducen con fidelidad. Casi todas las crónicas se basan en reportes de misioneros sobre sus incursiones en la Sierra Madre para combatir lo que ellos denominaban idolatría y tratar de modificar las costumbres de los indígenas organizándolos en aldeas de indios (Tello 1624, Rojas 1993). Otros estudios basados en la arqueología arrojan pobres resultados (Weigand 2002).

Para la reconstrucción de la historia reciente de los huicholes resultan mucho más productivos el análisis de sus instituciones sociales, del sistema de fiestas, de sus sistemas de producción, de la onomástica personal y la toponimia, así como del vocabulario que han tomado del español en diversos dominios culturales y etapas de la historia. Un minucioso análisis diacrónico en los niveles fonológico, gramatical, semántico y pragmático de los préstamos ha proporcionado datos muy valiosos sobre las diversas etapas de los contactos, datos no contaminados por los juicios valorativos tendenciosos de los cronistas oficiales. Este análisis nos permite rastrear los contactos hasta la primera etapa de la colonización.

La religión huichola ha logrado sobrevivir a los embates de las misiones a través de cinco siglos gracias a diversos factores, el principal de los cuales no es el aislamiento, en contra de lo que se suele presumir, sino la habilidad de este pueblo para negociar y pactar la convivencia con los vecinos, su actitud de distanciamiento respetuoso hacia la religión cristiana y la cultura española o mestiza así como su capacidad de integrar elementos nuevos asimilándolos a sus esquemas tradicionales.

Como resultado de los contactos seculares, en la cultura huichola conviven dos sistemas onomásticos, dos tipos de indumentaria, dos sistemas de autoridad, dos lenguas y dos religiones, separados por fronteras invisibles que hasta la fecha han evitado la fusión y la sustitución de los sistemas antiguos por los nuevos. Los principios que rigen la convivencia parecen ser los mismos en todos los dominios, incluido el territorial. En los intercambios culturales, y en especial religiosos, de los huicholes con el entorno colonial ha predominado hasta la fecha la convivencia basada en un distanciamiento respetuoso, complementada con una integración selectiva de elementos culturales ajenos mediante la aplicación prudente del principio de asimilación.

3. LA RELIGIÓN Y LA MEMORIA HISTÓRICA

Como el día, el año ritual se divide en dos partes: *tikari* (la noche) y *tukari* (el día). La separación de estas dos estaciones tiene que ver con el sol y la lluvia. *Tikari* es la estación de la lluvia, cuando el cielo está nublado y el sol desaparece entre los meses de junio y septiembre. *Tukari* es la estación de la seca, cuando el sol luce radiante desde octubre hasta junio del año siguiente. Con la siembra del maíz al principio del temporal de lluvia, la vida regresa en forma de semillas al origen en la oscuridad del vientre de la madre tierra; es la época de las divinidades femeninas de la lluvia, que representan la fertilidad, el renacimiento. Las divinidades de esta época, llamadas Tateteima (Nuestras Madres) y también Tïkarite (divinidades de la noche), recrean a los seres humanos a partir del maíz. En la época de la luz se realiza la peregrinación a los lugares sagrados, principalmente Wirikuta en San Luis Potosí, y la cacería del venado, conmemorando a las divinidades masculinas relacionadas con la recolección y la cacería.

Si el día es un símbolo del ciclo anual, éste simboliza la historia de la etnia, dividida en dos partes: *tïkari* (la noche) es asociada a lo ancestral, original, primigenio, es la época de los antepasados fundadores, las semillas que deben nuevamente germinar en las personas actuales. Sus enseñanzas y acciones son la base y el modelo a seguir. El día es la época de la vida nómada de los cazadores y recolectores, reinterpretada en el ritual como una marcha en busca del territorio adecuado para sembrar y hacerse sedentarios. En este marco se inserta la última etapa de su historia, que comienza con la salida del mar de los antepasados y su ascenso escalonado a Wirikuta, donde el sol salió por la cima de Cerro Quemado, trayendo la luz.

Si el año es un símbolo de lo que ocurre en el plano histórico, en otra vuelta de la espiral semiótica la historia de la etnia se transforma en símbolo de la cosmogonía. La historia de la etnia adquiere perfiles cosmogónicos a través de la personificación de los agentes naturales. Nuestro Padre el Sol (Tayeu, Tawexikïa), 'Nuestro Creador' (Tawewiekame) representa en el plano histórico la salida de la oscuridad de los antepasados, que eran como animales y vivían en cuevas.

Dentro de este esquema, la última gran etapa de su historia, la de la colonización europea, se inserta en la parte correspondiente al día. De los rayos del sol, que son como las ideas que brotan de su cabeza, nace el nuevo orden social representado por la mesa de las autoridades coloniales: *tatuwani* (gobernador), *tsaraketi* (sargento), *kapitani* (capitán), *hariwatsini* (alguacil), *tupiri* (topil). Las autoridades coloniales son reconocidas como tales, aunque se legitiman derivándolas de divinidades huicholas. Al llegar la noche del ciclo anual, al comienzo del temporal de lluvias, se voltea la mesa de las autoridades, lo que simboliza la suspensión de la autoridad civil colonial y las actividades relacionadas con la cultura mestiza. El aislamiento provocado por

CUADRO 1
La noche y el día en la espiral del tiempo

tukari

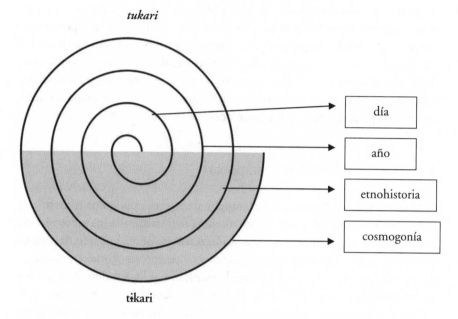

	día
	año
	etnohistoria
	cosmogonía

tɨkari

el temporal propicia el regreso a la cultura tradicional, protegidos de la mirada inquisidora de los curas y las autoridades españolas.

La Semana Santa coincide con el parteaguas o la bisagra de este ciclo anual, donde se produce la transición de las actividades del día, entre las que se cuentan las relacionadas con la cultura europea, a las actividades de la noche ligadas a la tradición propia. A la Semana Santa se la llama con el término huichol *weiyá*, que significa 'cazar' y designa la cacería del venado que sigue a la peregrinación a Wirikuta y precede a la Semana Santa. Ambas actividades son de preparación para la noche ritual y representan dos fases o etapas históricas previas a la cultura del maíz. La noche es a su vez la condición para el renacimiento de la luz, como la germinación de las semillas bajo la tierra es condición para que la planta de maíz crezca buscando la luz del sol y el ser humano alcance la sabiduría. El simbolismo de la Semana Santa en que se conmemora la muerte de Jesús, seguida de una larga noche hasta la Resurrección, se asimila al simbolismo religioso tradicional, donde la noche simboliza la vuelta a las raíces, a la oscuridad del inframundo en que germinan las semillas de las que renacerá una nueva forma de vida, la vida proporcionada por el alimento que hizo sedentarios a los pueblos mesoamericanos: el maíz.[1]

El tiempo mesoamericano no es lineal, sino que transcurre en un movimiento espiral ascendente. Cada día es un giro circular que se superpone al anterior añadiendo nuevos acontecimientos, y así ocurre con los años, los ciclos históricos y los cósmicos. En el ciclo ritual el día abarca eventos tan diferentes como la recolección, la cacería y el sistema colonial de autoridades y organización social, en niveles superpuestos. No es que la etapa colonial siga a la etapa de la cacería, ambas se desarrollan superpuestas durante el día.

4. Un juego de espejos: los préstamos

Para reconstruir la historia de la lengua y de la etnia podemos recurrir a la lingüística diacrónica. La manera en que una lengua asimila los préstamos de otra lengua puede proporcionar datos interesantes sobre el pasado de ambas, sobre todo si son alternativamente donantes y receptoras, como en un juego de espejos, ya que cada lengua refleja la estructura y los cambios que se operan a través del tiempo en la otra. Del análisis diacrónico –fonológico, morfológico, semántico y pragmático– de los préstamos podemos obtener datos muy valiosos no sólo sobre la historia de los contactos entre las dos lenguas, el huichol y el español, sino también de los contactos materiales y culturales en dominios como la ganadería, la agricultura, la tecnología, la vestimenta, la toponimia, la onomástica y la religión.[2]

4.1. *Primera etapa*

A principios del siglo XVII los colonos españoles dominaban ya el occidente de Nueva España, bautizado como Nueva Galicia, habían fundado numerosas ciudades y pueblos, organizando el territorio y la economía a imagen y semejanza de España. La ganadería se había expandido tanto que rebasaba la capacidad de control de la escasa población blanca o mestiza. Muchos anima-

---

[1] Más detalles sobre el simbolismo religioso de los huicholes en Iturrioz (1995a).

[2] La relación entre las dos lenguas ha sido muy asimétrica. El único préstamo identificado del huichol al español es el etnónimo *huichol*, que se remonta a *wisali*, véase Iturrioz (2004a).

les escapaban a las zonas no controladas y se volvían salvajes. Entre las primeras palabras del español que los huicholes debieron aprender figura *cimarrón*, un término que se aplicaba a los animales domésticos que huían y se hacían montaraces y que después se extendió a los esclavos que se refugiaban en los montes y lugares poco accesibles buscando la libertad. La palabra quedó asimilada al huichol como *tsimaruni*, lo que proporciona dos pistas fonológicas muy valiosas para la reconstrucción diacrónica de los contactos, una para la reconstrucción del español y otra para la reconstrucción del huichol de la primera época de la colonia. En primer lugar muestra que el huichol no tenía (todavía) una [r] múltiple, y en segundo lugar que en el español que hablaban los colonos de esta región no se había consumado todavía el proceso de asibilación de la fricativa interdental, o de su antecedente, la africada alveolar [ts].[3]

La expresión *latsuniki*, procedente de *razón*, presenta los tres mismos rasgos que *tsimaruni*: la africada dental, [ŕ > rll] y la resilabación [-n. > .ni.]. La palabra *razón* se utilizaba en la colonia para caracterizar a los europeos ('gente de razón') frente a los indios. Los huicholes la tomaron con el sentido positivo de hablar con seriedad. Con posterioridad se asimilaría a la gramática del huichol tomando la marca de instrumental, *-ki*, que traduce la preposición española *con*.

Los primeros préstamos atestiguan también la presencia de la [l] palatalizada en el español de los primeros colonos, interpretada en huichol por [l] sencilla y convertida posteriormente en español en una [i] consonántica. Por otra parte, el sistema fonológico del huichol, que carecía y carece todavía hoy de consonantes oclusivas sonoras, sustituía la /b/ del español por la semiconsonante /w/ o por /p/, según los entornos.

Reglas de la primera etapa

Podemos asignar a esta primera etapa de los contactos un grupo de préstamos asimilados de acuerdo a las siguientes reglas:

---

[3] Si la palabra hubiera sido tomada más tarde, tendríamos hoy [ŕimaŕuni], [řimařuni], [simasuni], según los dialectos y variantes diafásicas. Véase nota 4.

1 f̃ > r⁴

El primer rasgo es la sustitución de la vibrante múltiple del español por la vibrante sencilla. En huichol no existía en esa época todavía una vibrante múltiple: *cimarrón* [tsimař ́ón] > *tsimaruni*, *razón* [ř ́atsón] > *latsuni(ki̵)*, *carreta* > *kareta*, *corral* > *kuraru*, *burrito* (diminutivo de *burro*) > *puritu*.

2 ts/Θ > ts

El español tenía todavía la africada dental o una consonante interdental derivada de ella (Θ), bien diferenciada de la sibilante ápico-alveolar. La conservación de esta consonante está atestiguada por dos palabras: *cimarrón* [tsimař ́ón] > *tsimarun(i)*, *razón* [ř ́atsón] > *latsun(iki̵)*.

3 λ > l

Unas pocas palabras atestiguan que en el español de los hablantes con los que se dieron los primeros contactos no se había consumado el yeísmo, es decir el cambio de [l] palatalizada a la semiconsonante [y]. Los primeros hablantes de español asentados en torno al territorio huichol pronunciaban todavía [λ] (como la elle del español peninsular septentrional actual). Un tercer rasgo importante es por tanto el cambio de la [l] palatalizada del español por la líquida no palatalizada: al no adoptarse la palatalización en huichol, [λ] queda igualada al fonema /l|r/. Tenemos al menos tres testimonios: *sira* < *silla* [siλa] (silla de montar), *kutsir(a)* < *cuchillo* [kučiλo], *hanir(a)* < *anillo*.

4 b > w

Sustitución de la labial sonora por la semiconsonante. La oposición entre la labiodental /v/ y la labial sonora /b/ no se refleja ya en los primeros préstamos. Si es que en esta época se conservaba todavía en español, se neutralizaba automáticamente en huichol. Durante un tiempo relativamente breve, el fonema resultante de la fusión de latín /b/ y /v/ en español se convertía en huichol en fricativa bilabial [β], variante alofónica de la semiconsonante /w/. El alófono compartido por ambas lenguas era entonces la fricativa bilabial: *vacas* > *wakas*, *navaja* <navaxa> [navaša] > *nawasa*, *caballo* > *kawayu(la)*, *sábado* > *sawatu*.

---

⁴ El símbolo [ř ́] representa en este trabajo la vibrante múltiple, [ř] la vibrante múltiple asibilada, [Θ] la africada interdental, [λ] la lateral palatalizada, [β] la bilabial fricativa, [č] la africada dental palatalizada, [š] la fricativa palatal, [χ] la fricativa velar, ['] la oclusiva glotal (nota del editor).

5 š > s

La fricatica palatal [š] se interpreta por la sibilante, como en *navaja* <navaxa> [navaša] > *nawasa*, *aguijón* <aguixón> [agišón] > *hakesuni*.[5]

6 č > ts

La africada palatal se interpreta como africada dental, que en huichol debía tener ya entonces como alófono la africada palatal: *chivo* > *tsipu* o *čipu*, *chiquero* > *tsikeru* o *chikeru*.

7 d > t, g > k

Las oclusivas no labiales se desonorizan: *domingo* > *tumiku*, *sábado* > *sawatu*.

$$\begin{pmatrix} + \text{cons} & & + \text{cons} \\ + \text{oclus} & & + \text{oclus} \\ + \text{son} & > & - \text{son} \\ - \text{lab} & & - \text{lab} \end{pmatrix}$$

No podemos formular una regla general para la clase natural de las oclusivas sonoras, ya que /b/ es tratada de otra manera que las otras dos, véase regla 4. La dental y la velar, al contrario de la labial, sufren ensordecimiento. La razón puede ser que para la labial existía en huichol la semiconsonante /w/, que podía realizarse también como fricativa bilabial, es decir [β]. Para la labial, regla 4, se desprende:

$$\begin{pmatrix} + \text{cons} & & + \text{cons} \\ + \text{oclus} & & - \text{oclus} \\ + \text{son} & > & + \text{son} \\ + \text{lab} & & + \text{lab} \end{pmatrix}$$

No todos los cambios que han sufrido los préstamos, sin embargo, se deben a reglas que modifican las matrices de rasgos de algunos segmentos de la lengua donante en el momento de la transferencia. Tampoco se consumaron todos en la primera etapa.

---

[5] Punta o extremo puntiagudo del palo con que se aguija (*DRAE*).

Resilabación

Algunos cambios resultan de reglas de reestructuración silábica, que eliminan o añaden nuevos segmentos: *santo* > *satu(ri)*, *cimarrón* [tsimaɾón] > *tsimaru-ni*. Para que las palabras prestadas adquieran carta de ciudadanía en la lengua anfitriona se deben asimilar también a la estructura silábica. Como la sílaba canónica del huichol es CV, no puede haber sílabas cerradas, por lo que la [n] final de [tsimarún], [ratsún] como la [s] final de [wakas] toman la vocal homorgánica [i] para constituir una sílaba aparte: [tsimaru.ni], [ratsu.ni.(kɨ)], [waka.si].

Plural varado

Un fenómeno interesante característico de la primera etapa de los contactos es el plural varado que aparece en algunas palabras usadas por los españoles probablemente con más frecuencia en plural, como *vacas*. Los huicholes de entonces, que apenas conocían la gramática del español y aprendían palabras sueltas, interpretaron la palabra *vacas* en bloque como singular (morfológico), *wakasi*, al que luego añadirían una marca de plural en huichol: *waka(s)i-tsixi*. Es lo que ocurrió en náhuatl por ejemplo con *patox*, plural *patoxme*, de *patos*, y lo que hacen en la actualidad los periodistas de habla española al emplear el plural italiano *paparazzi* para hacer referencia a una sola persona: *un paparaz-zi indiscreto*.

Clases fonoléxicas

Uno de los cambios que tienen lugar en el léxico es la formación de clases fonoléxicas. Éstas se caracterizan por ciertas terminaciones de los significan-tes que forman clases asociadas a significados, aun cuando no de manera sis-temática y transparente. Tienen su origen en procesos fonológicos, pero son reinterpretadas como terminaciones características de grupos de préstamos. Los préstamos más antiguos pueden servir de modelo. Por ejemplo, *sira* < *silla* actúa como atractor sobre otros préstamos, que copian la terminación -*ra*. La terminación se puede volver característica de un grupo de palabras procedentes de un mismo dominio cultural, formando así una clase fonoléxica: *sira* < *silla*, *kutsira* < *cuchillo*, *hanira* < *anillo*, más tarde también *kuɾira* de *correa*.[6] El supuesto atractor, *sira*, resulta de la regla 3, mientras que en las demás ha sido modificado el *output* de las reglas 1-6 para hacerlas terminar en [-ra]. Conforme a las reglas hubieran dado *[kutsiru – haniru – kuɾeya].

La asimilación no afecta a otros préstamos de esta época como *kuraru* < *corral*, que pertenece a otro dominio cultural. En *mukuneru* < *mojonera*, préstamo del siglo XIX, se produce el proceso inverso: la terminación [-a] pasa a [-u]. De este modo, *mukuneru* forma una clase con préstamos de la misma época como *kawayu, hararu, turu*. A diferencia de lo que ocurre en *Pɨra(n)ɾiɾika* < *Francisco* –que se asimila a la terminación *-ka* frecuente en los nombres propios huicholes como *Tsaurixika, Tsitsika* etc.– el atractor en los casos precedentes es un préstamo, por lo que la terminación resulta característica de un grupo de préstamos.

Niveles y dimensiones de la adaptación

También se producen ajustes en niveles superiores de estructuración y en etapas posteriores al proceso de asimilación, inducidos no por las reglas constitutivas del sistema fonológico de la lengua receptora, sino por procesos que tienen lugar dentro del léxico o en la gramática. Una vez incorporada una palabra a la lengua, sufrirá todos los cambios diacrónicos que sucesivamente se vayan produciendo en todos los niveles de organización. La investigación de la asimilación de préstamos debe atender todos los niveles de organización de la lengua, desde la fonología al discurso, tanto en la dimensión semántica como en la pragmática:

- nivel fonológico – procesos fonémicos y silábicos
- nivel morfosintáctico – formación del plural
- nivel léxico – clases fonoléxicas
- dimensión semántica
- dimensión pragmática.

Cuanto más tiempo tiene una palabra en la lengua, más probable es que desarrolle nuevos significados integrándose en campos semánticos nuevos.

---

[6] *Kuɾira* no pertenece a esta época dado que no sustituye la vibrante múltiple por la sencilla.

Tsimaruni se emplea hoy sobre todo para caracterizar a las muchachas esquivas, hurañas que desdeñan los intentos de acercamiento de los hombres. *Kutsira* significa machete, no cuchillo, mientras que *nawaxa* abarca al chuchillo y la navaja. *Purutsa* no es cualquier bolsa, sino las bolsitas chiquitas que en forma de cinturón se ponen en torno a la cintura.[7]

Muy importante en la economía de los cambios es el componente pragmático. La asimilación de una palabra es gradual y suele desplegarse en una secuencia de formas en competencia que se ubican entre los polos de la fidelidad a la lengua original o de la asimilación total a la lengua receptora: *Cristina > Kiristina > Kiritsitina*. La aceptación varía de acuerdo a la edad, la formación, la situación y las actitudes lingüísticas de los hablantes. La forma más asimilada *Kiritsitina* es utilizada por los jóvenes que han aprendido más español con intención despectiva, ya que tienden a valorar las formas más asimiladas de los mayores como resultado de su incapacidad para articular bien el español.

Dominios léxicos

La mayoría de las palabras asignadas a la primera etapa de los contactos están relacionadas con la ganadería: los huicholes conocieron pronto especies de animales traídas por los españoles como las vacas, los burros y los caballos, tal vez primero en estado salvaje, como se desprende de la asignación de los respectivos nombres a la clase nominal en -*tsixi*,[8] característica de los animales gregarios (*puritutsixi, kawayutsixi, wakaitsixi*). Luego debieron aprender a domar, a fabricar sillas de montar, a utilizar herramientas como el machete y la navaja, a encerrar a los animales en corrales y utilizarlos para el transporte así como a guardar mercancías y utensilios en los carretones.

No tenemos indicios léxicos de que los huicholes se interesaran por la agricultura de tiro europea en esta primera etapa, ya que habían asimilado desde hacía mucho tiempo las técnicas mesoamericanas de cultivo del maíz, de más fácil aplicación en la siembra de ladera y muy ligada a sus mitos y cos-

---

[7] *Purutsa* también se llama una bolsa chiquita que se lleva colgada del cuello o los bolsos del pantalón o camisa.

[8] Sobre las clases nominales en huichol véase Iturrioz/Gómez/Ramírez de la Cruz (1986).

tumbres religiosas. No practicaban la ganadería, por lo que en este terreno pudieron aprender mucho de los españoles. Tampoco hay indicios de una penetración de la religión cristiana a pesar de todos los esfuerzos que narran las crónicas. Los primeros contactos que dejaron huella en la lengua huichola no proceden de la religión ni de la administración política y militar, sino de la cultura material, más específicamente de la ganadería.

Vigencia de las reglas y desfases

Cada regla tiene un período de vigencia que generalmente no coincide con los de las demás. Las reglas se modifican por los cambios que tienen lugar en los inventarios o en los sistemas de reglas en una de las dos lenguas en contacto. El tratamiento de la última sílaba de *kawaya* es inconsistente con la regla 3, mientras que el de la segunda es consistente con 4. Por ello, debemos admitir que la regla 4 tuvo validez durante un período más largo que la 3. La consistencia con ambas habría dado *[kawalu]. La regla 1 seguía teniendo validez cuando la 4 había perdido la suya, como lo muestra *puritu*, que conserva la bilabial oclusiva, pero pasa la vibrante a sencilla. Tomadas en una época posterior, *carretón* dio *kaŕetuni*, *burro* dio *puŕu/puřu* y *razón* dio *ŕatsuniki/řatsuniki*, porque el huichol disponía ya de una [r] múltiple resultante del rotacismo, [ŕ], con su alófono [ř], esto es una [r] barrida o asibilada.

4.2. *Reglas de la segunda etapa*

La segunda etapa se puede caracterizar por las siguientes tres reglas fonológicas que determinan la adaptación inicial de los préstamos recién tomados.

1 b > p, d > t, g > k
   Esta regla establece el ensordecimiento de las tres consonantes oclusivas sonoras:

$$\begin{pmatrix} + \text{ oclus} & & + \text{ oclus} \\ + \text{ son} & > & - \text{ son} \end{pmatrix}$$

   Se aplica de manera uniforme a toda la serie de consonantes del español, /b – d –g/, convertidas en huichol en /p – t – k/. Aunque no tenemos ningún caso de /d/, es de suponer que no hay una ruptura con respecto a la etapa anterior (regla 7, primera etapa). Hasta en época muy reciente la /b/ recibía el trata-miento propio de esta segunda etapa: *burrito* > *puritu*, *cabra* > *kapira*, *bueyes* > *puisi*, *chivo* > *tsipu*, *jabón* <xabón> [šabón] > *sapuni*, *botella* > *puteyu*, *Las Vigas* (topónimo) > *Pikasi*.

2 [λ > y] > y
La [l] palatalizada que existía todavía en el etapa anterior en español, a juzgar por las correspondencias observadas, se ha convertido ya en la semiconsonan-te [y], como lo muestra la nueva correspondencia en huichol como [+palatal]: *botella* > *puteyu*, *caballo* > *kawayu*.

3 [ts > s] > s
Tampoco en este caso hay un cambio imputable al huichol. Lo que ocurrió más bien es la desaparición en español de las africadas. Asimiladas a la sibilan-te, deben recibir en huichol la misma correspondencia: *becerro* [biseŕo] > *pise-ru*, *zapatos* [sapatos] > *sapatusi*, *Pastorcillo* (topónimo) > *Pasituriyu*.

El español meridional, de Canarias y de América, pierde en el curso del siglo XVII la oposición entre la sibilante [s] y la africada [ts], la sibilante ápico-alve-olar y la (inter)dental resultante de la africada se confunden. A este cambio en español se debe que palabras como *zapato* o *becerro* no presenten en hui-chol la africada dental –hubieran dado *[pitseru, tsapatu]–, sino una sibilan-te. Las fricativas dentales de *becerro* y *zapato* se pronuncian ahora de la misma manera que la sibilante de *santo* y tienen en huichol el mismo reflejo: *piseru*, *sapatu* como *satu*. En el sistema fonológico huichol del siglo XVIII la [s] pasa-rá a ser un alófono más del fonema /ŕ/ – también [ř], según los dialectos. Sólo *becerro* es seguro que se tomó en el XVII porque *piseru* todavía no mues-tra la [r] múltiple. Los préstamos de esta época siguen perteneciendo a la cul-tura material, sobre todo al campo de los animales domésticos. Las reglas 5 y 6 de la primera etapa siguen teniendo vigencia.

4.3. *Tercera etapa*

Hasta el primer cuarto de siglo XVIII los contactos de los huicholes con los españoles fueron más individuales que institucionales. Los huicholes fueron 'pacificados' en la primera mitad de este siglo, y a partir de entonces comen-zaron los intentos sistemáticos de evangelización y de organización en aldeas de indios bajo un sistema de cargos y autoridades inspirados en los estamentos militar y religioso de los colonos españoles. Los contactos de los huicholes con la población blanca o mestiza eran ya más regulares que esporádicos en varios frentes de convivencia directa. Como estaba prohibida la emigración de mujeres a América, debía haber ya una población mestiza que garantizaba la comunicación y los intercambios culturales. El territorio huichol estaba rodeado de poblados mestizos y acordonado por puestos de vigilancia militar.

En 1725, poco después de la llegada de tropas españolas a la sierra huichola, como premio a la ayuda que los huicholes prestaron en la campaña de pacificación de los coras, el capitán general Marqués de Valero firma un documento titulado *Acordonamiento* donde se enlistan 75 mojoneras destinadas a delimitar y proteger el territorio de las comunidades unidas de San Andrés Cohamiata y Guadalupe Ocotán así como un área restringida en torno a la población de San Andrés declarada como fondo legal, en la cual se habían construido desde mucho antes edificios de la administración colonial y las misiones. El documento lo presentan los naturales gobernador Esteban Carrillo, alcaide Santiago Gracia y el capitán de guerra don Sebastián Carrillo en San Andrés Cohamiata (véase Iturrioz Leza/Ramírez de la Cruz/Carrillo de la Cruz 2004).

En el documento se hace referencia al amojonamiento del fondo legal que tuvo lugar ya el 1 de marzo de 1609, sobre el cual se había construido una iglesia con cementerio y donde debían existir también instalaciones militares y algún edificio para los misioneros. Al área comprendida por estas mojoneras la llaman los huicholes Tananama Wakwie (Territorio de Nuestras Madrinas) porque dentro de él se construían edificios para las divinidades cristianas que se denominan 'madrinas'. El documento no habla de apostar tropas o puestos de vigilancia, que sin duda los había, sino de una concesión "hecha a los naturales del pueblo de San Andrés Cohamiata por sus servicios en la conquistación de los de su buena obediencia los que ayudaron en todas partes a nosotros los Españoles dando sus vidas y de sus derramamientos de sangre para redimir a la gentilidad" (*Acordonamiento*). Se da a entender que algunos huicholes hasta colaboraron en la propagación de la religión cristiana. Pero pueden ser expresiones formularias que formaban parte del discurso justificativo de la conquista.

El documento da testimonio también de algunos apellidos en español, muy frecuentes en la población huichola actual, como Carrillo o Pacheco, así como de algunos cargos de la administración civil y militar desempeñados por huicholes. Una copia del documento hecha en 1933 y tipografiada en 1941 es firmada en San Andrés Cohamiata por las nuevas autoridades, presidente municipal Juan Antonio Carrillo; Julio Carrillo, gobernador de San Andrés; Lionisio Muñoz, gobernador de Guadalupe Ocotán y Gregorio Pacheco, secretario, quienes lamentan haber ignorado por 208 años la existencia del documento firmado por sus ancestros homónimos. Al ser "fieles y reales copias de sus respectivos originales" podrían haber reproducido la pronunciación de principios del XVII o de la primera mitad del XVIII, pero por tratarse de un documento oficial redactado por un secretario hablante de español (y náhuatl) al servicio de la administración colonial, los nombres españoles se escriben de acuerdo a la ortografía oficial, con excepción de *Lionisio*, que procede de *Dionisio*, pronunciación que corresponde ya a la tercera etapa, con la sustitución de la [d] inicial por la líquida [l|r]. Lo más probable es que se tratara de un huichol amestizado que hablaba tanto español como huichol.

En los nombres de lugar hay otras dos excepciones interesantes, el término *kupradia* (por *cofradía*) y la palabra *paisán* (por *faisán*). Ambos términos muestran la asimilación huichola en la sustitución de la fricativa labiodental por la oclusiva bilabial.

En esta tercera época los huicholes empiezan a ser sometidos a la administración colonial, civil, militar y religiosa, pero los préstamos de estos dominios debieron tardar bastante en penetrar en la vida cotidiana y en el vocabulario de la mayoría de la población. Es posible que una minoría de huicholes amestizados tenían nombres y apellidos en español, se vestían a la europea y ostentaban cargos públicos. La fonología diacrónica muestra que los nombres de santos entraron primero como topónimos para las fundaciones nuevas, *San Andrés > Xanatirexi, Santa Gertrudis > Ketururixi, Kofradía > Kupradia* o quedaron como designaciones de ciertas épocas del año ligadas a ceremonias de la administración civil como *Saparaxixiku < San Francisco*,[9] principios de octubre, cuando se celebra la ceremonia de reinstauración de la autoridad civil después del temporal de lluvia, simbolizada en el acto de poner nuevamente de pie la mesa de las autoridades.

---

[9] El grafema <x> de la ortografía normal del huichol tiene valor fonológico y cubre distintas realizaciones fonéticas, principalmente [r̝] y [r̝̊], [s] (nota del editor).

Reglas de la tercera etapa

La tercera etapa se caracteriza sobre todo por un cambio que se produce en huichol.

1 s > ŕ [en huichol]

Los dialectos occidentales convierten la sibilante, realizada ya anteriormente como asibilada (barrida o arrastrada, [ř]), en [ŕ], proceso conocido en la historia de otras lenguas como rotacismo.

El huichol occidental dispone así de una [ŕ], resultante del rotacismo de la sibilante. Los nuevos préstamos del español con [ŕ] se sujetan a la correspondencia [ŕ – ŕ], en lugar de la conversión [ŕ > r], propia de las etapas anteriores. El topónimo híbrido *Ratontita* revela dos cosas interesantes: la presencia de una población importante de habla náhuatl y la existencia del fonema /ŕlř/, que aparece también en otras palabras como *puřu, kaŕetuni*. La palabra *Ratontita* significa 'donde abundan los ratones' y se compone de *ratón* y de los sufijos del náhuatl *-ti* 'abundancial' y *-ta* 'locativo'. El nombre *San Andrés* ha sido ya asimilado a la estructura fonológica del huichol, quedando en la forma *Xaratⁱrexi*. En aquella época debía pronunciarse todavía [sanantⁱrés(i)] o [řanantiréř(i)].

En los dialectos orientales, [ř] es reinterpretada como un alófono de [ŕ], no de [s], como lo muestra la conversión del [ŕ] español en [ř]. En los dialectos occidentales, [ř] se mantiene como una realización alofónica marcada del fonema /ŕ/. Las palabras enlistadas a continuación podrían haber sido tomadas desde el período anterior y ser afectadas en este por las reglas características del mismo: *mesa > meřa > meŕa, sombrero > řupureru > ŕupureru, aguijón > hakeřuni > hakeŕuni, casa leal > kařariyana > kaŕariyana, sol > řuli > ŕuri, camisa > kamiřa > kamiŕa, San Lucas > řalukaři > ŕarukaⁱi, San Andrés > řanatⁱreři > ŕanatireⁱi, santo > řatu(ri) > ŕaturi, carretón > kařetuni > kaŕetuni, durazno > turařinu > turaⁱinu > turaniⁱu* (metátesis) > *turaniⁱi* (asignación a la clase fonoléxica en [-ŕi]). La palabra *laⁱunikⁱ* proviene de una época de transición entre la primera etapa y la segunda, porque en ella [ŕ] es sustituida todavía por [l|r], pero presenta /s/ debido a la desaparición de la africada en español: *razón > lasuni > lařuni > laⁱunikⁱ*. Los préstamos con /s/ que entren en huichol a partir del siglo XVIII sustituirán este fonema por [ŕ] o [ř]. A esta época se remonta *xuruku < surco*.

2 [š > χ] > k

Se consuma en español el cambio articulatorio de la fricativa palatal [š] a fricativa velar [χ]. Como consecuencia de este cambio producido en español, la conversión [š > s] de las dos etapas precedentes es sustituida por [χ > k]. Es decir, la nueva fricativa velar encuentra en la oclusiva velar del huichol su correlato más próximo, *reja* [řexa] > řeka, *naranja* > narakaři.

La palabra *reja* es tomada, junto con algunas otras del sistema de cultivo de tiro, en el siglo XIX, cuando la fricativa palatal [š] había sido sustituida ya por la fricativa velar [χ]. Como el huichol no tenía ni tiene fricativa velar, ésta es reemplazada por la oclusiva correspondiente [k], de ahí la forma [řeka] o [řeka], grafiada <xeka>. Por el contrario, en la palabra *navaja*, tomada con anterioridad, cuando se pronunciaba [navaša], la fricativa palatal fue sustituida por la sibilante, quedando en la forma *nawasa* para convertirse posteriormente en [nawařa] o [nawařa], grafiada <nawaxa>.

3 d > r |V_V

La oclusiva dental sonora es sustituida por la líquida en posición intervocálica, *espada* > 'iřipara, *Dionisio* > Lionisio, (*Santa*) *Gertrudis* > Ketururiři.

Resilabación

Los grupos consonánticos provenientes del español se disuelven mediante recomposición silábica, siguiendo varias estrategias:

i.   inserción de la vocal [i] ante la semiconsonante homorgánica [y], *leal* > [lyal] > [riyana] (la terminación en –*na* es copiada de los adverbios de lugar)

ii. repetición de la vocal de la sílaba original (eco), *San Fran.cis.co* > Sa.pa.ra.ři.ři.ko, *Ger.tru.dis* > Ke.tu.ru.ri.ři

iii. inserción de la vocal neutra (posterior no redondeada) [ɨ], *San Andrés* > Sanatɨrexi

iv. eliminación de una consonante en cauda (implosiva), generalmente nasal o líquida, en palabras plurisilábicas: *soldado* > řutaru, *santo* > řatu(ri), *San Francisco* > Sa(n)para(n)řiřiku, *Gertrudis* > Ketururiři, pero *surco* > suruku.

Cambios fonoléxicos de la tercera etapa

Se producen los siguientes cambios fonoléxicos: *řatu* > *xaturi* (con la terminación –*ri* propia de muchas palabras huicholas), *durazno* > *turařinu* > *turaniřu* (metátesis) > *turaniři* para ajustarse a la clase fonoléxica de *naranjas* > *narakaři* (a partir del plural varado), la misma a la que pertenecen <'iritunixi> y <'irimunixi>, procedentes de *listones* y *limones*, relacionados con la ceremonia del cambio de varas de mando.

Dominios léxicos de la tercera etapa

Sigue habiendo préstamos de la cultura material. La palabra *xeka* [řeka] < *reja* pudo haber entrado ya en el curso del siglo XVIII, en todo caso, después de haberse consumado en español el cambio /š/ > χ/. Tratándose de una parte del arado es poco probable que entrara antes del XIX. La presencia de los militares se refleja en algunos términos como *'iřipara* < *espada*, *řutaru* o *řutaru* < *soldado*. La administración militar no dejó una huella significativa en la lengua en las tres primeras etapas. Del dominio de la religión encontramos varios términos, pero algunos dejan de corresponder a conceptos religiosos. El término *Xaparaxixiku* se utiliza para identificar una época del año (principios de octubre) y se relaciona con la ceremonia de reinstauración de las autoridades civiles coloniales después de la noche ritual. Esta asociación del sistema colonial de autoridades con una fecha religiosa habla en todo caso de la presencia de los franciscanos en las aldeas de indios. Los nombres de santos entran como topónimos o nombres de fechas (San Francisco, San Andrés, Santa Gertrudis). La palabra *satu(ri)* < *santo* queda asociada a la figura de Cristo.

Tomadas en su conjunto, las palabras del dominio de la organización social, o sea, nombres de autoridades y de objetos relacionados con sus actividades como *mesa, sombrero, listones, limones, naranjas* y otros nos remiten a una época posterior, pero la palabra *fiscal* entró ya en la tercera etapa, como parte de otro dominio cultural, a saber el religioso. Entre los cargos que los misioneros establecieron en las aldeas de indios está el llamado *fiscal* > *piřikari*, cuya historia merece un comentario especial.

El *DRAE* registra todavía dos acepciones que vienen al caso. La primera es "persona que averigua o delata operaciones ajenas", la segunda se refiere específicamente a la historia de la conquista espiritual: "en los pueblos de indios era uno de los indígenas encargado de que los demás cumpliesen sus deberes religiosos". De este sentido se deriva el significado que la palabra tiene hoy en día en huichol: *pixikari* es el jefe de los *waikamete*, o sea, del grupo de personas que imitan las acciones de los verdaderos celebrantes de las ceremonias, pero deformándolas, malinterpretándolas, rompiendo las reglas, invirtiendo el sentido de las acciones y de las palabras. Tal vez se está haciendo burla de lo que hacían los antiguos delatores y conversos instigados por los misioneros. El nombramiento de un indígena como fiscal en las comunidades, encargado de vigilar la conducta moral y religiosa de los nativos, implica la presencia de misioneros, la existencia de conversos y una presión considerable sobre las costumbres tradicionales calificadas como 'idolatría'.

Por razones obvias, uno de los primeros nombres personales que entran en la cultura huichola es *Francisco* > *Pɨra(n)ɍiɍika*. Es una excepción, porque la época en que entran o por lo menos se asimilan muchos nombres de persona es la cuarta. El nombre estuvo probablemente restringido a los conversos y colaboradores directos de los franciscanos.

4.4. *Reglas de la cuarta etapa*

La cuarta etapa se prolonga hasta la actualidad. Se aprecian las siguientes reglas de tratamiento fonológico de los préstamos.

1 b > w, d > r, g > k

Las consonantes sonoras del español reciben un tratamiento desigual.

La /b/ es incorporada como /w/, con sus alófonos [w] y [β], como en la primera etapa: *trabajo* > tɨrawaku, *rabero* > xaweruxi.

La /d/ pasa a /r/, mientras que pasaba a [t] hasta la tercera etapa: *medida* > merira, *dulce* > ruritse, *comunidad* > kumunira, *Delia* > Reriya.

La /g/ es incorporada como /k/, invariable desde la primera etapa, *Pegro* (español estándar *Pedro*) > Pekuru, *Agrián* (español estándar *Adrián*) > 'Akɨriyan.

2 s > ts

La sibilante de los nuevos préstamos se convierte en africada, *dios* > yutsi, *bolsa* > purutsa.

3 wre > re

El grupo /wre/ se reduce a /re/, *octubre* [otuβre] > hutuwre > huture, frente a *octubre* > hutupre > hutupɨre, tratamiento propio de la etapa anterior.

4   dyV > yV

En posición inicial [dyV] se resuelve en [yV], *dios* > yus > yusi > yutsi, *diablo* > yablo > yawuru.

5   CyV > CiyV

En sílaba interior, el ataque silábico CyV se deshace mediante [i] introducida, en especial el del grupo /dyV/, resuelto en /diyV/, *adios* > hariyutsi, *diez* > riyetsi, *Delia* > Reriya.

6   gwV > wV

El grupo /gwV/ recibe un tratamiento paralelo al de /dyV/, regla 4, *alguacil* > alwasil > harɨwatsini.

7   r > f | '_.

La vibrante en posición coda de sílaba acentuada en español se sustituye por [f], *Gerardo* => Keraxitu, *Victor* [bitor] > pituxi – frente a la vibrante en posición coda de sílaba no acentuada, *barzón* > paritsunaxi, *cerveza* > seriwetsa.

8   kw > k^w

El grupo consonántico /kw/ se interpreta como la consonante velar labializada /k^w/, de manera que desde un punto de vista fonológico el grupo ha sido reducido, *escuela* > 'etsik^{w}era.

Clases fonoléxicas en la cuarta etapa

Una de las primeras clases fonoléxicas se formaba, ya en las primeras etapas, a partir del plural varado como en *wakasi* < *vacas, sapatusi* < *zapatos, Pikasi* < *vigas.* Con la resilabación y el rotacismo surge la terminación fonoléxica [-xi].[10] Dentro del sistema morfológico huichol estos préstamos son singulares. Los plurales correspondientes se forman mediante marcas de clase: *wakai-tsixi, xapatuxi-te.* A esta clase se añaden algunos préstamos en la cuarta etapa: *naranjas* > narakaxi, *limones* > 'irimunixi, *listones* > 'iritunixi, *velos* > weruxi, (día de) *To(dos) los Santos* > Turusatuxi, *clavos* > kirapuxi. No siempre la terminación [-xi] tiene su origen en un plural varado. En algunos casos la

---

[10] A partir de ahora utilizaremos el signo <x> de la escritura práctica del huichol para no especificar la variante dialectal, [f] o [f], escribiendo *pixeru, xapatu, xatsunikɨ.*

sibilante final no tiene valor morfológico en español, especialmente en nombres de persona o en los días de la semana: (*Santa*) *Gertrudis* > *Ketururixi*, *martes* > *maritixi*, *Corpus* > *kurupuxi*, *miércoles* > *mierikunixi*, *San Lucas* > *Xarukaxi*, *viernes* > *pienixi*, *San Andrés* > *Xanatɨrexi*.

Los nombres que se integran en una clase fonoléxica no necesitan compartir un rasgo semántico inherente, por ejemplo *narakaxi*, *'irimunixi*, *'iritunixi*, *weruxi*, *Turusatuxi*, *kirapuxi*, *mierikurixi*, *harɨkariti*, *tumikuti* y *xawati*. Se trata más bien de un rasgo pragmático que los asocia a un dominio de actividad. Si revisamos la lista, todas las palabras que tienen *–xi* menos las originales con plural varado, pertenecen al dominio de la administración civil colonial o al dominio religioso. Tenemos aquí un indicio más de que la administración civil y en especial la implantación de las autoridades coloniales estuvo encomendada a las órdenes religiosas. La terminación *-xi* es de carácter pragmático más que semántico. No se trata de un rasgo inherente, sino de una característica externa relacionada con la asociación práctica de dos dominios culturales. La presencia de tal rasgo se manifiesta en que, a pesar de la igualdad de condiciones fonológicas de las dos palabras siguientes, sólo la que pertenece al dominio religioso cristiano recibe la terminación *-xi*, a saber (día de) *Todos los Santos* > *To los Santos* > *Turusatuxi*, frente a *Estados Unidos* > (los) *Tausunidos* => *Tautsuniru*.

Turutsatuxi muestra también cómo la terminación *-xi* ya no está determinada fonológicamente, sino que se ha constituido en una marca fonoléxica. Mientras la [s] que ha pasado a interior en *Tolosantos* se ajusta a la correspondencia esperada para un préstamo reciente, convertida en /ts/, en el caso de la [s] final tenemos el tratamiento de las épocas precedentes. La terminación *-xi* ha sido elaborada por analogía. Interpretada como expresión de una característica pragmática de un grupo de préstamos se extendió a otras palabras de similares características que ni siquiera terminaban en [s], condición aun dada en *Tolosantos*, así *Jesucristo* > *Ketsukirituxi*. Pese a la falta de [s] original, *-xi* es parte inseparable de la palabra huichola. Ni siquiera su extensión a nombres de persona como marca de respeto (honorífico) lo convierte en un morfema independiente: *Pauraxi* es una variante honorífica de *Paura* (*Paula*). *Ruixi* (*Luis*), que ya termina en *-xi*, no admite una marca adicional de honorífico.[11]

---

[11] Este *-xi* no tiene que ver ni por su origen ni por sus características morfosintácticas con la marca de clase homónima. Las marcas de clase son marcas de plural.

Dominios léxicos de la cuarta etapa

Algunos de los préstamos de la cuarta etapa pertenecen al dominio de la vestimenta, del ornato y aseo personal: *paniyu* < *paño* 'paliacate', *weruxi* < *velos* 'pantalón', *xaweruxi* < *rabero* 'calzón', *kutuni* < cotón, *mata* < *manta* 'material para la elaboración de prendas de vestir'. La palabra *kamixa* < *camisa* designa una especie de camisón que cubría gran parte del cuerpo. El taparrabos (*xaweruxi*) debió ser la primera prenda impuesta por los frailes a los huicholes, que todavía se vestían así en la época de Lumholtz, a principios del siglo XX.

Ya vimos que en la tercera etapa son escasos los topónimos y nombres de persona de origen español. En la cuarta los topónimos y nombres de persona penetran casi en avalancha.[12] Se trata de un movimiento nuevo que no da continuidad a los escasos elementos introducidos con anterioridad, porque ocurre con independencia del dominio religioso donde tuvieron lugar los primeros préstamos. Si en la tercera etapa teníamos *Xanatɨrexi* < *San Andrés* como topónimo, *Xaparaxixiku* < *San Francisco* como nombre de una época del año, e incluso *Pɨranxixika* < *Francisco* como nombre de persona, ahora tenemos, a base de los mismos étimos, *'Antɨrexi* y *'Antɨretsi* (con dos marcas fonoléxicas diferentes) y *Pɨrantsisku* o, como despectivo, *Pɨrantsitsiku*.

Hay dos aspectos pragmáticos que destacar. En el proceso de asimilación de los nombres se dan varias formas que corresponden a diversos grados de asimilación. Las más asimiladas se sienten como despectivas, las formas son tanto más prestigiosas cuanto más se parecen al español, ya que ello pone de manifiesto la capacidad de los hablantes de pronunciar bien esta lengua. La onomástica personal es posterior a la toponimia, es decir, a los nombres de santos utilizados como topónimos, que podemos considerar como la primera forma de penetración del cristianismo en la sierra huichola. *Xaparaxixika* se remonta al siglo XVIII, mientras que *Pɨrantsisku* es la pronunciación actual.

Los dominios más importantes y novedosos de la primera parte de la cuarta etapa, además de la onomástica personal y la toponimia, son el dominio de la administración civil y la religión. Los dos están estrechamente rela-

---

[12] Sobre los nombres de persona tradicionales véase Iturrioz Leza (1995b), Pacheco Salvador/Carrillo de la Cruz/Iturrioz Leza (2002), Iturrioz Leza/Ramírez de la Cruz/Carrillo de la Cruz (2004), Iturrioz *et al.* (2007).

cionados. *Xaparaxixiku*, el día de San Francisco, se asocia a la renovación de los cargos (*mexa ta 'aurie memaɦiani 'iitsɨkáte* 'cuando las autoridades voltean la mesa'), el 4 de octubre. Recuerda esto que fueron los franciscanos quienes introdujeron el sistema colonial de cargos. Se celebra la instauración de la Mesa Fuerte en el Katsariana. De hecho, es probable que muchos de los cargos e instituciones fueran introducidos ya desde la colonia, pero no debieron formar parte de la vida de la mayoría de los huicholes hasta el siglo XX. Al no formar parte de sus prácticas discursivas, no se asimilaron a su lengua. La asimilación tiene lugar en la cuarta etapa y está todavía en proceso.

El sistema de cargos y autoridades

Desde que la administración civil llegó al territorio huichol comenzaron los intentos por suplantar la organización tradicional de los huicholes por el sistema de autoridades y cargos de cada época, pero la mayoría de los términos pertenecientes al dominio de la administración empiezan a asimilarse a la lengua en el siglo XIX. Las autoridades coloniales más importantes son *tatuwani* (gobernador), *harɨkariti* (alcalde), *kapitani* (capitán), *tsaraketi* (sargento), *harɨwatsini* (alguacil), a los que podemos añadir *kumitsariyu* (comisario; de bienes comunales), *kawiteru* (cabildero; miembro del consejo de ancianos o cabildo). A este dominio pertenecen además ciertos nombres de objetos, entre ellos frutas que se depositan como ofrenda a las autoridades entrantes en la ceremonia del cambio de varas: *'iritunixi* (listón), *'irimunixi* (limón), *narakaxi* (naranja). Los *'iritunixi* (listones) son cintas de tela que representan la guía de la vida. Se entregan sujetados a una vela ante los dioses y santos. También son utilizados para trenzar o hacer moños sobre la cabellera de las mujeres.

En la estructura fonológica de estas palabras podemos advertir que no son de origen muy antiguo: interpretan la sibilante del español por el fonema /ts/ y no por el fonema /ɬ/, /b/ por /w/. Tienden a repetir las terminaciones fonoléxicas -*ti* y -*ni* (por asimilación a *tatuwani*), pero sobre todo -*xi*. La palabra *tatuwani* no proviene directamente del náhuatl, ya que de ser así habría dado *ta.tua.ni* con [u] vocálica, núcleo de la sílaba. Llega al huichol por mediación del español, donde se pronuncia *ta.twa.ni*, y en huichol se intercala una vocal epentética como en el caso de *harɨwatsini*.

Minería

Uno de los dominios en que se produjeron contactos regulares desde el XVIII es la minería. Cerca del territorio huichol surgieron pueblos como Mezquitic o Bolaños, dedicados desde la época barroca en gran medida a la minería. Los huicholes han conservado en su memoria cultural testimonios de este capítulo de la colonización. Los metales extraídos de las minas servían para la elaboración de diversos objetos entre los que destacaban monedas y cruces. La conexión léxica entre estos dos elementos se expresa en el hecho de que las mismas monedas son llamadas 'cruces' *kuruxite*, y así se denominan también las divinidades de origen cristiano.

La religión

Las ideas centrales del diablo (*yawuru*) y de dios (*yutsi*) entraron juntas, en tiempos bastante recientes, en la cuarta etapa. Eso se desprende de la estructura fonológica de las palabras, resultante de la aplicación de las reglas 1, 2 y 4. Por el contrario, entre las palabras del dominio religioso que penetraron desde la primera etapa están *sábado* y *domingo*, que designan los días de la semana dedicados a las tareas religiosas, en los que se impartía el catecismo y se celebraban los ritos cristianos.[13] Ambas han sido asignadas a la clase fonoléxica -*ti*, a la que pertenecen también *tsaraketi* y *harɨkariti*. El resto de los nombres de los días de la semana se reparten entre las otras dos clases mencionadas: *runetsi* < *lunes*, *wewetsi* < *jueves*, *maritixi* < *martes*, *mierikuxi* < *miércoles*, *pienixi* < *viernes*.

Cristos y santos

La palabra *santo* se tomó en dos momentos diferentes. El primero corresponde a los inicios de la evangelización en el XVIII, el segundo a la segunda fase de la misma, a partir de mediados del XIX. La primera vez *santo* fue tomado durante el período de vigencia del cambio de la sibilante a vibrante múltiple,

---

[13] En la cuarta etapa *sábado* habría dado *tsawatu* o *tsawati*, *domingo* habría dado *rumiku*.

[r̃] o asibilada, es decir antes de la reestructuración fonológica producida por el rotacismo, dando como resultado *xaturi*. La segunda vez es posterior a la consumación del rotacismo, por lo que /s/ es interpretada por la africada /tˢ/, uno de cuyos alófonos es [s]. El resultado fue *satu* o *tsatu*. Como la primera vez, se produce la caída de la [n] final de sílaba. Por lo demás, la segunda forma se parece todavía mucho a la palabra del español. La primera forma quedó asimilada también fonoléxicamente al huichol con la marca -*ri*, que aparece en muchas palabras huicholas viejas como *kemari, 'itari, 'itaikari, hikuri,* etc.

También el significado de las dos formas es diferente. La palabra *xaturi* se inscribe en un marco ritual bastante arraigado relacionado sobre todo con las figuras de los dos Cristos que, si bien son reconocidos todavía como foráneos con el título de padrinos y desempeñan un papel destacado en la Semana Santa, forman ya parte de los ritos huicholes y han sido adaptados a los patrones religiosos propios: uno es mujer (*Tanana Xaturi* 'nuestra madrina') y el otro varón (*Tatata Xaturi* 'nuestro padrino'). La palabra *tsatu* designa a los cuadros o estatuas de la virgen de Guadalupe o de los santos que se guardan en los templos y a los que se suelen hacer sacrificios de reses o que reciben limosna. Está muy directamente ligada a la ritualidad cristiana. Una muestra formal de la integración en la semántica y en la ritualidad huichola es la gran variabilidad en la formación del plural: si designa a las divinidades mismas forma el plural con la marca -*ma* propia de los nombres de parentesco, *xaturima* lo mismo que *takakaima* 'nuestros ancestros' o *tatuutsí-ma* 'nuestros bisabuelos'. Las divinidades huicholas son fundamentalmente ancestros que tienen una relación de parentesco con las personas vivientes, y en tal medida son consideradas ya como miembros de la familia. Si designa las figuras materiales con las que se representan, forma el plural con -*te, xaturi-te,* y los encargados de cuidarlas se llaman *xaturi-tsixi*.

Integración y separación en el rito y en el mito

Hasta la actualidad la estrategia seguida en todos los órdenes, desde la fonología hasta el dominio religioso, ha sido de asimilación y resignificación: los *xaturi* forman una pareja y simbolizan el lazo matrimonial. El encargado del *xaturi* macho se dirige a la casa del encargado del *xaturi* hembra para pedir la mano de su hija, y al día siguiente se realiza el rito inverso, como se hace en la vida real. La Semana Santa se entiende como parte de la preparación para la siembra, pero pertenece todavía al día del ciclo anual, en que se ubican las actividades e instituciones coloniales. Hay una fuerte presencia de la ganadería en los rituales de la Semana Santa. Sin embargo, ni en la iglesia de Tateikie ni en los rituales de la Semana Santa oficia un solo sacerdote, y a veces no se permite que en la procesión de la Semana Santa participen las monjas con sus rezos.

Es una asimilación relativa, porque si las palabras se pueden identificar todavía por las terminaciones fonoléxicas, las divinidades son clasificadas muy claramente en *kuruxite*, literalmente 'cruces', es decir divinidades ligadas a la cruz y a las monedas, en oposición a los *tɨkarite*, divinidades de la noche, que son las divinidades tradicionales. La Semana Santa está asociada al poblado de San Andrés, fundado en la colonia dentro del fondo legal. En el ritual de la Semana Santa, este poblado se llama siempre Xanatɨrexi (San Andrés), no Tateikie. En la Semana Santa, más que en cualquier otra festividad de origen colonial, se da una fusión o sincretismo entre ambos rituales, el cristiano y el huichol, pero con un claro predominio del huichol. Las fiestas de los santos cristianos van ligadas a las ceremonias del sistema colonial de cargos y autoridades y a actividades como la ganadería, representada en el *mawarixa* o sacrificio de la vaca. Pero estos componentes, aunque reconocibles, aparecen recubiertos de una densa red de ritos huicholes y están ampliamente resignificados.

En algunas comunidades se celebra la fiesta de la Virgen de Guadalupe (en Wautɨa, San Sebastián, el 26 de febrero), en la que predominan también los componentes huicholes. En la tarde se celebra el *mawarixa* (sacrificio de la vaca). Al ponerse el sol se hace una procesión simbólica alrededor del fuego (en dirección opuesta a la de las manecillas del reloj). Las ofrendas se colocan frente al chamán y sus asistentes. Suenan los cantos chamánicos durante toda la noche. Dentro de la capilla hay danzas con música de guitarra y violín, los instrumentos coloniales. Justo antes del amanecer los santos son sacados al patio, y el chamán dirige su *muwieri* al sol pidiendo a los dioses que acepten las ofrendas. Se sacrifica una gallina, cuya sangre se arroja a los santos. *Warupitukari* (el día de Guadalupe) es en otros lugares la fiesta del ciclo de renovación de los cargos en que se celebra el cambio de los mayordomos, el día 12 de diciembre. Al igual que *Patsixa* incluye una procesión que transcurre desde el *tukipa* hasta el *katsariana* (< Casa Leal, la sede de la administración civil), conectando así el espacio de la administración civil con el territorio ritual de las peregrinaciones.

Algunas personas se dirigen a los templos con el señor San Joseño (San José) para pedirle que les conceda el don de poder tocar los instrumentos musicales de origen colonial o de las canciones en castellano. Llevan los instrumentos musicales para ofrendarlos a los *tananama*, es decir, a los santos cristianos como San José o Naxipá (San Ignacio). Pero también se encomiendan a Nuestro Hermano Mayor Páritsika, quien toca su violín y al mismo tiempo baila y canta, o con los llamados Kɨmɨkite, dioses ancestrales del poniente, los primeros maestros de música. Aquí vemos a los santos cristianos y a las divinidades ancestrales huicholas en competencia, pero la tendencia es a transferir a las divinidades huicholas las facultades reconocidas primeramente a los santos cristianos. Las mismas divinidades cristianas se insertan en la genealogía sagrada y así los mexicanos y su cultura se hacen derivar de los ancestros huicholes. Los mexicanos en general se presentan como la estirpe de las divinidades Xapawiyeme y Nɨ'ariwame. Hapaxuki, es decir, Cristo, se identifica con la figura de 'Uxainuri, el primer chamán. San José y San Andrés nacen del primer cantador 'Uxainuri (Ramírez 2005, Anexo 1).

Se produce así en el discurso chamánico una integración de elementos cristianos en los sistemas simbólicos tradicionales. Las divinidades cristianas llegaron del mar y siguieron la ruta de Nuestras Madres, que salieron del mar y llegaron al territorio sagrado de Wirikuta en forma de nubes. Ahí se encontraron con las divinidades tradicionales huicholas, los Tɨkarite, los dioses de la noche, y pasaron a formar parte del panteón huichol. Se establecieron en el territorio huichol, clavando su cruz como símbolo de propiedad, en lugar de las flechas que clavaron los antepasados huicholes.

Conclusiones

La falta casi total de una historia documental de los huicholes se puede en parte suplir por la reconstrucción diacrónica de los contactos entre las lenguas huichol y español. Los préstamos se han dado desde la primera etapa de la colonia, en número creciente y de manera escalonada por dominios léxicos, lo que manifiesta un desarrollo de los contactos desde los dominios más superficiales de la cultura material, como la ganadería o la minería, pasando por la toponimia, la administración civil y la onomástica personal para penetrar paulatinamente en el dominio de la religión. Hasta hoy ha predominado el principio de asimilación selectiva de las influencias lingüísticas y culturales a los esquemas propios frente al principio opuesto de la conducta adaptativa, la acomodación de la conducta externa y mental a los esquemas foráneos, reservando para la cultura tradicional espacios rituales y discursivos exclusivos. Esto ha generado una convivencia respetuosa y distante entre dos sistemas en múltiples dominios: la toponimia, la onomástica personal, la vestimenta, la organización social, la lengua, la religión. Las influencias lingüísticas no pasan del léxico y de conectores discursivos. No penetran en la gramática.

BIBLIOGRAFÍA

Acordonamiento (1725). Documento del Archivo Histórico de Jalisco.
DRAE. *Diccionario de la lengua española* (^{21}1998). Madrid: Real Academia Española/Espasa-Calpe.
EICHLER, Ernst *et al.* (eds.) (1995-1996): *Namenforschung. Name Studies. Les noms propres*, 2 vols. Berlin/New York: Walter de Gruyter (= HSK 11.1–2).
ITURRIOZ LEZA, José Luis (1995a): "Bedeutung und kulturelles Gedächtnis. Zur Rolle der 'konzeptionellen Schriftlichkeit' in der sprachlichen Feldforschung", en Raible 1995, pp. 121-152.
— (1995b): "Die Personennamengebung bei den Huichol", en Eichler *et al.* 1995, vol. 1, pp. 959-962.
— (1996): "Namen in kolonialen und postkolonialen Verhältnissen: Mesoamerika", en Eichler *et al.* 1996, vol. 2, pp. 1058-1064.
— *et al.* (^{2}2002 [1995]): *Reflexiones sobre la identidad étnica.* Guadalajara: Universidad de Guadalajara.
— (2004a): "Reconstrucción del contacto entre lenguas a través de los préstamos", en Iturrioz 2004b, pp. 23-122.
— (ed.) (2004b): *Lenguas y literaturas indígenas de Jalisco.* Guadalajara: Secretaría de Cultura/Gobierno del Estado de Jalisco.
— *et al.* (en prensa): *Onomástica personal huichola.* Guadalajara: Universidad de Guadalajara.
ITURRIOZ LEZA, José Luis/GÓMEZ LÓPEZ, Paula (2006): *Gramática Wixarika I.* München: Lincom Europa.
ITURRIOZ LEZA, José Luis/GÓMEZ LÓPEZ, Paula/RAMÍREZ DE LA CRUZ, Xitakame (1986): "INDIVIDUACIÓN en Huichol, I: Morfología y semántica de las clases nominales", en *Función* [Guadalajara] 1.2, pp. 309-354.
ITURRIOZ LEZA, José Luis/RAMÍREZ DE LA CRUZ, Xitakame/CARRILLO DE LA CRUZ, Wiyeme (2004): "Toponimia huichola", en Iturrioz 2004, pp. 205-222.

PACHECO SALVADOR, 'Iritemai/CARRILLO DE LA CRUZ, Wiyeme/ITURRIOZ LEZA, José Luis (2002): "Ketitayari 'Etsiema Tete'utiyuane. La importancia de llamarse Etsiema", en Iturrioz *et al.* 2002, pp. 67-69.

RAIBLE, Wolfgang (ed.) (1995): *Kulturelle Perspektiven auf Schrift und Schreibprozesse.* Tübingen: Narr.

RAMÍREZ DE LA CRUZ, Xitákame (2005): *La canción Huichola.* Guadalajara: Universidad de Guadalajara.

ROJAS, Beatriz (1993): *Los huicholes en la historia.* México: INI/El Colegio de Michoacán.

TELLO, Antonio (1968-1984 [1624]): *Crónica Miscelánea de la Sancta Provincia de Xalisco,* 5 vols. Guadalajara: Gobierno del Estado de Jalisco/Universidad de Guadalajara.

WEIGAND, Phil C. (2002): *Estudio histórico y cultural sobre los huicholes.* Guadalajara: Universidad de Guadalajara.

Anejo

Las etapas de la asimilación de los préstamos

La división en cuatro etapas es convencional. Sirve para ordenar y exponer más cómodamente los datos. En el esquema que sigue podríamos distinguir siete etapas, tantas como hay cortes, asignando a cada etapa un solo rasgo distintivo: la regla que establece la diferencia con la etapa anterior. Cada regla tiene un período de vigencia y establece un corte que no tiene que coincidir con el de ninguna otra. Cada corte cierra una etapa y da comienzo a otra. Si tuviéramos muchos más préstamos y más rasgos es posible que hubiera que hacer más cortes. Sin embargo, podemos definir un número menor de etapas como configuraciones de rasgos diferenciales nuevos. Decidí que fueran al menos tres. Esto implica definir las etapas como segmentos focales con zonas intermedias de transición. La raya vertical indica el límite de vigencia de una regla.

CUADRO 2
Las cuatro etapas de la asimilación de los préstamos

Procesos				
Siglo XVI *etapa 1*	XVII *etapa 2*	XVIII *etapa 3*	XIX *etapa 4*	XX
ŕ > r		ŕ > ř > ŕ		
s > s	s > ř > ŕ		s > ts	
š > s		|χ > k		
ts, Θ > ts				
λ > l/r	y > y			
b > w	|b > p		|b > w	
d > t		|d > r		
		|dyV > diyV	|dyV > yV	
g > k				
f > p